50개의 사례로 보는
딥 차이나

DEEP
CHINA

||| 50개의 사례로 보는 |||
딥 차이나

박승찬 지음

당신이 아는 중국은 없다

중국은 비약적인 경제성장을 기반으로 G2 국가로 자리매김하면서 2021년 기준 중국 국내총생산GDP이 미국의 75%를 넘어섰다. 세계 국내총생산에서 중국의 비중은 18%이다. 세계 경제 기여도는 25%가 넘는다. 중국은 막강한 경제력을 바탕으로 유엔UN을 포함한 국제기구에서의 역할과 입김이 세지고 있다. 미국과의 충돌이 본격화되고 있다. 그리고 그 중심에 우리나라가 있다.

한중 양국이 수교를 맺은 지도 벌써 30년이 지났다. 하지만 여전히 우리의 머릿속은 중국에 대한 많은 편견과 오해로 점철되어 있다. 이제 우리의 고정관념 속에 있는 중국을 리셋해야 한다. 중국을 제대로 잘 알아야 동북공정, 문화공정, 올림픽 편파 판정 등 충돌에도 대응할 수 있다. 나는 중국과 중국인의 진짜 모습을 사실적으로 전달해 좀 더 객관적으로 이해하도록 해야겠다고 생각하고

책을 썼다. 그래서 이론과 개념보다는 생생한 실전 사례를 통해 변화된 중국의 사회, 문화, 지역, 시장과 경영 특징을 소개하고자 노력했다.

필자는 중국에서 석박사 과정을 마친 후 30년이 넘는 긴 세월 동안 대한민국 주중국대사관 경제통상관, 중소벤처기업지원센터장, 대학교수, 중국경영연구소장을 지내며 수많은 기업의 중국 진출과 경영을 도왔다. 업무 특성상 한국 기업뿐만 아니라 미국과 일본 등 다양한 외국계 기업들의 중국 진출을 지원했다. 중국 현지 곳곳을 3,000여 기업들과 함께 돌아다니며 같이 울고 웃은 기억이 두텁다. 꽤 많은 성공과 실패의 스토리를 지켜보며 중국의 성장과 변화를 몸소 경험한 듯하다.

이 책은 지난 30여 년간 중국 곳곳을 직접 발로 뛰며 체험하고 습득한 땀의 산물이자 기록이기도 하다. 이 책에 소개한 다양한 사례들은 내가 직접 경험한 것들이다. 중국을 이해하는 데 정답은 없다. 과거의 역사적 경험과 실전 사례를 통해 배우고 해답을 찾아가는 노력을 기울여야 한다. 그럼 분명 건설적이고 의미 있는 한중 관계가 구축되고 우리 기업의 성공 사례가 더욱 많아질 것이다. 중국과 우리의 다름을 인정하는 순간부터 중국이 보인다. 그때부터 우리에게 기회가 열리고 중국을 이길 수 있다.

이 책의 구상은 지난 3년간 필자가 한국무역신문 「박승찬의 차이나는 차이나」 칼럼을 게재하면서 시작되었다고 할 수 있다. 그 칼럼 내용을 기반으로 최근 변화된 이슈와 시장 트렌드를 추가해 4개의 장으로 구성하였다. 1장은 숨어 있는 중국 역사, 문화, 사회 특징을 기업 스토리를 기반으로 풀어냈다. 2장은 방대하고 다양한 중국 지역의 특성과 중국인의 성향을 실전 사례를 통해 다루었다. 3장은 급변하는 중국 시장의 트렌드와 특징을 흥미로운 사례 중심으로 담아냈다. 4장은 최근 중국의 정책 변화에 따른 경영 전략과 현지화 전략 등을 다루었다.

원고가 마무리되기까지 매우 힘든 과정이었고 또 출판되기까지 오랜 시간이 걸린 듯하다. TV 방송과 라디오 출연, 각종 신문 칼럼, 대학 강의, 중국경영연구소 업무까지 겹치면서 숱한 밤을 지새우며 진행한 고된 작업이었지만 가족과 주변 지인분들의 도움으로 무사히 책을 세상에 내놓을 수 있었다.

출판을 흔쾌히 수락하시고 꼼꼼히 출판 일정을 챙겨주신 클라우드나인의 안현주 대표님과 임직원분들께 고마움을 전한다. 그리고 지난 3년간 「박승찬의 차이나는 차이나」 칼럼 공간을 제공해주신 한국무역신문 김석경 대표님과 항상 응원해 주시는 한국무역협회 김병유 상무님, 한국능률협회 컨설팅 김종운 부문장님께 감사의 마음을 전한다.

책에 담긴 수많은 사례와 경험을 함께하며 나를 믿고 따라와 준 중국경영연구소 조병욱 사무국장과 연구소의 성장과 발전을 위해 많은 도움을 주고 계시는 여러 연구소 이사님들께도 고마움을 전한다. 누구보다 항상 정신없고 바쁜 아빠를 이해하고 잘 자라준 아들 은호! 이제 중학생이 된 은호에게 미안함과 사랑을 전한다. 직장생활과 육아를 함께 하느라 항상 고생하는 경진이와 부천 어르신들께도 감사 인사를 드린다. 마지막으로 앉으나 서나 고향에서 막내아들의 건강과 행복을 위해 항상 기도하시는 어머님과 나 대신 돌아가며 연로하신 어머님을 보살피느라 고생하시는 형님과 누님들께 부족한 이 책을 바치고 싶다.

"항상 어머님이 건강하게 살아 계셔서 막내아들이 이렇게 열심히 잘살 수 있습니다. 어머님 오래오래 건강하셔야 합니다. 감사하고 사랑합니다!"

2022년 6월 학교 연구실에서

박승찬

딥 차이나 4

중국의 정책을 읽고 경영 현지화 전략을 짜라 ・ 269

딥 차이나 1

중국의 역사, 문화,
사회적 맥락을 읽어라

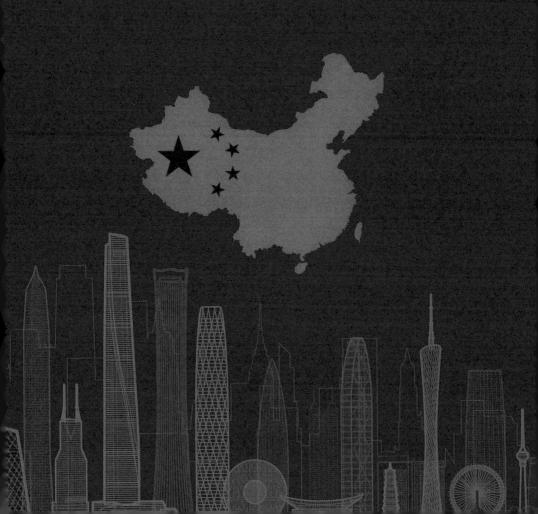

1
중화사상과 레드라인을 이해하라

중국인의 중화사상을 이해해야 한다

　중화사상은 '중화민족 우월주의'에 기초하고 있다. 예로부터 중국인들은 자신들이 세계의 중심이라고 생각하고 있다. 즉 중국은 세계의 중심에 있는 나라이다. 그리고 천자가 바로 세계의 정치와 문화의 중심인 중국을 통치하게 되어 있다는 것이다. 자기 민족을 '중화中華'라 부르고 주변의 이민족들은 동이東夷, 서융西戎, 남만南蠻, 북적北狄으로 구분하여 열등한 민족으로 간주했다. 그리고 이들 주변국에 종주권을 행사해왔다.

　그러나 그 중화사상의 속내에는 불안감과 자부심이 함께 존재하고 있다. 지금 일부 중국인들이 주장하는 김치, 삼계탕, 한복, 매듭 등 이른바 '문화공정'은 5,000년 중화민족의 우월성 고취와 외부세력으로부터 현 체제를 유지하기 위한 강한 불안감을 대변하고 있다. 중국을 역사적으로 거슬러 올라가 보면 이민족이 무려 1,000

여 년을 중원을 지배해왔다. 이적夷狄이 서진西晉에서 수隋까지 약 260년, 북방의 거란족이 지배한 요遼에서 여진족이 지배한 금金과 몽고족이 지배한 원元까지 약 450년, 만주족이 지배한 청淸은 약 300년으로 1,000년이 넘는 기간 동안 이민족이 중국을 지배했다. 따라서 지금의 중국을 이해하기 위해서는 감춰진 중국의 약점과 속내를 이해하고 대응해야 한다. 우리가 아는 중화사상이 과연 중국인들에게는 어떠한 의미와 가치를 가지는지 이해해야 한다.

중국은 5,000년이라는 오래된 역사와 문화 콘텐츠를 간직한 나라다. 그러나 1890년 아편전쟁을 계기로 급속히 문화적, 이념적 쇠퇴를 경험하게 되었다. 그로 인해 1919년 쑨원孫文 선생의 신해혁명을 통해 봉건 사회가 무너졌다. 그리고 1949년 마오쩌둥毛澤東의 신중국이 성립된 후 30여 년간 죽의 장막이라는 이름 아래 세상과 단절하고 경제 문화적 쇠락을 지속해왔다. 그러던 중국이 1978년 덩샤오핑鄧小平의 개혁개방 정책을 통해 급속한 경제성장을 이루었다. 여기서 중요한 것은 개혁개방은 반드시 공산당 체제의 이념과 사상의 견지를 통해 이루어져야 한다는 조건이다. 모순되지만 대외개방과 통제를 함께해야 한다는 원칙이다.

그 핵심은 1978년 중국이 개혁개방을 진행하면서 대두된 '중국 특유의 사회주의 시장경제' 개념이다. 사회주의와 시장경제를 어떻게 하나의 개념으로 이해할 수 있을까? 덩샤오핑은 이러한 국가 자본주의Red Capitalism를 완성하기 위해서는 반드시 '1개 중심과 2개 기본점—一个中心, 两个基本点' 원칙을 견지해야 한다고 강조한다. 1개 중심은 경제발전으로 경제가 발전하지 않으면 모든 이념과 정치사상은 한낱 사상누각에 불과하다는 것이다. 2개 기본점은 경제발전을 위해서 2개의 기본 노선의 견지다. 첫째 노선은 개혁개방이고 둘째 노선은 4개 사상의 견지다. 즉 사회주의 견지, 무산계급(프롤레타리아) 민주 독재 견지, 중국공산당 영도 견지, 마르크스-레닌주의와 마오쩌둥 사상 견지를 의미한다. 자본주의 시각에서 개혁개방과 4개 사상의 견지는 서로 어긋나고 상호 모순 관계에 있다. 중국은 이러한 모순된 개방과 통제의 메커니즘을 촘촘히 연결하여 G2의 경제대국으로 성장했다. 그리고 이제 G1의 사회주의 강국을 꿈꾸고 있다.

중국인의 레드라인을 넘지 말아야 한다

우리가 중국인과 만날 때 명심해야 할 것이 이러한 중화사상에 기초한 문화적 우월감이다. 중국인은 오늘날에도 이민족에 대한 우월감이 물리적인 힘보다는 역사적인 자부심과 문화적인 힘에서 나온다고 믿고 있다. 특히 중국과의 교류와 비즈니스를 할 때 중시해야 할 것이 정치적 이슈에 대한 주제다.

예를 들어 타이완, 홍콩, 소수민족 이슈에 매우 민감하게 반응한다. 중국 체제의 특수성을 반드시 이해해야 하고 조심스럽게 접근해야 한다. 과거 런던 올림픽 성화 봉송 시 티베트 독립 이슈에 대항한 전 세계 중국인 단체 시위 행동을 경험한 바 있다.

벤츠의 광고용 포스터와 나이키 불매운동

"Look at situations from all angles,
and you will become more open."

-Dalai Lama

(출처: 구글, 바이두)

(사례 1 벤츠 자동차 광고 실패 사례)

또한 벤츠 자동차의 광고 카피가 티베트 달라이 라마Dalai Lama의 명언[1]을 응용했다는 이유로 불매운동으로 확산된 것도 같은 맥락이다. 신장웨이우얼자치구의 강제노동 투입으로 생산된 면화를 사용하지 않겠다고 선언한 나이키, 아디다스, H&M, 유니클로, 컨버스 등 글로벌 기업에 대한 무차별 공격도 같은 개념이다. 일부 과격한 중국인들은 나이키 불매운동을 주동하며 운동화에 불을 붙이는 동영상을 SNS를 통해 퍼뜨리며 문화적 애국심을 부추기기까지 했다.

중국의 레드라인을 넘지 않는 범위 안에서 중국과의 관계를 만들어나가는 지혜가 필요하다. 14억 중국 시장 진출을 가속화하는 글로벌 기업의 경우 반드시 그들의 감춰진 속내와 알레르기를 이해해야 한다.

(사례 2 갭의 중국 지도 디자인 실패 사례)

미국 의류기업 갭은 2018년 티셔츠에 그려진 중국 지도에 타이완과 남중국해가 빠졌다는 이유로 곤혹을 치른 적이 있고 패션 브랜드인 코치도 타이완과 홍콩을 국가처럼 표기했다가 불매운동을 당한 적이 있다. 또한 프랑스 브랜드 디올Dior도 중국 대학생을 대상으로 운영한 인턴십 프로그램 '드림 인 디올' 발표 현장에서 타이완이 표기되지 않은 지도를 사용해 비슷한 일을 당한 바 있다. 이들 모두 '하나의 중국' 원칙을 존중하고 중국 주권과 영토 보전을 인정한다는 공식 사과 성명을 발표하며 마무리되었다. 캘빈클라인도 자사 홈페이지의 중국 시장 매장 분포도 지도에 타이완, 홍콩, 마카오 등을 국가로 표시했다가 중국 소비자들에게 뭇매를 맞고 결국 삭제하였다,

필자가 직접 경험한 사례 하나를 소개하겠다. 한중 간 산업 협력 콘퍼런스에서 중국 산업의 가치사슬에 관한 주제발표를 한 적이 있다. 내가 제시한 PPT에는 한국, 중국, 미국, 일본, 타이완의 반도체와 디스플레이 산업의 가치사슬 구조를 설명하는 장표가 있었다. 청중들의 이해를 돕기 위해 국가별 국기를 그려 구조를 설명하는 장표였다. 주제발표가 끝나자마자 주최 측 담당자가 다가와서 중국 대사관 관계자가 타이완 국기가 그려져 있는 장표를 빼달라는 요청을 받았다고 했다. 경험이 많았음에도 바쁘게 작성하다보니 그것을 깜빡했다. 중국은 체제 분열과 독립에 대해 매우 심한 알레르기를 가지고 있다. 중국 사업을 할 때는 중국의 양면을 이해하고 잘 활용하는 지혜가 필요하다.

중국의 레드라인은 체제 이슈를 넘어 역사와 문화 콘텐츠로 확대되고 있다. 2008년 프랑스 자동차 회사 푸조 시트로엥이 스페

중국의 레드라인을 넘은 티셔츠

(출처: 바이두)

인 모 일간지에 마오쩌둥 주석을 희화화한 전면광고를 게재한 바 있다. 중국 네티즌들의 항의로 결국 하루 만에 공식적으로 사과했다. 수없이 많은 글로벌 기업이 이런저런 실수로 중국 시장에서 곤혹을 치르고 있다. 이러한 애국주의와 민족주의를 바탕으로 을 공격하는 조직이 바로 샤오펀홍小粉紅이다. 중국의 레드라인을 넘어서는 기업과 단체에 맹목적으로 온라인 공격을 하는 단체로 약 2,000만 명의 18~24세 여성 회원으로 구성되어 있다. 이들은 중국 민족주의 인터넷 여론을 주도하는 우마오당五毛黨과 함께 엄청난 파워를 가지고 있다. 우마오당은 중국 공산당의 댓글 부대로 댓글 하나당 0.5위안, 즉 5마오를 지급하기 때문에 붙여진 이름이다. 이들은 인터넷상에서 정부 정책을 적극적으로 옹호하는 한편 중국에 대한 비판적 의견에 무차별적 공격을 가하는 댓글 워리어 집단이라고 볼 수 있다.

외국인 입장에서 중국은 왜 그런 거냐고 불평할 필요는 없다. 이것 또한 우리와 다른 문화라고 이해하면 된다. 중국 사업을 하는 기업 입장에서 괜히 긁어 부스럼을 만들 필요가 없기 때문이다. 우리의 잣대에서 중국을 볼 필요가 없다. 그들의 정서와 속내를 이해하고 적극적으로 활용하면 된다.

중국 이문화에 대한 학습과 고민이 필요하다

왜 이런 불미스러운 일들이 생기는 것일까? 중국인들이 좋아하는 명품 브랜드이고 중국 사업을 오랫동안 해온 글로벌 기업이 왜 이런 실수를 하는 것일까? 그 이유는 기계적으로 중국어만 익혔지 중국 이異문화에 대한 학습과 고민이 없었기 때문이다. 이문화를 이해하는 것은 외국 비즈니스의 가장 기본이자 해당 국가에 대한 지속경영의 핵심이다. 중국 비즈니스는 더욱 그러하다. 이탈리아 명품 브랜드 돌체앤가바나는 홍보용 동영상 내용 중 중국인이 젓가락으로 피자와 바게트와 스파게티를 우스꽝스럽게 먹는 모습을 연출했다가 거센 반발과 함께 불매운동을 경험했다. 14억 중국 시장이 주는 경제적 이윤이 워낙 크다 보니 해당 기업의 CEO가 직접 고개를 숙이고 사과를 했다.

(사례 3 도요타 광고 실패 사례)

일본 도요타의 잡지 광고 실패 사례를 통해 이문화의 중요성을 설명해보자. 2003년 도요타는 중국 시장에 신차를 출시하면서 중국을 상징하는 사자상이 도요타 신차에 거수경례하는 장면의 포스터를 제작했다. 문제는 그 사자상이 베이징 자금성에 있는 사자상으로 중국 역사와 문화를 상징하는 아이콘이었다는 것이다. 일본 자동차에 대해 거수경례를 했으니 당연히 수많은 중국인이 분노했

도요타 중국 잡지 광고 실패 사례

(출처: 바이두)

다. 자동차의 우수함을 나타내기 위해 만들어진 슬로건과 포스트 사진이 독이 되어 돌아온 것이다. 무엇보다 '패도, 존경하지 않을 수 없다霸道, 你不得不尊敬.'라는 슬로건은 중국인들을 더욱 흥분케 했다. 이 사건은 과거 일본 침략 문제와 일본 패권주의에 대한 비판으로 확대되었다. 결국 도요타는 문제의 심각성을 인식하고 사과 성명을 발표했다. 도요타는 문제가 된 광고 포스터를 모두 회수하고 차종 이름까지 바꾸는 등의 홍역을 치렀다.

중국 시장에서 단순히 제품과 기술력만으로는 지속경영이 어렵다는 것을 보여주는 대표적인 사례다. 우리의 시각과 잣대로 바라보면 이해되지 않고 불합리할 수도 있다. 중국이 우리와 다름을 인정하는 순간부터 중국 사업이 시작되는 것이다. 국내 많은 대기업과 중소기업이 중국 시장 진출을 위해 사내 직원들을 대상으로 자체 중국어 교육만 시키지 이문화 교육은 크게 신경을 쓰고 있지 않다. 중국어를 잘하지 못하면 중국 생활과 사업은 불편하겠지만 실패로 기우는 단점은 아니다. "차라리 중국어를 못한다고 하고 전통역을 씁니다. 그 대신 중국 역사와 문화를 얘기합니다." 20여 년

간 중국에서 성공적으로 사업하는 모 기업의 CEO에게 들은 말이다. 반대로 중국의 이문화를 이해하지 못하면 중국어를 결코 잘할수 없다. 중화사상과 중국의 레드라인을 이해하는 것은 중국 생활과 사업의 핵심이고 성공 요소임을 기억해야 한다.

나이키는 중국 문화를 잘 아는 기업이 됐다

나이키와 아디다스는 한때 중국 시장에서 신장웨이우얼 인권 문제로 어려움을 겪었지만 현지화 경영을 통해 다시 기지개를 켜고있다. 대대적인 할인과 판촉 행사를 통해 중국 소비자들이 몰려들고 있다. 잠시 주춤했던 매출액이 다시 올라가며 나이키와 아디다스는 중국 스포츠용품 시장에서 상위권을 지키고 있다. 강력한 브랜드 포지셔닝과 차이벌라이제이션Chibalization 전략으로 중국 시장에서 자리 잡고 있다. 필자는 중국 시장의 성장 전략을 차이벌라이제이션이라고 명명한다. '차이나China'와 '글로벌라이제이션Globalization'의 합성어로서 중국화를 추구함과 동시에 글로벌 시장에 맞추어 전략적인 사업경영을 하는 것으로 '선先중국 후後글로벌' 시장을 의미한다. 쉽게 말해 중국향이면서도 글로벌한 제품과 기술로 중국 시장에 접근해야 한다는 것이다.

차이벌라이제이션은 중국 시장 확대를 위해서는 글로벌한 콘셉트, 마인드, 제품, 기술로 접근하되 경영방식 혹은 비즈니스 모델은중국적인 관점에서 기업을 경영하는 것이다. 나이키는 시가총액이200조 원이 넘는 세계 최대 스포츠용품 기업이다. 하지만 철저한 현지화에 기반을 두고 사업을 한다. 특히 나이키에 중국은 전체 매출의 20% 이상을 차지하다 보니 매우 공을 들이는 시장이자 최대 생산 요충 제조기지이기도 하다. 중국 스포츠용품 시장은 글로벌 브랜드와 최근 급부상하고 있는 안타Anta, 리닝Lining, 360도, 터부 Xtep 등 중국 로컬 브랜드 간 치열한 각축전이 벌어지고 있다. 하지만 나이키와 아디다스 간 격차는 매우 큰 편이다.

나이키의 중국 사업 진출은 중국의 개혁개방과 그 맥을 같이한다. 1978년 선언된 중국의 개혁개방 정책이 본격화되던 1982년 일찌감치 중국 시장에 진출하며 브랜드를 키워왔다. 진출 초기에는 중국을 이해하지 못해 어려움을 겪었지만 지속적으로 글로벌 스포츠 스타와 중국 유명 연예인을 광고 모델로 내세워 젊은 중국 소비자들에게 지명도를 알렸고 다양한 마케팅을 통해 럭셔리 스포츠 브랜드라는 이미지를 구축하며 오랜 기간 엄청난 돈을 벌었다. 무엇보다 나이키는 단순히 상품을 파는 광고를 하지 않는다. 문화, 스토리, 가치를 추구하며 소비자들에게 감동과 웃음을 주는 콘텐츠 광고를 함으로써 핵심 가치를 높였다. 이런 브랜드 가치 전략은 중국 시장에서도 통했고 10대를 중심으로 전 연령층에서 확고한 브랜드 이미지를 구축했다고 볼 수 있다.

(사례 4 나이키 TV 광고 실패 사례)

그렇게 승승장구하던 나이키에게 25년 만에 큰 위기를 겪었다. 독보적인 나이키 브랜드 이미지가 중국에서 큰 타격을 받은 사건이 있었다. 바로 2004년 나이키가 야심차게 중국 10대를 타깃으

사망탑과 쿵부더우스 사진

(출처: 바이두)

로 제작한 TV 광고 '쿵부더우스恐怖斗室'였다. 쿵부더우스는 '공포
는 모두 작은 방에 있다.'라는 의미다. 공포와 두려움은 결국 스스
로 만드는 것이다. 그러므로 공포와 두려움의 좁은 방에서 박차고
나와 나 스스로가 주인공이 되어야 한다. 그런 의미를 담은 스토리
광고다. 나이키 특유의 스토리와 가치에 중국적인 문화 요소를 가
미하여 제작했다.

　쿵부더우스 중국 TV 광고 소재는 1980년 이소룡 주연의 마지막
영화인 「사망탑Tower of Death」 스토리에서 가져왔다. 사실 이 영화
는 이소룡 사망 후 이소룡의 기존 액션 신을 편집해 만들었다. 영
화에서는 이소룡이 죽는 것으로 나왔고 이소룡과 닮은 한국 배우
인 김태정이 동생으로 나와 형의 복수를 위해 사망탑을 올라가며
적을 무찌른다는 스토리이다. 한국과 홍콩이 합작 제작한 쿵후 액
션물이다. 홍콩과 중국 본토 그리고 우리나라에서도 상영되며 큰
인기를 얻은 바 있다. 이소룡은 중국 쿵후의 자존심이자 상징적인
인물이다. 나이키는 그의 마지막 영화인 「사망탑」의 소재를 스토

리텔링하여 쿵부더우스 애니메이션 광고를 제작한 것이다. 쿵부더우스는 많은 제작비용을 투입해 당시 가장 유명한 일본 애니메이션 감독 타나카 타츠유키, 모리모토 코지, 와타나베 신이치로 등에게 의뢰해 제작되었다.

또한 당시 중국에서 가장 인기 있는 미국 NBA 농구 스타 르브론 제임스LeBron James를 섭외하여 광고를 찍었다. 중국 시장 매출 확대를 위해 미국의 유명 농구스타와 일본 애니메이션 작가 등을 캐스팅하고 1억 달러(약 1,200억 원)의 엄청난 비용을 투입해 만든 TV 애니메이션 광고가 중국에서 나이키 불매운동의 촉매제가 되리라고는 생각지도 못했을 것이다. 도대체 어떤 광고이기에 그런 일이 일어났을까?

광고는 주인공인 NBA 농구스타가 5층 꼭대기 목적지까지 가는 층마다 기다리고 있는 장애물인 상대를 제압하고 올라가는 내용이다. 층마다 나름의 메시지를 담고 있다. '중국 현지화'라는 전략을 살려 중국풍의 옛 건축물과 상하이 동방명주탑과 같은 현대식 고층 건물을 담아냈다. 또 중국 청소년들이 좋아할 만한 애니메이션 기법을 활용했다. 문제는 층마다 나타나 주인공을 막는 장애물인 상대가 대부분 중국을 상징하는 이미지와 문화 콘텐츠였다는 것이다. 각 층의 테마와 스토리는 다음과 같다.

- 1층 '과장실실夸张失实' 테마
  중국을 상징하는 돌 사자상이 있는 농구대가 있는 무대가 있다. 그 중간에 무협소설에 자주 등장하는 흰 수염의 도사가 나

나이키의 광고 쿵부더우스의 층별 장면

(출처: 바이두)

타나 주인공을 막는다. 여기서 '과장실실'은 '현실과 부합되지 않는 것을 과장한다.'라는 의미로 청소년이 현실을 직시하고 용감하게 헤쳐나가야 한다는 메시지를 담고 있다.

• 2층 '유혹诱惑' 테마

중국 4대 석굴 중 하나인 둔황 막고굴 벽화에 등장하는 '비천飛天'과 비슷한 여신이 달러를 뿌리며 주인공을 유혹하지만 이를 극복하고 골을 넣는 순간 비천은 산산이 부서지고 만다.

• 3층 '질투嫉妬' 테마

중국 우슈武術 도복을 입은 외국인들이 쌍철봉을 휘두르며 주인공을 가로막지만 멀리서 중거리 슛을 통해 승리한다. 여기서 '질투'라는 메시지는 상대방에 대한 시기와 질투를 버리고 스스로 능력을 키우고 노력해야 한다는 메시지를 담고 있다.

- 4층 '자명득의自鳴得意' 테마

중국적 이미지인 두 마리의 용이 나타나 연기를 뿜어내고 요괴로 변신해 주인공을 가로막지만 주인공은 가뿐히 득점한다. '자명득의'는 '우쭐하며 스스로 자신을 대단히 여기다.'라는 뜻으로 청소년은 절대 자만하지 말고 꾸준히 지속적으로 해 나가야 한다는 메시지를 담고 있다.

- 5층 '자아회의自我怀疑' 테마

마지막은 야외 꼭대기 층으로 자금성과 상하이 동방명주탑 등 중국의 과거와 현대를 상징하는 구조물이 배경으로 설정된다. 또 다른 자아라는 마지막 적을 만나게 되지만 결국 골을 넣는다. '자아회의'는 '자신을 의심하고 자신이 없다.'라는 뜻으로 사람의 가장 큰 적은 남(외부요인)이 아니고 바로 자기 자신(내부요인)이라는 메시지를 담고 있다.

이 TV 광고는 중국 중앙방송인 CCTV와 지역방송을 통해 전국으로 방송되었다. 중국 청소년들에게 앞으로 어려움과 곤란이 닥쳐오더라도 포기하지 말고 용감히 앞으로 나아가라는 의미와 나이키의 우수함을 전달하고자 하는 의도였다. 그러나 전체적인 줄거리와 내용이 중국을 무시하고 중국적 정서나 문화를 비하하는 내용으로 비쳤다. 결국 2004년 12월 중국 국가광전총국(현 국가신문출판광전총국)으로부터 광고 규정을 위반했다는 이유로 방영 금지 결정이 났다. 나이키는 서방과 중국 문화의 차이를 제대로 이해하지 못한 실수를 인정하고 회사 차원의 공식 사과 성명을 발표했다. 당연

쿵부더우스 운동화 시리즈와 일본 나이키의 욱일기

(출처: 바이두, 일본 나이키)

히 중국 내 불매운동으로 퍼져나갔다. 나이키는 이러한 중국 내 부정적 이미지를 바꾸기 위해 엄청난 비용과 노력을 들여야 했다.

그리고 14년이 지난 나이키는 에어포스원Air Force 1을 전 세계적으로 출시하면서 중국 시장에서는 과거 TV 광고 쿵부더우스 메시지를 다시 소환했다. 전 세계적으로 선풍적인 인기를 끌은 에어포스원 운동화에 6개 테마를 중국어로 운동화에 인쇄한 여섯 종류의 쿵부더우스 시리즈 운동화를 출시했다.

복고풍 운동화 디자인에 에어포스의 새로운 기능성을 추가하였고 중국 청소년을 향한 교육적 메시지까지 담은 역발상 마케팅이었다. 반응은 선풍적이었다. 게다가 한정판 마케팅을 진행하면서 나이키 매장마다 고객들이 줄지어 선 진풍경이 벌어졌다. 나이키는 과거 중국 문화에 대한 이해 부족으로 발생한 실패를 교훈 삼아 제3국 시장 진출에 있어 가장 핵심 요소인 역사·문화적 콘텐츠와 나이키 브랜드 철학을 잘 융합하며 세계 시장에서 확실한 브랜드 이미지를 구축했다. 나이키는 중국 외 시장에서도 해당 국가와 지역의 역사·문화적 요소를 전략적으로 잘 활용했다. 마이클 조던 농구화 시리즈의 스페셜 에디션인 '에어조던12' 일본판 제품은 일본 시장을 겨냥한 마케팅 디자인이다. 이 운동화에는 일장기의 태양 주변에 붉은 햇살이 퍼져나가는 모양을 그려 넣었다. 나이키는 과거 홈페이지를 통해 조던 시리즈의 독특한 디자인은 일본의 과거 육군과 해군의 기에서 일부 영향을 받았다고 공식적으로 설명한 바 있다. '에어조던 12' 시리즈가 제2차 세계대전 당시 일본의 군국주의를 상징하는 '욱일기'에서 아이디어를 얻었다는 점에서 지속적으로 우리나라와 중국에서는 논쟁이 되고 있다. 하지만 역설적으로 일본시장에서는 가장 인기 있는 제품 중 하나다.

[사례 5 나이키의 홍바오 문화 활용 성공 사례]

나이키는 이런 과거 경험을 기반으로 중국 역사와 문화에 대한 철저한 학습과 노력을 통해 시장을 더욱 파고들었다. 나이키의 2020년 중국 춘절용 TV 광고 '새해에는 아무도 못 쫓아오게 하세요新年不承让'는 웃음과 공감을 선사하면서 중국인이 뽑은 가장 훌

바이두 실시간 검색에 오른 훙바오 관련 삽화

"고모, 훙바오를 여기에 넣어요." (출처: 바이두)

륭한 TV 광고로 선정된 바 있다. 자연스럽게 나이키 매출에 반영
되면서 14억 시장에서 확고한 자리를 구축하고 있다. 광고 스토리
는 대충 이렇다.

중국 춘절에는 우리나라처럼 어른들이 중국말로 '훙바오紅包'라
고 하는 세뱃돈을 아이들에게 주는 문화가 있다. 고모가 춘절을 맞
이해 조카에게 훙바오를 주려는데 받으면 안 된다고 거절한다. 고
모는 그래도 받으라고 하면서 훙바오를 건네려고 하고 조카는 받
지 않기 위해 도망간다. 시간이 흘러 어린 조카가 청소년과 어른이
되어가는 과정에서 고모와의 훙바오 주기-거절하기-도망가기가
계속되는데 다양한 문화적, 사회적 배경을 끌어와 신선한 재미와
감동을 관객에게 전달하고 있다. 광고의 핵심인 '도망가기'에서 자
연스럽게 나이키가 등장한다. 나이키 브랜드에 대한 직접 언급은
하나도 없다. 시간이 흘러 이제는 현금이 아니라 모바일 결제 앱
인 위챗페이를 통해 훙바오를 주는 장면도 등장한다. 마지막 장면

나이키의 2020년 춘절 TV 광고

(출처: 바이두)

은 어린 조카가 성인이 되고 이제 반대로 나이 든 고모에게 훙바오를 주려고 한다. 고모는 웃으면서 성인이 된 조카를 바라보며 도망가려고 할 때 잠시 나이키 운동화가 보인다. 중국 네티즌의 반응은 "나이키가 정말 중국 문화를 잘 알고 있다." "나이키 광고는 한 번도 나를 실망시킨 적이 없어." "내가 어렸을 때 경험한 거랑 비슷해요." 등 매우 다양했다. 여기서 중국과 우리의 다른 문화적 차이를 경험하게 된다. 우리 입장에서 보면 '왜 훙바오를 안 받지?'라고 생각할 수 있다. 사실 중국 일반 가정에서는 어린아이에게 가능하면 홍바오를 받지 말라고 교육하는 경우가 많다.

그 이유는 크게 두 가지이다. 첫째는 자기 자녀가 홍바오를 받으면 준 사람에게 다른 형태로 보답을 해야 하기 때문이다. 홍바오를 준 사람의 가족 구성원이 더 많으면 받은 것보다 더 많이 나갈 수도 있다. 이것은 우리와 비슷한 사고방식이라고 볼 수 있다. 둘째는 어린아이가 돈을 좋아한다는 이미지를 줄 수 있기 때문이다. 그러나 실상은 몇 번 거절하지만 홍바오를 받는 것이 일반적이다.

홍바오와 관련한 재미있는 삽화가 중국 바이두 실시간 검색에 오르기도 했다. 한 손으로는 홍바오를 사양하지만 다른 한 손으로는 옷 주머니를 열고 여기에 넣어달라는 삽화이다. 여기서도 중국 문화를 엿볼 수 있다. 우리가 중국 사업을 하며 선물을 줄 때처음에는 거절하는 것이 기본이다. 그런데 그걸 모르고 안 주면 더 화를 낸다는 것이다.

지금 중국의 젊은 세대는 과거 나이키가 중국 문화를 무시한 광고에 대한 기억이 거의 남아 있지 않다. 2004년 1억 달러를 투자해 만든 화려한 TV 광고 대비 2020년 춘절 TV 광고는 유명 스타 없이 저비용으로 투자를 했지만 그 파급 효과는 훨씬 대단해 보인다.

흔히들 '미국 영화는 미래 지향적이고 중국 영화는 과거 지향적이다.'라는 말을 자주 하곤 한다. 사실 250년 역사의 미국과 5,000년 역사의 중국을 비교하는 것은 의미가 없는 것이다. 중국은 그만큼 오랜 역사·문화적 스토리를 가지고 있다. 미국은 중국 문화의 아이콘인 '쿵푸'와 '팬더' 소재로 만든 「쿵푸팬더」 애니메이션으로 엄청난 돈을 벌었다. 중국 입장에서는 역사 문화적 스토리가 다양한 부가가치를 창출할 수 있다는 것을 알게 된 계기가 되었다. 중국의 역사 문화적 배경과 체재의 이해는 정치, 경제, 외교 등 모든 영역에 투영되어 나타나고 있다.

2
중국의 선물 문화를 이해해야 한다

　중국인은 예로부터 선물에 많은 의미를 부여했다. 과거 공자의 제자가 명절을 맞아 잘 말린 건육乾肉을 선물로 드렸다는 기록이 있다. 공자가 노자를 알현할 때도 큰 기러기 한 마리를 선물했다고 한다. 유교 사상을 근본으로 하는 중국에서 특유의 선물 문화에 대한 이해는 필수다. 중국에서 선물은 주는 사람이 받는 사람에게 보이는 관심의 표시일 뿐만 아니라 주는 사람의 신분적 상징성을 나타내는 중요한 매개체다. 선물은 인맥 구축, 즉 꽌시关系 형성의 기본이자 교제의 중요한 수단이다. 또한 중국 사업을 시작하는 첫걸음으로서 매우 중요한 의미가 있다. 따라서 중국인이 어떤 상황에서 어떤 선물을 좋아하고 어떤 선물을 금기시하는지에 대한 사전 학습이 필요하다.

　중국의 선물 문화는 숫자 문화와 색상 문화와 더불어 전통적 중국 문화를 이해하는 3대 핵심 요소다. 그 대부분의 특징은 중국어

「쿵푸허슬」 포스터와 영화 속에 등장한 송종

(출처: 영화 「쿵푸허슬」)

특유의 발음에서 기인한다. 다시 말해 그 선물이 가지는 중국어 발음이 어떠한 부정적 의미를 내포하면 그 숫자와 선물을 터부시하는 경향이 있다. 예를 들어 중국인에게 괘종시계 혹은 탁상시계를 선물하는 것은 금기시한다. 탁상시계나 괘종시계의 중국어 발음은 중鐘이다. 탁상시계나 괘종시계를 선물하다는 글자인 숭중送鐘과 발음이 같으면서 뜻이 다른 글자로 숭중送終이 있다. 숭중送終은 사람이 죽어서 마지막 길을 보낸다, 임종을 지킨다는 뜻이다. 즉 장례를 치르는 것을 의미한다. 그러다 보니 탁상시계나 괘종시계를 선물한다는 것은 결국 장례를 치른다는 부정적인 연상을 불러일으킨다.

　우리나라에서도 유명한 홍콩 배우 주성치가 주연한 영화 「쿵푸허슬」을 보면 재미있는 장면이 나온다. 악당이 주성치 무리에게 붉은색 리본을 맨 큰 종을 보여준다.

주성치 무리 중 한 명이 매우 놀라면서 "쑹중送鐘!"이라고 크게 외친다. '종을 선물한다고!' 그러니 악당이 이런 말을 한다. "오늘 여기 악마 같은 고수가 있으니, 누가 죽는지 한번 보자구今天有邪神在这儿, 看是谁给谁送终!" 여기서 보면 송종의 한자가 '送鐘'에서 '送終'으로 바뀐 것을 알 수 있다. 이처럼 우리가 흔히 접하는 중국 영화와 드라마 속에도 중국의 역사 문화적 스토리가 함축되어 있다. 이러한 중국 문화를 이해하지 못하면 영화의 반만 이해하게 되는 것이다.

(사례 6 에밀레종 기념품 실패 사례)

문제는 중국 문화를 이해하지 못해 한중 간 중요한 외교와 비즈니스 현장에서 실례를 범하는 사례가 많다는 것이다. 대표적인 사례 하나를 들어보자. 우리의 자랑스러운 국보 제29호인 에밀레종의 얘기다. 원래 정식 이름은 신라 성덕대왕 신종이다. 외국의 외교 사절단과 관광객을 위해 한국 방문 기념품으로 에밀레종의 모형을 본떠 제작해 판매하고 있다. 문제는 에밀레종 모형이 국내 쇼핑몰에서 '한중교류 기념품'이라는 광고 문구로 판매된 적이 있었다. 더 나아가 중국 방문 시 한국을 대표하는 훌륭한 기념품이라는 문구도 있다.

중국 문화에 반하는 잘못된 광고 문구로 중국 외교 사절단과 단체에 매우 불쾌감을 주는 선물이 될 수도 있다. 일반적으로 다른

한중교류 기념 선물세트와 에밀레종 기념품

(출처: 국내 모 쇼핑몰 홈페이지)

아시아 문화권에서는 괘종시계 선물을 좋아하는 경향이 있다. 하지만 중국은 확연히 다르다. 중국인들이 죽는다는 의미가 있는 괘종시계나 종 선물을 좋아할 리 없다. 그러나 손목시계를 선물하는 것은 무방하다. 손목시계는 비아오表 혹은 쇼우비아오手表로 발음되어 종鍾과는 발음이 다르기 때문이다.

중국어는 발음이 같은 어휘가 많다

중국어는 표의문자이기 때문에 한자는 다르나 발음이 같은 어휘가 매우 많다. 이를 '해음諧音현상'이라고 부른다. 예를 들어 다른 두 한자 A와 B가 발음이 같거나 비슷해서 A를 의미하는 발음을 하지만 청자가 발음이 같은 B를 연상하는 현상을 말한다. 일본어의 숫자놀이인 고로아와세語呂合わせ와 비슷한 개념으로 이해할 수도 있다. 중국 해음현상의 간단한 예를 들어보자.

우리의 설날에 해당하는 중국의 춘절에는 새벽까지 동네 여기저기서 폭죽을 터뜨려 밤에 잠을 잘 수 없을 정도다. 폭죽이 화재 위험이 있어 법적으로 제한하지만 폭죽은 춘절을 대표하는 중국 전통문화의 상징이라 강력한 제재는 하지 못하는 실정이다. 요즘 폭죽 가격도 많이 비싸졌지만 중국인들은 기꺼이 지갑을 연다. 왜 그럴까? 그 이유는 크게 두 가지이다. 우선 나쁜 악귀가 시끄러운 것을 싫어해서 폭죽을 터뜨려 악귀를 몰아내고 순조로운 한 해를 기원한다는 이유다. 또 다른 이유는 폭죽의 중국어 발음은 바오주爆竹, bàozhú이다. 한자와 성조는 다르지만 발음이 같은 '복을 알리다'라는 의미의 바오주报祝, bàozhù가 연상되기 때문이다.

또 다른 예를 들면 춘절 전날인 섣달그믐날 밤 온 가족이 함께 모여 앉아 만두를 빚고 자시子時*에 맞춰 먹는 전통이 있다. 북방지역으로 갈수록 이런 관습이 매우 뚜렷하게 나타나고 있다. 춘절에 먹는 만두를 중국에서는 지아오쯔饺子, jiǎozi라고 한다. 우리나라에서는 '교자'라고 알려져 있다. 지아오쯔 어원의 유래는 지역의 역사에 따라 매우 다양하다. 간략히 정리해보면 동한 말기 중의사인 장중경張仲景이 추운 북방지역에서 귀가 동상이 걸린 사람들을 치료하기 위해 만든 음식으로 지아오얼饺耳 혹은 모양이 각이 진 형태에서 지아오쯔角子라고 불렀다고 한다. 그 이후 춘절 전날 자시子時(중국어 발음으로 쯔시)가 묵은해와 새해의 교차점이라는 뜻의 단어인 지아오쯔交子와 발음이 같다고 하여 중국 만두를 지아오쯔饺子라고 부르게 되었다. 따라서 춘절 전날 중국인들이 모여 지아오쯔

---

* 밤 11시~새벽 1시

를 먹는 것은 지난 한 해 안 좋은 기운을 몰아내고 새해의 밝은 기운을 얻고자 하는 소망이자 문화적 전통의 산물이다.

배, 사과, 귤의 의미를 알고 선물해야 한다

중국에서 과일 종류 중 배는 선물하지 않는다. 설사 배를 선물한다고 하더라도 갈라서 먹지 않도록 한다. 특히 연인이나 부부 사이에는 더욱 그러하다. 이 또한 해음현상에 의해 부정적인 것이 연상되기 때문이다. 배는 중국어로 리梨라고 한다. 그런데 리의 발음은 이별을 의미하는 리비에離別의 리離가 자동으로 연상되기 때문이다. 배를 자르다는 비에別 혹은 펀分으로 발음된다. 따라서 이 두 단어를 합쳐서 읽으면 리비에離別 혹은 펀리(分離, 분리)의 발음과 똑같게 된다. 그래서 중국인 집에 초대되어 방문하거나 식당에서 배를 먹을 때는 항상 조심하는 것이 좋다. 특히 중국인 친구가 아파서 병원에 입원하여 병문안을 갈 때 배를 선물하는 것은 금기사항에 해당한다. 그와 반대로 중국인들이 선호하는 과일로는 일반적으로 사과를 선물한다. 사과는 핑귀苹果라고 해서 평안을 의미하는 핑안平安이라는 긍정적 의미가 연상된다. 그러다 보니 명절 때 사과를 선물하는 게 일반적이다.

과일 관련 다른 예를 들어보자. 지역에 따라 약간 다르긴 하지만 귤도 매우 중요한 선물용 과일이 될 수 있다. 귤을 중국어로 쥐쯔橘子라고 하는데 길하다는 뜻을 가진 지리吉利의 첫 글자의 발음이 비슷해 상대방에게 행운이 오기를 바란다는 의미가 있다. 세계에서 가장 안전한 자동차를 만드는 볼보 회사를 인수한 중국의 대표적인 자동차 기업의 회사명도 지리吉利다. 회사명 작명에도 이러한 중국 특유의 해음 문화에 영향을 받는다.

선물 문화와 소비 패턴을 활용해 마케팅하라

중국의 해음현상은 중국 사회와 문화 전반에 걸쳐 나타난다. 따라서 중국인이 언어 구사 시 특히 좋아하는 단어나 반대로 입에 올리지 않는 단어와 표현을 알아두어야 한다. 일반적으로 중국인이 선물을 주고받는 시기는 춘절(설날)과 중추절(추석) 등 명절이다. 춘절에는 서양의 크리스마스처럼 가족끼리 선물을 주고받거나 직장 상사가 부하에게 혹은 회사에서 직원들에게 일괄적으로 선물을 하는 경우가 많다.

(사례 7 중국 나오바이진 마케팅 사례)

중국경영연구소가 베이징, 상하이, 광저우 등 지역 중국인을 대상으로 '명절에 무엇 때문에 쇼핑을 하느냐?'라는 설문조사 결과 응답자의 90% 이상이 친지 방문 때 줄 선물을 구입하기 위해서라고 응답했다. 춘절 선물의 가장 대표적인 성공 사례는 건강보조식품 회사인 나오바이진脑白金 제품이다. 나오바이진 매출의 50% 이상이 춘절과 중추절 등 연휴 기간에 발생한다. 대표적인 광고 문구는 '今年过节不收礼 收礼只收脑白金(올해 명절 선물은 다른 것은 받지 않고 오로지 나오바이진만 받는다)'이다. 중국에서 부모님 명절 선물로

선물 문화를 활용해 성공했다. (출처: 바이두)

건강보조식품과 보건용품 열풍을 불러일으킨 대표적인 제품이다.

중국 춘절 선물의 소비 패턴을 고려해 디자인과 포장의 차별화를 통해 성공한 사례도 있다.

(사례 8 캐나다 쿠시스의 성공 사례)

캐나다의 유아용품 회사인 쿠시스Kushies는 중국인이 춘절 때 가장 많은 선물을 구매하는데 포장 형태와 크기가 영향을 미친다는 것을 인지했다. 춘절 선물용 기저귀 세트 포장을 크고 화려하게 제작해 시판한 결과 30% 이상 매출액이 증가했다. 중국인의 춘절 쇼핑은 선물용이라는 관점에서 평소 기저귀 포장과 차별화한 것이다. 하지만 중국 선물 문화에서 주의해야 할 점은 너무 과한 선물을 하면 상대방이 그에 상응하는 청탁을 들어줘야 한다고 생각할 수가 있어 오히려 역효과가 날 수도 있으니 조심해야 한다. 또한 선물할 때도 체면 문화를 고려한 방법적 선택이 매우 중요하다. 그 때문에 제삼자를 통해서 해당 중국인에게 선물을 주는 경우도 있다. 한편 중국기업 방문 시 상대 직급에 따라 선물을 다르게 준비하는 것이 좋다.

예를 들어 똑같은 한국 홍삼 제품을 준비하더라도 높은 직급은 홍삼원액을 준비하고 낮은 직급은 홍삼차를 준비하는 것이 일반적이다. 이보다 더 중요한 것은 비록 직급이 낮더라도 중국 측 비즈니스의 키맨keyman 역할을 하는 친구가 있을 때 비공식적 자리를 빌려 별도로 신경을 쓰는 것이 향후 중국 사업을 위해 도움이 된다. 만약 중국 측 파트너가 남성인지 여성인지 잘 모를 때는 무조건 여성용 선물을 준비하는 것이 좋다. 비록 남성이라고 하더라도 여성용 한국 화장품을 선물하면 대부분은 좋아한다. 중국은 대표적인 여성경제sheconomy의 사회이자 문화를 가진 나라이기 때문에 유용하게 활용할 수 있다. 중국의 선물 문화 이해는 중국 정치, 외교, 경제 등에서 윤활유 역할을 하는 첫 매듭인 셈이다.

따라서 우리 기업은 제품의 변형, 크기 혹은 양의 다양화, 디자인 혹은 포장재의 다양화, 유통경로의 다양화(온라인 매체의 다양화), 보완적 구색 등 끊임없이 중국 시장의 셀링 포인트를 모색해야 한다.

3
중국의 해음 문화를 이해해야 한다

해음 문화는 삶과 생활 속에 투영되어 있다

중국 선물 문화에서 보았듯이 해음 문화는 14억 중국인을 이해하는 매우 중요한 요소이고 삶과 생활 속에 그대로 투영되어 있다. 우리와 비슷한 전통문화를 가지고 있는 것처럼 보이지만 사실은 매우 다르다. 우리가 정월대보름에 호두를 깨는 부름 풍습이 있다면 중국은 찹쌀로 동그랗게 빚어진 떡에 설탕과 참깨 등 다양한 속을 넣어 만든 탕위안湯圓을 먹는 풍습이 있다. 동그라미처럼 가정의 화목과 행복을 의미하기 때문이다.

잘 알려진 예를 하나 들어보자. 우리의 경우 결혼식을 하고 폐백을 드릴 때 어른들이 신랑 신부에게 자식 많이 낳으라고 대추를 던져주는 것은 다자자복多子多福의 의미다. 이러한 폐백 풍습은 아주 오래전 유교에서 유래되어 우리나라로 전해진 것으로 알려져 있다. 중국의 경우는 결혼식 날 신혼부부 침대 위에 대추, 밤, 땅콩 등을 올려놓거나 우리처럼 대추와 밤을 던지는 풍습도 있다. 그리고 어르신들이 신랑 신부에게 자오리쯔早立子 혹은 자오성구이쯔早生贵子라는 덕담을 한다. 자오성구이쯔는 빨리 자식 많이 낳으라는 뜻이다. 여기서 자오早는 빨리를 의미하고 쯔子는 아들을 의미한다. 이 발음이 대추의 중국어 발음인 자오쯔枣子와 같다. 밤을 의미하는 리쯔栗子는 아기가 들어서다는 뜻의 리쯔立子와 발음이 같다. 그래서 자오리쯔早立子는 하루빨리 자식 낳길 바란다는 뜻이 된다. 상하이 등 일부 지역에서는 자오리쯔早利子의 뜻으로 해석하기도 한다. 이제 결혼도 했으니 이자 많이 받아 빨리 부자가 되라는 의미도 부여하고 있다.

결혼 연회식에는 파가 들어간 음식을 기피한다는 얘기도 있다. 중국어로 파를 총葱이라고 하는데 충돌하다, 돌진하다는 뜻을 가진 총冲과 발음이 비슷하기 때문이다. 신혼부부가 서로 충돌하고 돌진한다는 것은 당연히 좋지 않은 일임을 짐작할 수 있다.

왜 자동차에 도마뱀과 박쥐장식을 하는가

중국에서는 도마뱀을 형상화한 장식이나 스티커를 붙인 차량을 쉽게 발견할 수 있다. 대부분 뒤쪽 번호판 주변이나 창문에 붙이는 것이 일반적이나 앞쪽에 붙이는 경우도 종종 있다. 최근에는 도마뱀 인형을 아예 뒷좌석 유리 앞쪽에 놓는 것도 유행하고 있다. 상황이 이렇다 보니 차량 부착용 도마뱀 장식이나 스티커나 인형을 제조하는 기업들도 많이 생겨났다. 왜 중국인들은 도마뱀 장식을

도마뱀 장식이 있는 중국 차량 사진

(출처: 중국경영연구소, 바이두)

차에 붙이는 걸까?

이것 또한 중국의 해음 문화를 반영한 사회 현상이라고 볼 수 있다. 도마뱀은 중국어로 비후壁虎라고 하는데 비호하다, 보호하다라는 뜻의 비후庇护와 성조는 다르지만 발음이 같다. 도마뱀이 내 차를 보호하고 지켜줄 것이라는 중국인의 강력한 믿음이 현대 사회에도 존재하고 있음을 의미한다. 도마뱀과 함께 중국에서 길상으로 여겨지는 포유동물은 박쥐다. 서양의 『이솝 우화』에서는 후안무치의 상징이고 흡혈박쥐, 드라큘라, 어둠의 동물 등 부정적인 이미지로 나온다. 우리에게도 그러한 이미지가 자리잡고 있다. 지금은 각종 전염병을 옮기는 바이러스의 주범처럼 인식되며 매우 부정적인 동물로 인식된다. 하지만 과거 우리 조상들은 박쥐를 길상으로 여겼다. 특히 18세기 후반 조선시대의 가구, 생활도구, 복식 등에서 다양한 박쥐무늬를 발견할 수 있다. 국립중앙박물관을 가보면 조선 후기 때의 박쥐무늬 암막새, 박쥐무늬 쟁반 등 문화재를 쉽게 발견할 수 있다. 이는 일상생활의 복을 기원하고 멋스러움을 더하는 시각적 이미지를 적극적으로 활용한 듯하다.

이는 어느 정도 중국의 영향을 받은 것으로 보인다. 중국 명청시

조선시대 박쥐무늬 암막새(좌)와 백자 청화 박쥐무늬 대접(우)

(출처: 국립중앙박물관)

중국 명청시대 박쥐무늬 접시(좌), 복식(중), 장식용 매듭(우)

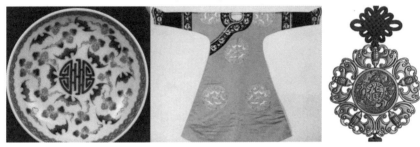

(출처: 바이두)

대 문물을 보면 역시나 박쥐무늬의 다양한 일상용품과 복식을 발견할 수 있다.

중국에서는 박쥐를 비엔푸蝙蝠라고도 부른다. 여기서 푸蝠는 복을 의미하는 푸福와 발음과 성조가 같다. 그래서 박쥐는 역사적으로 중국인들에게 복을 가져다주는 길상으로 여겨졌다. 현대 중국 사회에서도 쉽게 박쥐 무늬의 다양한 장식품을 볼 수 있다.

중국 인터넷 쇼핑몰에는 자동차 장식용 매듭 등 다양한 박쥐 장식품을 쉽게 찾을 수 있다. 복을 기원하고 바라는 중국인의 해음 문화는 다양한 형태로 나타난다. 중국 친구의 집이나 사무실을 방

중국 차량에 단 조롱박 장식품

(출처: 바이두)

문하거나 차를 타면 쉽게 눈에 띄는 것 중 하나가 바로 '조롱박 매듭'이다. "왜 중국인들은 조롱박 매듭을 집이나 사무실에 거는 겁니까?" 내가 중국 친구에게 물어본 적이 있다. "회사는 돈을 많이 벌어 번창하라는 기원이고 집은 복이 많이 들어오라는 기원으로 조롱박 매듭을 겁니다."라고 답변받았다. 도대체 조롱박이 재물과 복과 무슨 연관성이 있기에 그러는 걸까?

　조롱박은 중국어로 후루葫芦라고 부른다. 후루는 행복, 번영이라는 뜻의 푸루福禄와 발음이 비슷하다. 동시에 조롱박은 사람들의 삶을 편안하게 해주는 기능을 한다. 중국인에게 조롱박은 행복과 삶의 다섯 가지 지혜를 상징한다. 첫째, 조롱박은 어떤 환경에서나 잘 자란다는 의미에서 삶의 생명력과 지속성을 상징한다. 둘째, 조롱박은 씨앗이 많다는 의미에서 자손의 번창을 상징한다. 셋째, 조롱박은 음식과 그릇으로 사용할 수 있어 삶의 편의성을 상징한다.

넷째, 큰 조롱박을 허리에 차면 물살이 가파른 강을 건널 수 있어 위기나 어려움을 극복할 수 있다는 희망을 상징한다. 다섯째, 남을 도와줄 수도 있다는 자비를 상징한다. 따라서 조롱박은 중국인에게 재물, 행복, 생명력 등 다양한 의미를 부여하는 상징물인 셈이다. 이런 특성은 그대로 마케팅과 사업으로 활용된다. 차량용 조롱박 방향제와 사무실용 대형 조롱박 매듭 등 조롱박을 활용한 다양한 제품들이 판매되고 있다. 우리 기업이 중국인의 해음 문화와 사고방식에 조금 더 가까이 다가갈 수 있다면 시장의 기회는 더욱 확대될 것이다.

왜 마츠다는 마쯔다로 회사명을 바꾸어야 했는가

중국의 해음 문화를 이해하지 못해 실패한 들이 많다. 대표적으로 일본 자동차 회사 마쯔다Mazda[2]의 중문명 사례를 들 수 있다. 마쯔다의 일본식 한자는 마츠다松田, Matsuda로 창업자인 마츠다 주지로 회장의 이름에서 유래하여 변형되었다. 일본식 발음인 마츠다가 외국인들이 발음하기 힘들다는 것을 알고 비슷한 발음의 의미 있는 중문 회사명을 찾기 시작했다. 그러다 우연히 아후라 마즈다Ahura Mazda라는 조로아스터교 주신主神의 이름을 알게 된 것이다. 아후라는 주主를 의미하는 칭호이고 '마즈다'가 원래의 신 이름으로 현자, 지혜로운 자를 의미한다. 여기서 지금의 마쯔다 브랜드가 탄생된 것이다.

중국에서 마쯔다마自达라는 회사명으로 신차를 선보이고 있는 일본 마쯔다松田

(출처: 중국경영연구소)

(사례 9 마쯔다의 브랜드 네이밍 실패 사례)

마쯔다 자동차의 중국 시장 진출은 1992년 중국 내수시장 개방이 본격화되는 시기로 거슬러 올라간다. 중국 시장 진출을 위해서 중문 회사명이 필요했지만, 중국은 같은 한자권이니 일본식 한자 회사명인 마츠다松田를 그대로 사용하기로 했다. 그런데 생각지도 못한 일이 벌어졌다. 마츠다松田는 중국어로 쏭티엔으로 발음하는데 발음이 같은 쏭티엔送天이라는 다른 글자가 있다. 하늘로 보낸다, 저 세상으로 보낸다라는 쏭티엔送天은 죽음을 상징한다. 당연히 중국 소비자들은 부정적 이미지가 연상되는 마쓰다 자동차를 선호하지 않았다. 중국의 부정적 해음 문화의 함정에 빠진 것이다. 이 사실을 뒤늦게 알고 부랴부랴 중문 회사명을 마쯔다의 음차식 표현인 마쯔다马自达로 변경하여 다시 중국 시장을 공략해야 했다.

중국에서 두산그룹은 어떻게 발음하면 좋은가

해음 문화는 지역별로 다르게 나타나는 경우가 허다하다. 후베이성 지역에서는 제사를 지낼 때 닭고기 음식을 절대 만들지 않는다. 그 이유는 닭고기의 중국어 발음은 지鷄(jī)인데 기아, 배고픔의 뜻을 가진 지어饥饿(jīè)와 발음이 같기 때문이다. 장쑤성 일부 지역에서는 제사를 지낼 때 콩을 사용하지 않는 풍습이 있다. 콩은 더우豆라고 하는데 투쟁하다, 싸우다라는 뜻을 가진 더우斗와 발음이 같기 때문이다. 그래서 콩을 넣은 잡곡밥 등 콩을 사용해 음식을 하면 가족이나 후손끼리 자주 싸우게 된다는 미신이 있다. 반대로 두부를 이용해 만든 음식은 제사 음식으로 사용한다. 두부를 의미하는 더우푸豆腐의 푸腐가 풍요롭다, 부유하다는 뜻의 푸富와 발음이 같기 때문이다.

(사례10 두산그룹 회사명 중국어 발음 사례)

이와 관련해 재미있는 우리 기업의 사례를 하나 들어보자. 국내 대기업인 두산그룹은 중국 시장에서 중공업과 굴착기 사업으로 잘 알려진 기업이다. 중국 내 두산그룹 계열사는 중국 시장에서 회사명을 얘기할 때 알려지지 않은 규칙이 있다. 바로 두산의 한자인 斗山을 읽을 때 조심해야 한다는 것이다. 두斗는 투쟁할 투鬪의 간체자인데 두 가지 성조로 발음된다. 하나는 3성(dǒu)으로 발음되는데 곡식이나 액체의 분량을 되는 단위의 중립적인 개념이다. 또 하나는 4성(dòu)으로 발음이 되는데 '싸우다'라는 부정적인 의미가 있다.

그러다 보니 4성으로 발음하면 두산斗山이 '산과 싸우다.'라는 부정적 의미로 회사 이미지에 별로 좋지 않다는 것이다. 그래서 대부분 중국 직원들은 두산을 발음할 때 반드시 3성으로 발음한다. 중국어를 좀 배운 사람이라고 하더라도 대부분 4성 발음으로 두산을 읽는 경우가 많다. 무심결에 대부분은 4성으로 두산을 발음하게 되는데 중국에서는 주의해야 한다.

4
중국의 숫자 문화를 이해해야 한다

숫자 2, 6, 8, 9를 잡아라

중국인의 숫자에 대한 집착은 남다르다. 특히 중국인이 8을 좋아한다는 것은 널리 알려진 사실이다. 그 이유는 8을 바八라고 발음하는데 '돈을 벌다'는 광동식 발음인 파차이发财의 파发와 발음이 비슷해서다. 역사적으로도 1988년 8월 8일이 길일이라고 하여 결혼식을 제일 많이 했다. 2008년 베이징 올림픽 개막식도 8이 연속적으로 들어간 8월 8일 저녁 8시 8분 8초에 시작했다. 이처럼 중국에서 개최되는 큰 행사는 가능한 8이 들어간 날짜에 맞추려고 한다. 마찬가지로 비즈니스도 숫자와 매우 밀접한 관계가 있기 때문에 중국인이 좋아하는 숫자와 싫어하는 숫자에 대한 이해는 중국을 이해하는 첫걸음이라고 할 수 있다.

우선 중국인이 좋아하는 숫자는 2, 6, 8, 9가 있고 싫어하는 숫자는 3, 4, 7로 구분할 수 있다. 이 숫자들이 중국인들에게 어떠한 의

표준어와 광둥어 숫자 발음표기

숫자	한자	표준어 발음	광둥어 발음
1	一	yī 이	yat 얏
2	二	èr 얼	yi 이
3	三	sān 싼	saam 쌈
4	四	sì 쓰	sei 쎄이
5	五	wǔ 우	ng 응
6	六	liù 리우	luk 록
7	七	qī 치	cat 찻
8	八	bā 바	baat 밧
9	九	jiǔ 지우	gau 가우
10	十	shí 스	sap 쌉

미를 지니는지 간단히 살펴보자. 우선 2(二, 얼)는 '짝을 이루고 서로 화합하고 함께 한다.'라는 뜻이 있다. 중국에서 쌍雙이 들어간 단어들은 대부분 좋은 의미이다. 원래 중국의 원시종교와 도교에서는 짝수를 길한 숫자로 여겼는데 2가 가장 먼저 나온 짝수이기 때문에 큰 의미를 부여하게 된 것이다. 예전에는 선물도 짝수로 하는 것이 원칙이었다. 식당에서 음식을 주문할 때도 짝수로 음식을 주문하는 것이 문화적 관습이다. 일반적으로 중국인이 음식을 주문할 때도 전통적인 원칙이 있다.

예를 들어 혼자 밥을 먹을 때는 요리 하나와 탕 하나로 짝수를 맞춘다. 2~3명이 식사할 때는 기본적으로 '요리 3+탕 1'로 4라는 짝수를 맞추고 4~5명인 경우 '요리 5+탕 1'로 6이라는 짝수를, 6~9명인 경우 요리 7+탕 1로 8이라는 짝수를 맞추어 주문하는 방식이다. 나는 틈날 때마다 중국 곳곳을 직접 돌아다니며 현장을 직접 경험하려고 한다. 그렇다 보니 매번 혼자 밥을 먹을 때가 많아서 요리 하나와 탕 하나를 시켜 먹거나 요리 2개를 시켜 먹는 것이 습관이 되었다.

숫자 6(六, 리우)은 길상을 상징한다. 순조롭게 잘 풀린다는 뜻을 가진 이루순펑一路順風의 루路와 발음이 비슷하기 때문이다. 중국 속담인 '리우리우다순六六大順'은 '모든 일이 순조롭게 잘 진행된다.'라는 의미다. 그래서 중국인들은 66, 666, 6666 등의 번호를 좋아하며 이것은 매우 순조로움, 모든 일이 순탄하다는 것을 상징한다.

역사적으로 거슬러 보면 6과 관련된 교훈과 가르침이 많다. 예를 들어 주대周代의 좌구명左丘明이 지은 『좌전左傳』에서는 사람이 지켜야 할 여섯 가지 순리를 얘기하고 있다. 군주는 의롭고(군의君义), 신하는 의를 행하며(신행臣行), 아비는 자비롭고(부자父慈), 자식은 효를 행하며(자효子孝), 형은 사랑으로 베풀고(형애兄爱), 동생은 공경한다(제경弟敬)는 여섯 가지 예를 지켜야 한다고 강조하고 있다.

중국인은 숫자 6이 들어간 날에 결혼식을 올리는 경우도 많다. 예를 들어 6월 16일과 26일은 결혼식 날짜로 줄곧 선택된다. 그러다 보니 이날에는 식당이나 호텔을 잡기가 힘들고 평소보다 금액도 오른다. 중국은 우리처럼 결혼식장이 따로 있는 게 아니라 호텔 식당이나 큰 일반 식당을 대여해 결혼식을 진행하기 때문이다.

(사례 11 중국 리우거허타오 브랜드 네이밍 성공 사례)
중국의 대표적인 단백질 음료로 시장 1위를 차지하는 리우거허타오六个核桃도 숫자 문화를 활용한 대표적 성공 사례라고 볼 수 있

(출처: 바이두)

다. 리우거허타오는 '6개의 호두'라는 뜻으로 6이 가지는 순조로운 순順 문화를 잘 활용한 기업이다. 앞에서 설명한 리우리우다순六六大順의 의미처럼 물 흐르듯 순조롭다는 전통적 상징성과 문화적 의미를 담고 있다. 리우거허타오를 생산하는 허베이성 양원지휘음료 회사는 현재 순順 문화와 몸에 좋은 호두를 마케팅에 적용하여 중국 단백질 음료 업계 1위로 성장했다.

중국에서 리우리우다순六六大順을 얘기하면 자연스럽게 뒤따라 오는 중국어 표현이 있다. '만사형통하라'는 만사여의万事如意다. '모든 일이 바라는 대로 이루어지길 바란다'는 길상여의吉祥如意와 같은 소원 성취와 행복, 축복의 의미를 담은 길상한 표현이다. 따라서 리우거허타오를 마시면 행복과 복이 들어오고 호두가 가지는 건강 이미지까지 더해지면서 중국 소비자의 사랑을 받고 있다. 그러나 중국의 모든 지역이 6을 선호하는 것은 아니다. 후베이성이나 동북지역 등 일부 지역은 6을 싫어하는 경향이 있다. 특히 헤이룽장성, 지린성, 랴오닝성 등 동북지역의 경우 뺑소니치다는 뜻의 리우(溜)와 발음이 같기 때문에 손님을 접대할 때도 음식 수를 6이

숫자 8로만 구성된 자동차 번호판

(출처: 중국경영연구소)

되지 않게 준비한다.

8(八, 바)은 중국인이 가장 좋아하는 숫자로 제품 마케팅에 많이 사용된다. 예를 들어 시장이나 백화점에 가면 88위안, 888위안 등 8로 끝나는 가격표를 흔히 볼 수 있다. 가격을 이렇게 붙여놓으면 깎기 좋아하는 중국인이라도 흥정을 하지 않고 그냥 물건을 사 가는 경우가 많다는 것이다.

8은 중국인에게 '대박나라'는 의미를 부여하는 숫자다. 그래서 숫자를 통해 자기의 꿈을 부여한다. 예를 들어 18(스바)은 실제로 돈을 벌다(实发, 스파), 28(二八, 이바)은 쉽게 대박나다(易发, 이파), 3388(싼싼바바)은 평생 대박 맞아라(生生发法, 성성파파) 등으로 중국인들에게 해석된다. 이런 문화적 특징 때문에 8로 이루어진 전화번호, 휴대폰 번호, 자동차 번호판 등은 거액의 프리미엄이 붙어 판매되는 것이 일반적이다. 2010년 쓰촨성 청두시 전화국에서 실시한 경매에서 전화번호 888-8888이 한화로 약 4억 원에 항공회사에 낙찰된 사례도 있다. 중국은 자동차보다 번호판이 더 비싸거나 아파트보다 아파트 동호수가 더 비싼 경우도 매우 많다. 자동차

슈퍼8호텔과 오메가의 유니크 넘버8

(출처: 바이두, 메타브랜딩차이나)

번호판이 8888일 경우는 대부분 경매로 몇억 원에 낙찰되는 것이 허다하다.

1974년 슈퍼8호텔速8酒店이 처음으로 미국 사우스다코타주의 도시 애버딘에서 정식으로 개업했다. 당시 방은 모두 60개였고 최초의 가격은 8.88달러였다. 호텔 이름인 슈퍼8호텔도 이러한 문화적 특징을 내포하고 있다. 중국에서 이 호텔 브랜드는 경제형 호텔로서 중국인의 8에 대한 선호와 맞물려 성공적으로 영업하고 있다.

(사례 12 오메가 손목시계의 숫자 마케팅 성공 사례)

2008년 베이징 올림픽 기간 중 스위스 기업 오메가OMEGA가 중국 시장을 겨냥한 한정품 기념시계를 출시한 바 있다. 베이징 올림픽을 기념하기 위해 손목시계를 8호, 88호, 188호 등 숫자 8이 들어간 번호로 35개 시리즈로 상품을 구성하였다. 이 시리즈를 8층

탑 모양의 상자에 포장하여 '유니크 넘버8'로 호칭하였다. 이 손목
시계 시리즈는 베이징 올림픽 폐막 후 홍콩의 소더비Sotheby's 경매
에서 우리 돈으로 약 14억 원에 낙찰된 바 있다. 오메가도 중국 전
통문화를 활용해 성공한 사례라고 볼 수 있다.

그렇다면 8이 14억 중국인이 모두 좋아하는 숫자일까? 8은 광
둥식 발음에서 '돈을 벌다'는 개념으로 남방지역에서 쓰이며 전국
으로 확산된 경우다. 그래서 대부분 중국인들이 8을 좋아하긴 하
지만 일부 지역에서는 꺼리는 숫자로 알려져 있다. 예를 들어 허베
이성 일부와 장시성 이창 등 지역에서는 숫자 8이 들어가는 선물
을 선호하지 않거나 꺼리는 경우도 있다는 것을 기억해야 한다. 중
국은 지역이 방대하다. 반드시 내가 가는 지역이 어디인지, 내가
만나는 중국인이 어느 지역 사람인지를 알고 그에 맞게 활용하고
대응하는 것이 중요하다.

한편 9(九, 지우)는 완벽함을 상징하는 숫자로 오래가다, 장수하
다는 뜻을 가진 지우久와 발음이 같다. 그래서 9는 남녀의 사랑
과 임금을 상징한다. 예를 들어 베이징에 있는 자금성의 방 개수가
9,999개이고 자금성 입구 대문에 박혀 있는 못의 개수도 가로세로
모두 9개로 구성되어 있다. 또한 베이징 천단공원 계단도 9계단이
다. 다시 말해 황제는 오래 살아야 하기 때문에 있는 곳과 가는 곳
은 모두 9와 매우 밀접하게 연결되어 있다.

9에 대한 믿음은 중국 고서에도 잘 나타난다. 중국 최고의 의서醫
書라고 할 수 있는 『황제내경皇帝內經』의 「소문素問」은 황제와 그의
신하 기백岐伯의 문답 형식으로 구성된 고서다. 여기에 "天地之數

자금성(좌)과 천단공원(우)

(출처: 바이두)

始于一 终于九(세상의 숫자는 1로 시작하여 9로 끝난다)"라는 말이 나온다. 중국에서는 1에서 10까지의 숫자 중에서 9가 가장 큰 숫자로 인식되며 무한하다는 의미를 담고 있다.

중국 전설에 따르면 하늘은 9층으로 되어 있는데 천제天帝는 9층에 살고 있다고 한다. 이를 구중천九重天이라고 부른다. 가장 높은 하늘, 즉 황제와 제왕을 상징한다는 것이다. 9마리의 용을 그려 놓은 구룡벽九龍壁 또한 그런 개념이다. 구룡벽은 중국의 궁전이나 묘우廟宇[3] 앞에 세우는 조벽照壁[4]의 일종으로 베이징의 북해공원 등 여러 지역에서 볼 수 있다. 중국의 사자성어 중 구소운회九霄云外라는 말이 있는데 '하늘 끝 저 멀리, 아득히 먼 곳'이라는 뜻이다. 이처럼 9는 지극히 높고 끝이 없다는 개념으로 사용된다. 그래서 9는 남녀의 사랑을 상징하는 이미지로 사용되기도 한다. 예를 들어 푸젠성 일대와 동남아에 많이 사는 화교들 대부분은 객가(客家, 커지아)인이다. 이들은 결혼할 때 젓가락 9쌍, 밥그릇 9개, 찻잔 9개 등 일부 혼수 제품은 9로 맞추는 경향이 있다. 영원한 사랑을 기원하는 객가인의 전통 문화에 기인한 것이다.

숫자 마케팅의 룰을 지켜라

앞장에서 설명한 2, 6, 8, 9는 중국 마케팅에서 가장 많이 활용되는 숫자다. 이러한 숫자 마케팅은 제품의 모델명과 가격 책정 등에 매우 다양하게 활용된다.

우선 제품의 모델명을 예로 들어보자. 예전 휴대폰 모델명은 거의 대부분 6, 8, 9로 구성된 경우가 많았다. 예를 들어 모토롤라와 노키아의 휴대폰 V988 모델도 중국에서 인기를 얻은 바 있는데 988(지우바바)은 오래 대박나라(久发发, 지우파파)는 뜻을 가지고 있다. 중국 로컬 브랜드의 S198(야오지우바)[5]은 오래 대박나길 원한다는 의미를 가진 야오지우파要久发로 발음된다. 그밖에도 노키아 8800 모델 등 휴대폰뿐만 아니라 다른 기계, 설비, 장비 등 모델명도 이러한 숫자 마케팅 룰을 지키는 편이다.

제품의 가격 책정에도 이러한 숫자 마케팅 룰이 적용된다. 중국에서 판매되는 대부분 상품의 가격표를 보면 2, 6, 8, 9의 숫자가 혼합된 것을 쉽게 확인할 수 있다. 188위안, 199위안, 2,666위안, 6,688위안 등 매우 다양하다. 예를 들어 998위안은 오래 돈을 잘 번다(久发发)는 의미로 쉽게 상기된다. 중국 레노버Lenovo PC의 경우도 3,999위안으로 오래오래 살아라(生久久久), 3,998위안은 오래오래 살며 대박나라(生久久发)가 상기되어 가격정책으로 크게 성공한 바 있다.

중국 숫자 마케팅을 위한 제품 모델명

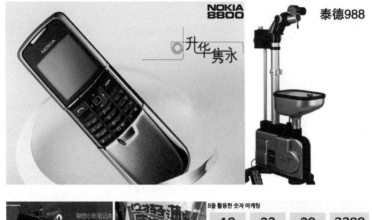

(출처: 바이두)

따라서 우리 기업 제품도 중국 내 판매 시 모델과 가격정책에 이런 숫자 마케팅을 최적화하는 노력이 필요하다.

숫자 3, 4, 7을 피하라

그럼 중국인이 좋아하지 않는 숫자는 무엇일까? 지역에 따라 약간 다를 수 있지만 일반적으로 3, 4, 7을 싫어하는 숫자로 꼽는다. 우선 3(三, 싼)은 흩어지다, 헤어지다의 싼(散)과 발음이 같다. 그래서 일반적으로 3이 들어가는 숫자는 결혼과 생일 선물에는 금기시하고 물건 가격을 책정할 때도 가능한 회피하는 경향이 있다. 재미있는 것은 73세가 되는 어르신의 경우 고의로 나이를 한 살 줄여

4가 빠진 엘리베이터(좌)와 지에양시 자동차 번호 경매(우)

(출처: 바이두, 중국경영연구소)

얘기하곤 한다. 이는 공자가 죽은 나이가 73세인데 과거 문화대혁
명 시절 공자에 대한 예를 다하지 못했다는 자기 두려움의 정서가
남아 있기 때문이다.

　원래 3은 역사적으로 의미가 있는 숫자로 알려졌다. 중국에서
는 유교, 불교, 도교의 사상이 함께 존재하고 이를 3교三教라고 부
른다. 이 중 유교의 사상에서 3강三綱을 강조하고 있다. 임금은 신
하의 근본인 군위신강君爲臣綱, 어버이는 자식의 근본인 부위자강父
爲子綱, 남편은 부인의 근본인 부위부강夫爲婦綱이라고 한다. 공자는
임금, 스승, 아버지를 3존三尊이라 했다. 하루에 3번의 자기성찰三
省은 기본이었다. 맹자는 군자의 3가지 즐거움三乐을 논한 바 있다.
하지만 급변하는 중국 사회에서 3은 유교 사상에서 기인한 긍정적
의미가 점차 퇴색되고 흩어진다는 부정적 의미로 해석되는 추세
다. 13(十三, 시싼)은 이산가족이 된다는 뜻의 시싼失散과 발음이 같
고, 우산(伞, 싼)이나 부채(扇, 산) 선물을 하지 않는 것은 흩어진다

는 뜻의 싼散과 발음이 같거나 비슷한 해음현상 때문이다.

우리나라에서도 숫자 4를 꺼려 하는 것처럼 중국에서도 4(四, 쓰)는 쓰로 발음되는 죽을 사死와 성조는 다르지만 발음이 같기 때문에 가장 꺼려 한다.

우리나라에서 건물 엘리베이터를 타면 4층을 F층으로 표기하는 것처럼 중국도 비슷하다. 특히 대형병원이나 일부 대기업 건물을 가 보면 아예 4층 표시가 빠진 것도 쉽게 볼 수 있다.

숫자에 민감하게 반응한다

중국에서는 돈이 많아 비싼 외제차를 사고 싶어도 자동차 번호판이 없으면 차를 소유할 수 없다. 2022년 3월 기준 중국의 자동차 보유량은 거의 3억 200만 대에 이르고 자동차 운전면허 소유자는 약 4억 8,700만 명에 달한다. 도시별 자동차 보유량 현황을 보면 베이징은 이미 600만 대가 넘었고 상하이, 청두, 충칭, 정저우의 경우 500만 대가 넘으며 300만 대가 넘는 도시도 20개 이상이다. 상황이 이렇다 보니 중국의 웬만한 도시는 교통체증과 주차난이 심각하고, 나아가 환경오염 이슈가 부각되면서 도시별로 각종 대책을 쏟아내고 있다. 번호판 추첨제, 5부제 시행, 외지 차량 시간별 진입금지 등 다양한 정책을 내놓고 있지만 쉽게 해결될 문제는 아닌 듯싶다. 일부 지역은 부부간에 차량 번호판 양도가 가능하다는 점을 이용해 혼인신고 후 편법으로 번호판 거래, 번호판 위조, 혹은 조작 등 각종 편법이 등장하고 있다.

재미있는 것은 중국은 지역별로 다르지만 자동차 번호판을 경매 혹은 컴퓨터 자동 추첨 혹은 복권 추첨하듯이 사람이 직접 번호표 공을 뽑는 추첨 등 매우 다양한 방법을 통해 번호판을 받을 수가 있다. 현재까지 자동차 번호판 경매에서 가장 비싸게 팔린 자동차 번호판은 2016년 광둥성 지에양시 공개 경매에서 V99999 번호판으로 320만 위안(약 5억 7,000만 원)에 낙찰되었다. 한편 베이징시 자동차 번호판 추첨의 경우 경쟁률이 거의 700대 1로 돈이 있어도 차를 못 타는 형국인 셈이다. 이와 반대로 사람들이 끝자리에 4가 들어간 번호판을 싫다고 강력히 반발하자 베이징, 광저우 등 일부 도시는 아예 자동차 번호판 끝자리에 4를 없애기도 했다. 일반적으로 1,000개 번호를 한 조합으로 묶은 뒤 컴퓨터로 2개 번호를 추출해서 그중 하나를 차량 소유가 선택하는 방식이다. 이걸 전문적으로 대행하는 브로커도 성행하고 있다.

미신적인 성향이지만 중국인은 숫자에 매우 민감하게 반응한다. 한편 중국 SNS상에서 상대방을 폄하할 때도 숫자를 이용해 에둘러서 표현하기도 한다. 예를 들어 14(야오쓰)는 죽겠다(要死, 야오쓰), 714(치야오쓰)는 나가 죽어라(去要死, 취야오쓰) 등 다양하게 4를 활용해 상대방을 공격하기도 한다. 일부 지역은 84세가 된 어르신의 경우 나이를 한 살 줄여 얘기한다. 맹자가 84세에 죽었기 때문이다. 7(七)은 우리나라나 서양에서는 행운의 숫자이지만 중국에서는 장례나 제사와 연관이 많은 숫자이기 때문에 사람들이 선호하지 않는 경향이 있다. 가장 대표적인 예가 우리나라에서는 "49제를 지낸다."라고 말하는데 중국에서는 "칠칠제七七祭를 지낸다."라는 표현을 쓴다. 7×7=49로 결국 같은 개념인데 7을 두 번 쓴 것이다.

선호하는 숫자를 마케팅하라

이처럼 중국 숫자에는 다양한 역사·문화적 스토리가 담겨 있다. 중국에 대한 이해는 역사와 문화로부터 시작된다는 것을 이해하자. 일본의 모 분유 회사는 중국의 숫자 문자에 담긴 금기사항을 이해하지 못해 중국 시장에서 실패했다. 이 회사는 중국에서 분유의 생산 판매를 시작하여 6개월이 지나도록 매출이 오르지 않는 이유를 정확히 인식하지 못했다.

(사례 13 일본 분유회사 실패 사례)

6개월이 지나고 나서야 왜 중국에서 실패했는지 알게 되었다. 그 이유는 분유의 제조일자와 유통기한 일자에 있었다. 제조일자의 경우 5월 24일이고 유통기한일자는 11월 24일이었다. 5월 24일의 경우 중국어 발음이 우얼쓰五二四인데 '내 아들 죽는다'는 뜻의 우얼쓰吾儿死와 발음이 거의 같다. 당연히 이 분유를 사는 부모 입장에서는 꺼려질 수밖에 없다. 또한 유통기한 일자 11월 24일의 경우 중국어 발음이 야오야오얼쓰一一二四인데 '아들아 죽어라'는 뜻의 야오야오얼쓰要要儿死와 발음이 비슷해 '이 분유 먹고 죽어라'는 부정적 의미가 연상된다. 참고로 중국어에서 1(一)은 '이'와 '야오' 두 가지로 발음할 수 있다. 결국 회사는 방출된 모든 분유를 수거했다. 그 사건 이후 가능한 부정적 의미가 없는 날짜를 제조일자와 유통

기한 일자로 설정했다.

　중국인이 특정 숫자와 해음현상에 얼마나 민감한지를 보여주는 단적인 사례다. 이처럼 중국인의 숫자에 대한 믿음은 휴대폰 번호, 자동차 번호판, 아파트 또는 건물의 층수, 방 번호, 일자 등 숫자와 연상되는 언어의 음까지 고려하여 생활 전반에 걸쳐 영향을 미치고 있다.

　중국인이 좋아하는 숫자와 다른 숫자의 조합을 통해 건강, 재물, 해당 서비스의 이미지를 간접적으로 전달하는 경우도 많다. 숫자 1, 2, 5와 6, 8, 9는 중국인이 선호하는 숫자의 조합을 통해 마케팅으로 활용된다. 예를 들면 168은 '재물이 끊임없이 들어온다'는 이루파一路发, 518은 '재물을 벌 것이다'는 우야오파吾要发, 888은 '계속해서 돈을 번다'는 파파파发发发의 의미로 SNS를 통해 명절이나 회사 창립 기념일 등에 함축적으로 서로 인사를 주고받을 때 쓰인다.

중국의 6, 7, 8, 9를 뜻하는 손동작 표시법

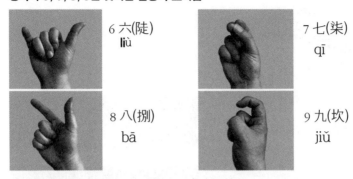

6 六(陸)
liù

7 七(柒)
qī

8 八(捌)
bā

9 九(玖)
jiǔ

타이완(좌)과 중국(우)의 7, 8, 9를 뜻하는 손동작 차이

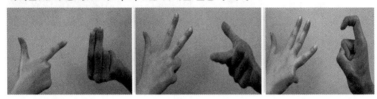

(출처: 중국경영연구소)

　실제 사용되고 있는 사례를 보자. 중국의 어느 자동차 회사의 전화번호는 8871890인데 이는 '전화해보세요. 한 번에 연결됩니다.'라는 뜻의 파파치아이파지우링拨拨洽一拨就灵이 연상된다. 어느 병원의 전화번호는 2258595로 '나를 사랑해주세요. 나를 도와주세요. 나를 구해주세요.'라는 뜻의 아이아이워방워치우워愛愛我帮我救我, 중매회사의 전화번호는 2471490로 '서로 그리워 말고 한번 만나보세요.'라는 뜻의 리앙시치에이스지우링俩思切一试就灵이 연상되는 숫자 마케팅을 통해 중국인의 사랑을 받고 있다. 이문화에 대한 이해는 중국 사업의 기본이다. 그들의 다양성을 존중하고 이해하는 노력이 선행되어야 비로소 이익을 공유하는 공동체가 될 수 있다. 우리 기업이 그 사실을 기억해야 한다.

숫자를 손동작으로 표시한다

중국인은 숫자를 손동작으로 표시하는 아주 오래된 관습이 있는데 많은 외국인은 그것에 익숙하지 않은 편이다. 중국인은 물건값을 흥정할 때나 친구와 약속 시간을 잡을 때 등 일상생활에서 대부분 손동작으로 숫자를 표시하면서 소통한다. 따라서 중국인과 자연스러운 소통과 교류를 위해서는 이에 대한 이해가 필요하다. 예를 들어 1부터 5까지는 우리도 이해할 수 있는 손동작으로 표시되지만 6부터 9까지는 전혀 알기 어려운 손동작을 한다. 다음 사진의 6부터 9까지의 손동작을 숙지하고 중국인들과 소통한다면 매우 빠르게 그들의 생활을 이해할 수 있을 것이다.

여기서 주의할 것은 중국 본토와 타이완의 7, 8, 9의 손동작 표시가 다르다는 것이다. 타이완 특유의 손 숫자 표시법도 알아둔다면 향후 타이완 친구와의 교류나 비즈니스에도 도움이 될 것이다.

5

중국의 색상 문화를 이해해야 한다

우리가 흔히 코카콜라 하면 붉은색이고 맥도날드 하면 노란색으로 인식하는 것처럼 색상은 기업 브랜드와 연결되어 확실한 브랜드 아이덴티티를 구축하게 된다. 중국인의 색상에 대한 집착은 더욱 남다르다.

특히 붉은색과 황금색은 5,000년 중국 역사를 관통해 지금까지 가장 사랑받는 색상이다. 이 두 색상의 조합은 중국 곳곳에서 볼 수 있는 환상의 콤비다. 가장 쉽게 접하게 되는 것이 바로 중국 국기인 오성홍기와 휘장이고 붉은색 바탕에 황금색 글자로 쓴 플래카드다. 또한 우리가 잘 아는 청나라의 궁이었던 베이징의 자금성도 붉은색과 황금색의 조화를 이룬 건축물이다. 자금성의 문과 벽이 모두 붉은색으로 이루어져 있고 지붕 기와는 황금색이다. 자금성은 하늘을 상징하는 붉은색과 중앙의 땅을 상징하는 황금색을 사용함으로써 황제의 지고지상함을 상징하고 있다. 특히 황색은 황제의 색이므로 부귀와 존엄성을 상징한다고 볼 수 있다. 이는 역사적으로 황제들이 황색 용포를 입었던 것과 무관하지 않다.

붉은색을 가장 좋아한다

중국인이 가장 좋아하는 붉은색인 홍紅은 중국 고대 태양신과 대지의 신에 대한 숭배에서 기원하였다. 중국에서 붉은색은 많은 의미가 있는데 크게 세 가지로 요약할 수 있다.

첫째 행운, 복, 경사, 기쁨을 상징한다. 과거 봉건사회에서 정3품 이내의 관리는 짙은 붉은색을 입도록 했다. 그 밑으로 정6품까지는 짙은 자주색 옷을 입고 말단 관리는 청색이나 검은색을 입었다. 따라서 붉은색이나 자주색 옷을 입는다는 것은 '고위직으로 출세했다'는 행운과 경사를 의미한다. 중국어 표현 중 '대홍대자大紅大紫'가 있다. 붉은색 옷과 자주색 옷을 입는 것은 '총애를 받아 높은 자리에 올라 크게 출세했다'는 뜻으로 사용되고 있다. 또한 붉은색은 황제의 최측근을 의미하여 누군가가 지도자에게 신임을 받는다면 그 사람을 '홍인紅人'이라고 불렀다. 중국에서 신생아에게 입히는 산의産衣, 결혼할 때의 장식품, 춘절에 집집마다 대문에 붙이는 춘련春联까지 대부분이 붉은색이다. 인생의 가장 중요한 출생, 결혼, 출산의 3대 경사 모두에 붉은색이 함께한다.

둘째, 붉은색은 피와 색상이 같아서 악귀를 쫓는다는 의미를 지니고 있다. 중국어에 '구사초복驱邪招福'이라는 말이 있는데 '악귀를 쫓으며 부를 불러들인다.'라는 뜻이다. 중국에서는 12년마다 돌아오는 자신이 태어난 해와 같은 띠의 해를 본명연本命年이라고 한다. 이 해에는 악운이 집 안에 있다는 민간신앙을 대부분 믿기 때문에 악운을 쫓기 위해 다양한 방법을 동원한다. 예를 들어 집 안에 붉은색 물건을 되도록 많이 걸어두거나 붉은색 속옷과 양말을 신게 한다. 만약 중국에서 붉은색 양말을 신고 다니는 사람을 보게 되면 그해 띠에 맞는 나이를 추측할 수 있다는 얘기다.

셋째, 상서로움과 길함을 의미한다. 가장 대표적인 것이 베이징의 자금성으로 문과 벽이 모두 붉은색으로 되어 있다. 또한 중국의 홍바오 문화도 대표적인 상서로움과 길함의 전통적 문화에서 유래했다. 일반적으로 장례식장에서만 흰 봉투를 사용하고 세뱃돈이나 용돈 등을 줄 때는 붉은색 봉투인 홍바오를 사용한다. 흰색은 주로 죽음과 장례와 연관성이 깊어서 흰 봉투를 사용한다. 경조사를 의미하는 중국어 '홍백희사红白喜事'에서 붉은색은 경사를 흰색은 조사를 의미하는 것이다.

기업 CI로 붉은색이 많다

이렇다 보니 많은 중국기업이 붉은색을 기업 CI(기업 아이덴티티)로 선호하는 경향이 있다. 중국 1,000대 기업 중 약 30% 이상은 붉은색 CI를 사용하는 것만 봐도 얼마나 중국인이 붉은색에 집착하는지 짐작할 수 있다. CI뿐만 아니라 붉은색을 활용한 디자인 콘셉트의 제품도 쉽게 찾아볼 수 있다. 중국 음료업계의 절대강자인 왕라오지王老吉도 붉은색 바탕의 디자인을 통해 중국 소비자에게

붉은색과 황금색의 환상 콤비

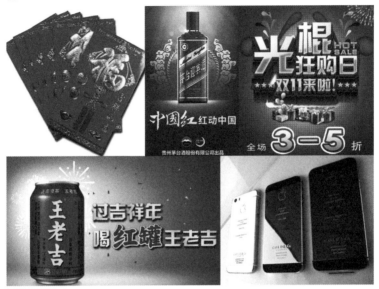

(출처: 바이두)

친근감을 준 대표적인 성공 사례다. 국내 기업 오리온의 초코파이도 초창기 파란색 포장 색상에서 붉은색으로 바꿔 중국 시장에 진출한 대표적인 사례다.

한편 황금색은 황금이 의미하는 것처럼 고귀함과 부를 상징하는 색상으로 과거 청나라 때는 황제만 입을 수 있었다. 황제를 제외하고는 모두 금기시되었다. 황제가 쓰는 물건의 기본적인 색상은 대부분 황금색이었다. 자금성의 지붕 색상도 황금색이었다. 따라서 중국 사업에서 중국인에게 선물할 때도 황금색 포장지를 쓰는 것이 좋다. 붉은색과 마찬가지로 황금색 디자인을 최적화할 필요가 있다. 붉은색이 하늘을 상징한다면 황금색은 땅을 상징한다. 우리 기업 MCM 가방이 중국에서 최고의 명품 대우를 받는 것도 그런

색상 마케팅을 활용한 우리 기업의 제품들

(출처: 바이두)

이유일 것이다. 독특하고도 화려한 황금색 징이 박힌 디자인으로 중국인 사이에서 명품 브랜드로 자리매김할 수 있었다. 중국향 색상 디자인과 마케팅을 활용한 또 다른 성공 사례는 바로 중국 시장에서 최고의 인기를 누리고 있는 LG생활건강의 '후后' 화장품이다. 제품 기능의 우수성은 기본으로 하고 왕후王后를 상징하는 브랜드 네이밍과 용기와 뚜껑까지 모두 화려한 황금색으로 디자인한 것이 적중한 것이다.

(사례 14 우리 기업의 색상 마케팅 사례)

우리 기업의 색상 마케팅 사례에서 보았듯이 중국의 색상 문화와 비즈니스는 매우 밀접한 관계가 있다. 색상이 가지는 함의가 중국 비즈니스 마케팅으로 다양하게 활용되고 있다는 것이다. 애플이 한정판 황금색 스마트폰을 출시해 하루 만에 완판되면서 이제 '한정판-황금색' 비즈니스 라인업은 중국 색상 마케팅의 정석이 되었다. 24k 황금 도금의 애플 아이폰 5s가 중국 VVIP가 가장 선호하는 스마트폰이라는 것은 널리 알려진 사실이다. 또한 쿠첸의 황금색과 붉은색을 입힌 압력밥솥도 2015년 상하이 가전전시회에

서 디자인상을 받으면서 중국에서 대성공을 거두었고 휴롬의 붉은
색 착즙기도 중국 시장에서 성공을 거둔 적이 있다. 특히 중국 홈
쇼핑에서 진행한 한정판 황금색 착즙기는 방송 30분 만에 완판되
었다.

물론 제품의 기술과 성능이 우수해야 하는 것은 가장 기본이다.
하지만 단순히 기술과 성능만 가지고 중국에서 성공하는 것은 절
대 아니다. 중국 소비자의 마음을 잡아야 하고 중국의 문화적 성향
을 이해해야 한다. 중국 소비자의 색상에 대한 독특한 심리와 믿음
을 제품 개발과 마케팅에 접목하고 최적화하는 지혜와 노력이 부
가된다면 중국 사업은 조금 더 수월해질 수 있다. 중국 사업은 아
는 만큼 보이고 아는 만큼 활용할 수 있다는 것을 기억하자.

녹색 모자는 절대 쓰지 마세요

그럼 다른 색상은 중국에서 어떠한 이미지가 연상될까? 색상은
기업 업종과 제품을 간접적으로 추정할 수 있는 매개체가 된다. 색
상은 기업 이미지의 강력하고 호의적인 메시지를 전달하고 그에
따른 독특한 연상을 창출해내는 강력한 방법으로 여겨진다.

색상	연상 이미지	색상	연상 이미지
붉은색	행운, 행복, 존엄	보라색	성스러움
노란색	고귀함, 소중함	하얀색	허무, 반동
초록색	친환경, 건강, 안전, 생명	검은색	사악함, 불결, 범죄
파랑색	깨끗, 쾌활		

예를 들어 초록색은 자연, 건강, 친환경, 생명력을 연상하는 긍정적 의미로 사용된다. 중국기업 명칭 중 녹색을 뜻하는 뤼绿를 쓰는 이유는 대부분 친환경, 신선, 안전 이미지를 전달하기 위해서다. 그러나 초록색 관련 중국에서 금기시되는 관습이 있다. 바로 결혼한 남성의 경우 '녹색 모자를 쓰지 않는다.'는 것이다. 결혼한 남성이 녹색 모자를 쓰면 아내가 바람을 피우고 있다, 품행이 좋지 않은 아내의 남편임을 의미하기 때문이다.

여기에는 역사적 배경과 유래가 존재하는데 크게 두 가지로 요약된다. 첫째, 당나라 때 신분과 직급에 따라 의복의 색상이 달랐기 때문이다. 6~7품 관리는 녹색, 8~9품 관리는 청색이었다. 녹색과 청색은 천함의 상징이 되었고 점차 천한 업종인 몸을 파는 기생의 옷 색상이 되었다. 이러한 기생집에서 일하는 일꾼이나 기생의 서방은 머리에 녹색 두건을 둘렀다. 그런데 오늘날 녹색 모자는 바로 이 녹색 두건을 연상케 되어 남자가 녹색 모자를 쓰고 있는 것은 자신의 부인이 기생이라는 의미에서 결국 우리 부인은 바람났다는 의미가 파생되었다. 둘째, 옛날이야기 때문이다. 옛날에 한 부부가 있었는데 남편은 상인이라 늘 외지로 장사를 나가야 했고 부인은 혼자 지내야 했다. 부인은 외로운 나머지 시장에서 천 파는 남자와 사통하게 되었다. 부인은 남편이 집을 나갈 때마다 남편에게 녹색 모자를 씌워 남편이 외지로 장사를 나간다는 암호로 사용했다는 것이다. 우리에겐 매우 익숙한 과거 새마을운동의 녹색 모자를 절대 중국에서는 쓰면 안 되는 이유가 여기에 있다.

6
중국식 스토리텔링을 이해해야 한다

과거의 중국을 보고 사업하면 안 된다

최근 신문 매체에서는 미중 간 패권전쟁의 여파로 중국 내 외국계 기업들이 동남아로 이전을 준비한다는 보도를 쏟아내고 있다. 정말 그럴까? 실제 중국일본상회가 발표한 백서와 중국미국기업연합회 통계를 보면 상황은 절대 그렇지 않다. 내수 부진으로 저성장늪에 빠진 일본 기업이 14억 중국 시장을 다시 공략하기 시작했다. 선택과 집중을 통해 재도약을 준비하고 있다. 필자에게 중국 진출을 문의하는 우리 기업도 최근 들어 부쩍 늘었다. 노동집약형 기업과 자본집약형 혹은 기술집약형 기업을 구분해서 살펴봐야 한다.

사실 탈 중국 얘기는 어제오늘의 얘기가 아니다. 2008년 중국 신노동계약법이 시행되고 2010년 이후 최저인건비 인상과 5대 사회보장보험 이슈가 부각되면서 매년 단골 메뉴처럼 회자되는 얘기다. 기술적 우세가 없고 중국 시장과 기업의 변화를 따라가지 못하는 기업에 중국은 더 이상 기회의 땅이 아니다. 지금의 중국이 10년 전의 중국이 아니듯 우리 기업도 그에 맞게 중국 시장 접근 방식이 변화되어야 한다. 그런데 대부분 그렇지 못한 게 현실이다. 아직도 과거의 중국 이미지를 가지고 사업을 하니 당연히 실패할 수밖에 없는 논리다. 이제 '중국'이라는 하나의 시장을 보고 들어가는 마인드는 결코 오래 살아남지 못한다. 중국 속에 '글로벌'이 있다는 마인드로 접근해야 비로소 중국 시장이 보인다.

차이나 글로벌 마인드로 비즈니스하라

이제 중국은 A부터 Z까지 모든 제품과 기업이 혼재된, 스펙트럼이 매우 넓고 깊은 시장으로 변모했다. 중국 시장에서 가지는 '코리안 프리미엄'은 큰 의미가 없다. 중국 소비자와 기업이 원하는 사업 방향과 모델에 융합되지 않으면 지금처럼 우리에게 실패의 무덤이 될 수밖에 없다. 따라서 차이나 3.0 시대에 맞는 '차이나 글로벌 마인드' 비즈니스 접근법이 필요하다. 중국 시장이 한국기업에 무덤인지 아니면 기회인지는 좀 더 객관적인 정보와 자료를 살펴봐야 한다. 중국 시장 변화에 맞는 수평적 마케팅 시스템 구축과 중국식 스토리텔링을 재구성해야 한다.

첫째, 다양한 스펙트럼이 존재하는 중국 시장에서 생존하기 위해서는 이제 과거와 같이 단순히 상품과 서비스의 품질이나 기능 혹은 가격으로 접근하는 수직적인 차별화 방식은 결코 오래가지 못한다. 그런 방식의 중국 시장 접근으로는 결코 중국기업을 이길 수 없고 이긴다고 하더라도 결코 오래가기 힘들다. 기술력과 제품의 품질이 월등히 우수하든가 그게 아니라면 전혀 다른 상품가치를 통해 경쟁자들과 차별화하는 수평적인 차별화 시스템 구축이 필요하다. 예를 들어 가전제품 분야에서 중국기업에 밀려 존재감마저 상실할 뻔했던 일본 기업 소니Sony가 이미지 센서로 부활하고 있다. 이미지 센서는 카메라 렌즈를 통해 들어온 이미지 등 영상 정보를 디지털 신호로 바꿔주는 시스템 반도체의 일종으로 성능에 따라 사진과 동영상 품질이 크게 좌우된다. 매출액 기준 전 세계 시장의 53% 이상을 차지하고 있다. 비보Vivo, 오포Oppo, 샤오미Xiaomi 등 중국 스마트폰 제조사의 경우도 소니 이미지 센서를 대부분 사용하고 있다. 중국 정보통신기술ICT 시장의 성장과 변화에 따른 선택과 집중을 한 결과다. 또한 수평적 마케팅 시스템 구축은 필요한 자본, 노하우, 중국 네트워크, 마케팅 인적자원 등을 보유하고 있지 못한 중소기업에는 더욱더 효과적이다. 그렇다면 수평적인 차별화 시스템은 어떻게 구축되는가?

수평적 마케팅 시스템은 두 개 이상의 개별적인 자원과 프로그램을 결합하는 수평적 통합horizontal integration 혹은 공생적 마케팅symbiotic marketing을 의미한다. 더 나아가 새로운 용도, 새로운 TPO[6], 혹은 새로운 중국 지역시장 타깃을 통해 새로운 제품과 서비스 카테고리를 창출해내기 위한 과정이다. 서로 다른 제품, 서비스, 아이디어를 연결하여 새로운 제품을 중국 지역시장에 맞게 재구성해야 한다.

둘째, 제품과 서비스에 맞는 스토리텔링을 구축해야 한다. 5,000

덕수궁 돌담길과 코엑스 강남스타일 사진

(출처: 네이버, 필자 촬영)

년의 역사와 문화를 가진 중국 콘텐츠와 스토리를 활용해야 한다. 그들이 가진 '차이나 DNA'를 우리 제품과 서비스에 어떻게 융합해 나갈 것인지를 고민해야 한다.

(사례 15 덕수궁 돌담길 성공 사례)

언제부터인가 덕수궁 돌담길은 중국 연인 관광객에게 필수코스로 자리잡았다. 덕수궁 돌담길을 남녀가 함께 걸으면 헤어진다는 우리

코오롱스포츠 로고와 중국인이 좋아하는 초재수 이미지

发财树
幸运树

한쌍의 상록수를 회사 로고로 정하였습니다   뛰어난 디자인과 기술력으로 한국 소비자의 총애를 받아왔을뿐만 아니라,

(출처: 코오롱스포츠 중국 홈페이지)

의 스토리가 중국식 스토리로 재탄생했다. 서울관광협회의 '덕수궁
돌담길은 서로 사랑을 꽃피울 수 있고 결혼에 골인하게 해준다!'라
는 역발상의 성공적인 스토리텔링이 있었기 때문에 가능했다.

(사례 16 강남스타일 실패 사례)

중국 관광객을 대상으로 한 스토리텔링이 재빨리 재구성되지 못
해 실패한 사례도 있다. 바로 싸이의 '강남스타일'의 스토리텔링 실
패 사례. '강남스타일'이 한참 유행하던 시절 3억 명이 넘는 중국
인이 '강남스타일'의 말 춤을 따라 하며 흥분한 적이 있다. '강남스
타일'은 과거 필자가 중국 출장을 가서 만난 중국 사업가와 학자가
모두 알 정도로 매우 핫한 한국 키워드였다. "다음 달 한국을 가는
데 '강남스타일'을 느끼려면 어디로 가면 되는지요?" 중국 지인이
필자한테 질문을 해왔다. 그 질문을 받고 필자는 즉답할 수가 없었

다. '강남스타일'의 분위기를 알기 위해서는 어디를 가야 하는 거지? 필자도 몰랐기 때문이다.

그냥 강남역 어디 가면 된다고 얼버무리기에는 뭔가 부족했다. 시간이 흘러 삼성역 코엑스 근처에 '강남스타일'을 상징하는 말 춤의 손 모양 동상이 생긴 것 말고는 변화가 없다. '강남스타일'이라는 콘텐츠로 충분히 스토리텔링이 가능했고 그에 따른 경제적 효과는 상상을 초월했을 것이다. 쇼핑, 먹거리, 볼거리 등 소비문화와 '강남스타일' 콘텐츠가 합쳐진 스토리텔링은 그 어떤 마케팅 전략보다 뛰어나다. 한류 콘텐츠는 우리의 가장 큰 경쟁력이자 스토리텔링의 기본 소재이기 때문이다.

차이나 DNA를 연결하여 스토리를 만들어라

다른 중국식 스토리텔링의 성공 사례를 살펴보자. 코오롱스포츠는 전대 회장의 회사 창업 스토리를 근간으로 자연과 건강이라는 콘셉트를 강조하고 있다.

(사례 17 코오롱 스포츠 스토리텔링 성공 사례)

이 회사는 나무 모양의 로고에다 초재수招财树[7]와 행운수幸运树라는 차이나 DNA를 연결하여 스토리가 있는 회사로 중국에서 재탄생했다. 초재수와 행운수는 중국에서 매우 상징적으로 사용되는 나무 이미지다. 재물과 행운과 건강을 기원하는 중국인의 마음을 대변하는 대표적인 차이나 DNA다.

중국 역사와 문화의 이해는 중국 사업의 출발점이다. 중국식 스토리텔링은 중국 정부, 기업, 중국인을 하나로 묶는 무형의 가치가 될 수 있다. 중국 소비시장의 급격한 변화는 과거의 수직적 마케팅에서 수평적 마케팅 차별화로의 전환을 요구하고 있다. 중국인의 소득 수준 향상에 따른 삶과 행복에 대한 가치 기준도 변화되고 있다. 그들은 과거 브랜드나 중고가 소비 중심의 단순 소비자에서 개인맞춤형 제품 개발과 유통 과정에 참여하는 생산자적 기능을 직접 수행하는 프로슈머Prosumer로 진화되고 있음을 명심해야 한다.

7
암묵적 규칙을 이해해야 한다

치엔구이저를 찾아라

"교수님, 중국에서 사업하기 너무 힘듭니다. 미국처럼 제도화되고 정형화된 비즈니스 룰이 없는 것 같습니다."

중국 사업을 10년째 하고 있다는 모 중소기업 대표님이 필자에게 한 말이다. 우리 기업은 중국 시장의 다양성과 특수성, 제도의 변화와 불규칙성, 그리고 중국인의 감정을 잘 드러내지 않는 포커페이스 등으로 중국 사업을 하면서 숱한 어려움에 봉착하게 된다. 그중에서도 중국인을 정확히 이해하고 받아들이는 훈련이 매우 부족해 보인다. 성공적인 중국 사업과 중국인과의 소통의 출발은 치엔구이저潛規則를 어떻게 이해하고 그것을 어떻게 내재화하느냐에 달려 있다.

치엔구이저를 영어로는 '인비저블 룰invisible rules'이라고 한다. 말 그대로 '보이지 않게 숨어 있는 규칙' 혹은 '암묵적 규칙'이라고 할

수 있다. 겉으로는 잘 드러나지 않는 중국만의 비공식적 규제사항
이고 그것이 비즈니스 문화로서 자리잡았다는 것이다. 치엔구이저
는 수백 년 전 중국 역사에 이미 등장한 단어로서 명나라 부패의
원인이 바로 치엔구이저라고 볼 수 있다. 명나라는 관리가 사사로
운 정에 이끌려 원칙을 지키지 못할 것을 우려하여 자기 고향에 부
임하지 못하도록 제도적으로 규정하였다. 그러나 지방 관청 중간
관리자인 아전과 그들의 하인이었던 아속은 그 지역에서 나고 자
란 현지인이어야 했다. 게다가 토호는 더 말할 나위가 없다. 아전
과 아속은 현지의 방언과 풍속에 익숙하고 친척과 지인들로 구성
된 꽌시, 즉 인적 네트워크를 가지고 있었다. 이처럼 기반이 튼튼하
니 정보 입수가 빨랐고 지역 특유의 관행을 잘 알고 있었기에 이를
활용하여 이익을 도모할 수 있었다. 중국은 업종별, 지역별로 보이
지 않는 룰, 즉 지역별 치엔구이저가 존재한다. 중국에 진출한 많
은 외국계 기업들은 현지화를 중국 사업 성공의 첫 번째 요인으로
삼고 있다. 하지만 이러한 중국 특유의 치엔구이저에 익숙하지 않
다는 것이다. 결국 중국에서의 현지화는 어떻게 짧은 시간 내 이
'보이지 않는 룰'을 익히고 학습하냐에 달려 있다.

중국과의 외교, 경제 등 공식적 접근이나 비즈니스와 같은 비공
식적 접근에 있어 가장 중요한 게 치엔구이저다. 대표적인 치엔구
이저 중 하나가 바로 '부副 자의 세계가 없다'는 것이다. 우리가 흔
히 얘기하는 부사장, 부시장, 부회장 등에 쓰이는 부 자가 중국에
서는 사용되지 않는다는 뜻이다. 물론 명함에는 인쇄되어 있으나
실제 호칭을 부를 때는 부를 생략하고 바로 시장, 사장, 혹은 회장

이라고 부르는 것이 일반적이다. 예를 들어 성이 왕王 씨인 부사장이라면 '왕 부사장'이라고 부르지 말고 반드시 '왕 사장'이라고 불러야 한다. 설령 진짜 사장, 시장, 혹은 회장이 있다고 하더라도 부를 빼고 부르는 것이 미옌쯔(面子, 체면)를 지켜주는 문화적 습성 때문이다.

또 하나 재미있는 미옌쯔 관련 중국어 욕 중에 왕바단王八蛋이라는 표현이 있다. 우리의 개XX에 해당하는 심한 욕으로 직역하면 '거북이와 자라의 알'이라는 뜻이다. 여러 가지 의미가 있는 이 욕은 사실 예전에는 왕바단의 세 글자 중 왕 자는 임금 왕王이 아니라 잊어버릴 망忘이었다. 왕王과 망忘은 중국어로 발음이 '왕'으로 같다. 다시 말해 왕바단王八蛋의 유래는 망바단忘八蛋이다. 이는 여덟 가지 덕목[8]을 잊어버린 인성이 없는 자식(알을 나타내는 단蛋은 놈, 자식이라는 뜻)이라는 상당히 고급스러운 욕이 되어버렸다. 중국인은 욕에서조차 삼강오륜을 통한 미옌쯔를 찾고자 했던 것이다.

중국인과의 교류 중에 일어나는 여러 가지 행동은 미옌쯔와 무관하지 않다. 중국인에게 선물을 주면 두세 번 사양한 후 마지못해 받는 것이 일반적인 경우라고 설명한 바 있다. 물론 계속 사양한다고 선물을 주지 않고 가버리면 왕바단이라는 욕을 먹을 것이다. 그런데 재미있는 것은 다음에는 절대 이런 선물을 하지 말라는 인사치레의 말을 꼭 붙인다. 다시 말해 최소한의 미옌쯔를 생각하는 것이다. 물론 다음에 정말로 안 하면 그 사람은 정말 왕바단이 되고 만다. 그래서 중국에서 벌어지는 많은 공식과 비공식 행사 또는 미팅 때 미옌쯔는 항상 따라다닌다고 생각하면 된다. 미옌쯔의 또 다른 대표적인 사례가 중국에서 외국산 명품과 외제차가 불티나게 팔리는 경우다. 내가 필요해서라기보다 내가 이 정도의 명품 혹은 외제차를 가지고 있어야 내가 속한 커뮤니티에서 얼굴을 들 수 있다는 것이다.

중국인의 미옌쯔는 단순한 자존심보다는 위신과 존엄에 관한 문제일 수도 있다. 중국인들은 "미안합니다."라는 말에 대개 인색하다는 말을 많이 한다. 이 또한 미옌쯔와 관계가 있다. 영어의 익스큐즈 미Excuse me에 해당하는 중국어가 두이부치對不起이다. 이는 자신의 실수를 인정한다는 의미이기 때문에 좀처럼 중국인의 입에서 듣기가 쉽지 않다. 그 대신 부하오이쓰不好意思라는 말을 자주 쓴다. 원래 이 말은 중국인이 사소한 실수나 지각을 했거나 길을 물을 때 자주 쓰는 표현인데 미안하다는 의미로도 광범위하게 사용된다.

중국 사업은 중국인을 이해하는 순간부터 시작되는 것이다. 중국 시장과 산업의 변화를 이해하기 전에 중국인의 사고방식과 변화에 주목해야 한다. 단순히 중국 출장을 가는 것은 중국 시장을 보러 가는 것이고 위안화를 벌고자 하는 중국 사업은 중국인을 만나러 가는 것이다. 내가 알고 있는 중국 친구부터 다시 살펴봐야 하는 이유이기도 하다.

'차부둬 선생'을 조심하자

후스胡適의 현대소설 『차부둬 선생差不多先生』은 중국인의 보편화된 문화와 특징을 비판하고 있다. 매사를 비과학적이고 비적극적이고 비합리적으로 대하려는 차부둬 선생도 역시 이러한 중국 농경사회 문화와 무관하지 않다. 중국인이 생각하는 완벽함에 대한 정의를 이해하기 위해서는 먼저 '차부둬'에 대한 이야기를 이해해야 한다. 차부둬는 직역을 하자면 '차이가 크지 않다.' 혹은 '대충 그렇다.' 정도로 번역할 수 있다. 하지만 이는 직역일 뿐이고 속뜻은 '대충 일을 하자.'라는 대충주의를 의미한다. 다른 일과 별반 차이가 없는데 굳이 더 할 필요가 있나 하는 뜻에서 유래했다. 이 작품 속에 등장하는 전형적인 중국인은 "10(十)과 1,000(千)은 획 하나 차이라서 그 차이가 크지 않다(차부둬)."라고 얘기하고 있다. 심지어는 "죽는 사람이나 산 사람이나 뭐 별 차이가 있겠는가."라며 병에 걸려 죽어가면서까지 차부둬를 말한다.

후스는 이처럼 우유부단하고 대충주의에 물든 중국인을 '차부둬 선생'이라고 꼬집었다. 이는 일을 할 때 대충대충 넘어가고 완벽하게 처리하지 않는 전형적인 중국인의 성격을 비판하는 표현이라고 볼 수 있다. 차부둬는 원래 중국인에게 내려오는 전래동화 같은 이야기에서 비롯되었다.

어느 날 차부둬 선생은 갑자기 심각한 병을 얻었다. 가족은 서둘러 동쪽의 유능하다는 왕 의사 선생의 집으로 향하게 된다. 그러나 빨리 가 찾아봐도 쉽게 의사를 찾을 수 없었다. 왕 의사를 찾지 못한 그의 가족은 동쪽의 왕 의사가 아니라 서쪽의 수의사인 왕 의사를 데려왔다. 차부둬 선생은 침대에 누워서 가족이 의사를 잘못 모셔온 것을 알았지만, 마음속으로 이렇게 생각했다. '동쪽 왕 의사나 서쪽 수의사인 왕 의사나 별 차이 없으니 그냥 치료해달라고 해야겠다.' 그래서 수의사인 왕 의사가 그를 소를 치료하는 방법으로 치료했다. 하지만 치료한 지 한 시간도 지나지 않아 차부둬 선생은 그만 숨을 거두게 되었다. 그는 죽기 직전에도 "산 사람이나 죽은 사람이나 거… 거… 거기서 거긴 걸. 모든 일이 대충 해도 잘될 텐데… 구태여… 그렇게… 꼭 정확할… 필요가… 있겠는가?"라는 명언을 남기고 죽었다.

과거 차부둬 선생 이야기는 중국인을 비유할 때 자주 인용되는 스토리다. 그리고 현대판 차부둬 선생의 이야기도 있다. 바로 루쉰 魯迅의 『아Q정전』이다. 이 소설은 주인공 아Q라는 인물을 통해 거침없이 중국 사회를 비판하고 있다. 아Q는 중국인의 자화상의 단면이다. 이 책은 그야말로 중국의 변혁에 대한 사고가 집약된 책이라고 해도 과언이 아니다. 정신승리법을 통해 패배를 당해도 자신의 승리라고 생각하는 『아Q정전』의 이야기는 차부둬 선생부터 내려온 정신문화를 중요하게 생각하는 중국인의 사고방식과 특성이 스며들어 있다. 즉 일반적인 중국인은 매사에 대충대충 하려고 하고 두루뭉술하게 하려는 경향이 있다는 말이 바로 이러한 측면에서 이해될 수 있다.

재미있는 것은 1995년 제67회 아카데미 시상식에서 6개 부문을 수상한 영화 「포레스트 검프Forrest Gump」가 북경에서도 같은 해 6

월에 상영되었다. 이 영화의 제목을 중국어로 어떻게 지을지 매우 고민했다고 한다. 그 결과 확정된 중국식 표현은 바로 '아감정전阿甘正傳'이다. 포레스트 검프라는 인물을 통해 미국사 전반에 비판을 가하는 이 영화 내용은 주인공 이름 중 검프와 비슷한 음이 나는 글자인 감甘을 음역자로 따와서 제목을 지었다.

시계를 볼 때도 이와 비슷한 문화적 특징을 가지고 있다. '독일 철학자 칸트가 오전 8시 30분 39초에 한 가로수 앞을 지난다'라고 하면, '당나라 시인 이백은 진시辰時 혹은 일출 무렵에 동정호를 거닌다'라고 밖에 표현할 수 없다. 당시 중국인은 24시간을 십이지十二호인 12시간으로 나누었기 때문이다. 지금도 많은 중국인이 9시와 10시 사이는 '9시가 한참 넘었다.'라는 뜻의 '지우디엔둬九点多'로 표현한다.

최근 해외 유학파 중국인과 젊은 세대에게서 차부둬의 문제점을 지적하며 변화를 요구하는 바람이 불고 있다. 중국의 대충주의가 산업의 경쟁력을 저하해왔고 짝퉁천국이라는 오명을 갖게 한 원흉이라고 외치고 있다. 차부둬 문화를 바꾸지 않으면 중국의 미래도 없다는 것이다. 과거의 고정화된 중국 이미지를 바꾸기 위한 정치, 경제, 사회의 변화가 여기저기서 일어나고 있다. 우리가 중국을 좀 더 밖이 아니라 안에서 들여다봐야 할 이유다. 중국과 중국인의 변화에 초점을 맞춰야 기회가 있다.

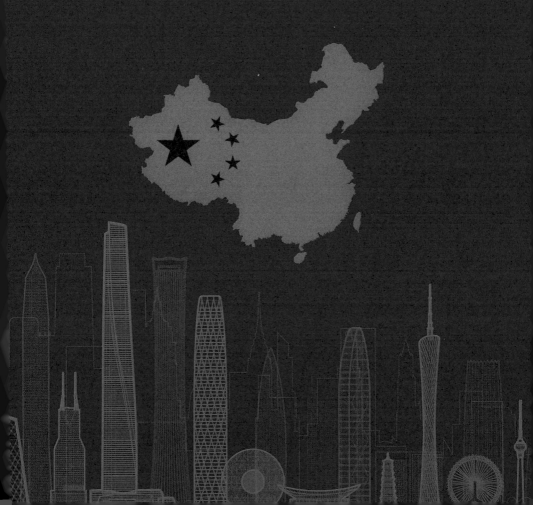

딥 차이나 2

중국 지역의 특성과
중국인의 성향을 파악하라

1
중국을 하나로 보지 말고 세분화하라

중국을 남방과 북방으로 나누어보자

우리는 흔히 중국이라는 너무나 큰 거대 담론에 빠지곤 한다. 중국인도 모르는 중국을 우리가 아는 것처럼 얘기한다. 중국 속담 중에 "10리마다 풍습이 다르고 100리마다 풍속이 다르다."라는 말이 있다. 그만큼 중국은 지역마다 각기 다른 기후, 문화, 풍습, 풍속을 가지고 있다.

이제 중국을 하나의 스펙트럼으로 접근하면 중국이 보이지 않는다. 중국을 세분화해야 한다. 우선 흔히 우리가 얘기하는 남방과 북방으로 나누어 중국을 재구성해보자. 중국인도 잘 모를 수 있는 각기 다른 중국의 지역적 특징과 문화가 있다. 특히 중국 남방과 북방 지역에 따라 비즈니스 방법과 형태도 달라질 수 있다. 흔히들 "중국 북방지역의 주식은 밀이고 남방지역의 주식은 쌀이다."라는 얘기를 한다. 맞는 말이다. 예를 들어 산둥지역 중국인이 한국에서 일주

중국 친링산맥과 화이허강을 기준점으로 나눈 남방과 북방

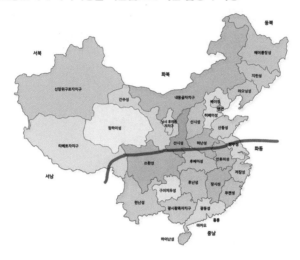

(출처: 바이두)

일 내내 쌀만 먹으면 "속이 더부룩하다."라는 얘기를 종종 한다. 산 둥지역은 대표적인 북방지역으로 밭농사 중심 지역이니 그도 그럴 만하다. 우리가 일주일 내내 면만 먹으면 속이 더부룩한 것과 같은 이치다. 그만큼 서로 각기 다른 관습과 특징, 문화, 생활양식을 가 지고 있으며 하물며 사람들의 체형과 생김새도 다르다. 우선 중국 의 남방과 북방을 나누는 정확한 기준부터 이해해야 한다.

중국 하면 양쯔강揚子江으로 알려진 창장長江과 황허黃河강이 유 명하다. 그러다 보니 사람들은 창장과 황허강를 기준으로 나뉜다 고 생각된다. 하물며 중국인도 그렇게 생각하는 사람들이 적지 않 다. 중국의 공식적인 기준은 친링秦岭산맥과 화이허淮河강을 기준으 로 남방과 북방으로 나뉜다.

친링산맥은 중국 중부를 가로지르는 산맥이고 화이허강은 창장과 황허강 사이를 흐르는 중국의 7대 강 중 하나다. 우리가 잘 아는 남귤북지南橘北枳 혹은 귤화위지橘化爲枳라는 춘추전국시대 고사성어가 바로 이 화이허강을 기준으로 한 것이다. 귤이 화이허강을 건너면 탱자가 된다는 뜻이다.

창장과 황허강의 어원과 유래 해석

고대에는 강江은 창장을 가리키는 고유명사였고 하河는 황허강을 가리키는 고유명사였다.[9] 창장과 황허강의 차이점을 알기 위해서는 우선 강과 하의 어원에 대한 이해가 필요하다. 어원에는 여러 가지 설이 존재하는데 크게 세 가지 설로 좁혀 볼 수 있다.

첫째, 물이 외해나 바다로 가는 하류를 '강'이라고 불렀고 반대로 물이 내해나 호수의 하류로 흘러 들어오는 것을 '하'라고 불렀다. 또한 유역의 면적이 비교적 크고 사계절 동안 물이 마르지 않는 것을 '강'이라고 불렀고 유역 면적이 강보다 작은 것을 '하'라고 불렀다는 것이다. 실제 창장의 유역면적은 180만 제곱미터, 황허강의 유역면적은 75만 제곱미터다.

둘째, 언어학 혹은 음운학 관점에서 물을 의미하는 삼수변氵에 붙는 가可와 공工의 발음 유래설이다. 창장은 남방 기원설로 가可의 중국어 발음이 '커'인데 창장의 물소리가 '커커' 하고 들린다고 하여 붙여진 것이고, 황허강은 북방 기원설로 공工의 중국어 발음이 '궁'인데 황허의 물소리가 북소리처럼 '궁

궁' 하고 들린다고 하여 붙여졌다는 것이다. 언어학적으로는 상고음上高音에 해당되는 소리로 과거 선진先秦에서 위진남북조 시대 공ェ의 발음이 이와 유사했다는 설이다.

셋째, 삼수변氵에 붙는 가哥와 공工의 고대 문자 의미에서 유래했다는 것이다. 고대에 가哥는 '구부러진다'는 뜻이 있어 황허강의 유량이 구불구불 흘러들어 가기 때문에 '하'가 유래되었고, 공工은 '반듯하다'는 뜻이 있는데 창장은 넓고 완만하기 때문에 '강'이라고 불리게 되었다는 것이다.

여러 언어학자와 역사학자마다 해석이 조금 다르기는 하지만 각각의 유래마다 일리가 있어 보인다. 결론적으로 창장의 유역은 친링산맥-화이허 이남 지역에 위치해 있어 북방지역은 거의 '하河'라고 불렀고, 황허는 친링산맥-화이허 이북 지역에 위치해 있어 남방지역은 거의 '강江'이라고 불렀다.

"난 장쑤인이지만 산둥인인 듯해요!"

'귤이 화이허를 건너 북쪽으로 오면 탱자가 되고 앵무새는 제수를 넘지 못하고 오소리는 문하를 건너면 죽는다.'라는 중국 지역의 방대함을 의미하는 말로 '사람도 주변 환경에 따라 변한다.'라는 뜻으로 사용되곤 한다. 1908년 중국지리학회에서 친링산맥과 화이허강을 기준으로 남북지역으로 구분했고 2009년 중국 국가측량국에서 친링산맥과 장쑤성 화이안을 이어 화이허강의 위도와 거의 동일한 남북 기준선을 구분하여 지금까지 이어져 오고 있다. 장

장쑤성 화이안시 남북경계선

쑤성 화이안시에 가면 붉은색과 파란색으로 남방과 북방을 표기한 남북경계선을 볼 수가 있다. 장쑤성의 경우 지형상 남방지역에 속하지만 장쑤성 북쪽에 있는 쉬저우의 경우는 북방지역에 해당한다. 필자가 쉬저우에서 만난 중국 친구와 먹은 음식은 산둥지역과 거의 흡사했다.

쉬저우 친구는 "난 장쑤 사람이지만 원래 산둥 사람이에요. 체형과 음식과 사고방식 등 모든 것이 산둥지역 특징을 가지고 있습니다."라고 말한다. 다른 지역의 중국인들도 쉬저우 사람의 특징과 성향을 잘 모르는 것 같다고 얘기한 바 있다.

남북 경계선을 기준으로 중국의 남방과 북방의 차이는 여러 방면에서 차이가 난다. 이러한 차이는 당연히 중국 사업에도 접목되게 된다. 우선 그 차이점을 간략히 살펴보도록 하자.

첫째, 남귤북지의 사자성어에서 보았듯이 기후가 전혀 다르다. 남방은 일반적으로 여름이 비교적 길며 습하고 겨울이 따뜻하고 아열대기후 특징을 가지고 있다. 북방은 위도상으로 우리나라와 비슷해 4계절이 비교적 뚜렷한 건조한 난온대의 특징을 가지고 있다.

둘째, 음식 문화가 다르다. 남북의 기후가 다르다 보니 남방은 날씨가 온화하고 구릉과 수로가 많아서 수자원이 풍부해 논농사를 기본으로 하였고 북방은 추운 날씨와 넓은 평원의 척박한 토지 환경으로 밭농사를 주로 하게 되었다. 그에 따라 남방의 주식은 쌀이 되었고 북방은 자연스럽게 밀을 주식으로 삼게 된 것이다. 재미있는 것은 역사적으로 남방 사람은 면을 먹는 북방 사람을 무시하는 경향이 있었다. '밥 먹는 사람은 귀하고 면 먹는 사람은 천하다食米者貴 食面者鄙.'라는 표현이 있을 정도다. 이러한 음식 문화의 차이를 활용해 성공한 우리 기업의 중국 진출 사례 하나를 들어보자.

쿠쿠와 쿠첸은 현지화로 성공했다

국내 대표적인 전기밥솥 회사인 쿠쿠전자와 리홈쿠첸이 중국 남방과 북방의 지역적 특성을 고려해 기능의 차별화와 현지화를 통해 중국에서 성공한 사례다. 정체된 국내시장에서 벗어나 중국 내수시장에서 성장하는 대표적인 기업들이다. 쿠쿠전자는 2003년 산둥성 칭다오에 생산법인을 설립하면서 중국 내수시장 진출을 본격화했다. 리홈쿠첸은 10년이 늦은 2012년 랴오닝성 선양과 베이징 총판매상을 중심으로 중국 사업을 시작했고 2016년에는 중국 최대 스마트 가전기업인 메이디와 공동출자해 광저우에 조인트벤처 생산법인을 설립했다. 리홈쿠첸의 기술력과 메이디의 생산 인프라와 2,500여 개에 달하는 중국 내 유통망을 활용해 점차 시장 점유율을 확대하고 있다.

(사례 18 쿠쿠와 쿠첸 진출 성공 사례)

두 회사는 중국은 남방과 북방지역에 따라 주식이 다르고 그에 따른 음식 문화가 다르다는 것을 알고 이를 제품개발에 활용했다. 남방지역은 주식이 쌀인 만큼 밥하는 기능을 더욱 보강했고, 북방은 주식이 면인 만큼 밥솥으로 다양한 요리를 할 수 있는 기능을 추가하여 중국 시장에서 성공했다. 예를 들어 남방지역의 경우 쌀의 종류가 베트남, 인도네시아, 미얀마 등에서 생산되는 '안남미'여서 불면 밥알이 날린다는 쌀의 특성을 고려해 보온 온도조절과 메뉴 기능을 현지에 맞게 개발하였다. 쿠쿠전자의 압력전기밥솥 모델 CRP-AH1060FD가 대표적인 중국향 제품이라고 볼 수 있다. 안남미를 부드럽고 더욱 차지게 만들어주는 입체가열방식을 적용하였고, 고온, 고압, 고스팀에 강한 고화력 압력 전용 내솥인 다이아쉴드를 탑재한 제품으로 중국 남방인의 마음을 사로잡은 것이다.

한편 북방의 경우 찜 요리 등 지역 특유의 음식 메뉴를 간편하게 할 수 있는 원터치 버튼 기능을 추가하여 단순한 밥솥이 아니라 멀티 쿠커용 밥솥으로 북방지역에서 큰 인기를 얻었다. 최근 들어 중국 소비자의 소비 수준이 향상됨에 따라 과거 저가의 전기밥솥 시장은 점차 하락하고, 유도가열방식인 IH스마트전기밥솥 등 중고급 제품이 점차 확대되는 추세다. 2020년 기준 중국 스마트 전기밥솥 보급률이 아직 42% 정도 수준으로 현재 중국 내수시장 선점을 위한 네덜란드의 필립스, 일본의 파나소닉과 타이거, 한국의 쿠쿠전자와 리홈쿠첸, 중국 로컬 브랜드 메이디와 샤오미 간 치열한 각축전이 벌어지고 있다. 중국 시장에서 성공하기 위해서는 우수한 기술력, 타깃팅한 내수 목표 시장, 소비자에 대한 정확한 이해가 선행되어야 한다. 그 출발점이 바로 중국의 남방과 북방시장의 차이점을 이해하는 것이다.

2
중화 합중국으로 이해해야 한다

실제 중국의 5개 타임존을 알자

세계 면적 순위를 보면 1위 러시아(1,710만 제곱킬로미터), 2위 캐나다(998만 제곱킬로미터), 3위 미국(983만 제곱킬로미터), 4위 중국(964만 제곱킬로미터) 순이다. 그러나 3위 미국과 4위 중국 면적을 두고 여러 논쟁이 있다. 중국은 인도, 중앙아시아, 동남아 국가와의 분쟁 지역, 그리고 타이완섬 관련 문제가 있고 미국은 영해와 연안 해역의 면적을 포함하느냐에 대해 논란이 있기 때문이다. 그래서 어떻게 통계를 잡느냐에 따라 중국이 3위, 미국이 4위로 순위가 달라지는 경우도 종종 있긴 하다. 또한 중국 인접국인 인도와 파키스탄 간 분쟁지역을 어디까지로 잡느냐에 따라서 달라지기도 한다. 여하튼 미국과 중국의 면적은 우리의 약 100배로 거의 비슷하다고 볼 수 있다. 두 국가 모두 땅 면적이 크다 보니 동서의 시간대가 다른 것은 당연하다. 만약 미국은 알래스카와 하와이 등 기타 지역을

미국과 중국의 실제 타임존 비교

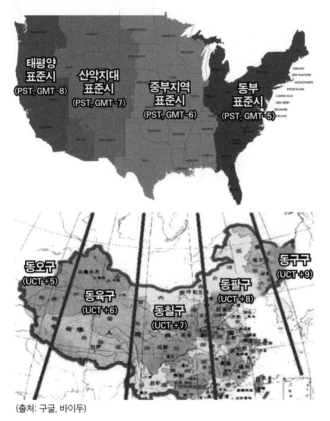

(출처: 구글, 바이두)

합치면 9개의 다른 타임존이 존재하지만, 본토만 보면 크게 동부, 중부, 산악지대, 서부 시간대로 크게 4개의 타임존으로 구분된다.

4개의 서로 다른 미국 타임존을 살펴보자. 미국에 세로줄을 그어 4등분했을 때 맨 왼쪽부터 우리가 흔히들 얘기하는 'LA 시간'인 태평양 표준시(PST, GMT[10]-8), 산악지대 표준시(MST, GMT-7), 중부지역 표준시(CST, GMT-6), 그리고 '뉴욕시간'으로 알려진 동부 표준시(EST, GMT-5)가 적용된다. 따라서 가끔 미국 본토를 여행하다 보면 매우 혼동스러운 경우가 종종 발생하곤 한다. 각기 다른 기후 특징으로 인해 서머타임summer time도 달라서 시간을 정확히 이해하는 게 중요하다. 1년 내내 여름인 하와이의 타임존인 하와이 표준시HST, Hawaii Standard Time는 서머타임이 없다.

그러나 중국은 미국과 면적은 비슷할지라도 하나의 타임존으로 통일되어 있다. 중국의 시간대는 세계 협정시UTC에 8시간을 더한 타임존인 세계 협정시+8을 중국 표준시CST로 사용하고 있다. 세계 협정시+8은 동경 120도 위치에 있는 수도 베이징의 자연 시간대에 맞춰져 있다. 그래서 흔히들 '베이징 시간北京时间'이라고도 부른다. 우리나라는 세계시보다 9시간 앞선 세계 협정시+9를 사용하고 있으니 중국이 우리보다 1시간 느린 셈이다. 중국은 이처럼 실제는 타임존이 다르지만 베이징 시간으로 통일되어 있어 중국 여행 시 매우 주의가 필요하다. 실제 타임존은 티베트의 동오구에서부터 동육구, 동칠구, 동팔구, 동구구 등 5개로 나뉜다.

중국의 5개 타임존

1. 동오구(UCT+5): 신장웨이우얼자치구 서남부, 티베트 서북부

2. 동육구(UCT+6): 신장웨이우얼자치구 대부분 지역, 티베트 대부분 지역, 간쑤성 서부, 칭하이성 서부 일부

3. 동칠구(UCT+7): 네이멍구 서부, 닝샤후이족자치구, 간쑤 동부 지역, 산시陝西 대부분 지역, 산시山西성 서부, 허난성 서부, 후베이성 서부, 후난성 서부, 쓰촨성, 충칭, 윈난성, 구이저우성, 광시좡족자치구, 광둥성 서부지역, 하이난성 등 포함

4. 동팔구(UCT+8): 네이멍구 동부, 헤이룽장성 서부, 지린성 서
   부, 랴오닝성, 허베이성, 베이징, 텐진시, 산시山西성 동부, 안후
   이성, 장쑤성, 상하이, 후베이 동부, 후난 동부, 광둥 동부, 장시
   성, 저장성, 푸젠성 등 포함
5. 동구구(UCT+9): 헤이룽장성 동부, 지린성 동부

  북한에 인접한 동구구는 우리 시간대인 세계 협정시+9라고 볼
수 있다. 따라서 서쪽 지역으로 갈수록 시간 차이가 날 수밖에 없
다. 예를 들어 티베트와 신장웨이우얼 지역은 실제 타임존과 공식
시간 차이가 매우 크다는 것이다. 티베트에 소재한 라싸의 실제 시
간대는 UTC+6에 가깝고 동경 75도인 카슈가르의 실제 시간대는
UTC+5에 가깝다고 볼 수 있다. 따라서 라싸는 실제 시간보다 2시
간, 카슈가르는 3시간이나 빠르기 때문에 중국 여행 시 주의가 필
요하다. 예를 들어 중국 표준시인 동팔구 베이징 시간이 밤 12시면
실제 동구구 지역은 새벽 1시, 동오구 지역은 밤 9시, 동육구 지역
은 밤 10시, 동칠구 지역은 밤 11시가 되는 셈이다. 하지만 지역에
따라 실제 시간 차이는 더 크다고 볼 수 있다.

지역 시장의 기후 특징을 알아야 한다

  중국은 타임존뿐만 아니라 기후도 전혀 다르다. 방대한 지역은
남에서 북으로 적도대, 열대, 아열대, 난온대, 온대, 한대 6개 온도
대에 걸쳐 있어 남방과 북방의 기온 차가 매우 크다. 중국은 북쪽

헤이룽장성 하얼빈에서 남쪽 윈난성 쿤밍까지 겨울에 온도 차가 심하면 70도 이상 차이가 난다. 같은 날 하얼빈이 영하 35도일 때, 쿤밍은 영상 35도라는 얘기다. 기후가 전혀 다르니 생활 습관, 음식, 사고방식 등에서 당연히 차이가 날 수밖에 없다.

우리나라의 대표적인 간식이라고 할 수 있는 오리온 초코파이의 초기 중국 진출 사례를 통해 중국의 다양성과 특수성을 이해해보자. 현재 오리온의 중국 시장 매출 규모는 약 1조 3,000억 달러이다. 중국 내 5개 공장을 운영하며 4종류 16개 브랜드를 생산하고 있다. 직접 관리하는 영업소가 약 250개에 이르고 오리온 제품을 거래하는 중국 내 경소상經銷商이 약 2,500여 개로 총 700개가 넘는 중국 각 지역 중소도시에서 오리온 제품이 유통되고 있다. 특히 우리가 잘 아는 초코파이는 중국 내 파이류 시장점유율이 42%로 1위를 차지하고 있고 스낵류는 시장점유율 14%로 3위를 차지하는 등 중국 진출 성공 사례로 가장 많이 회자되는 기업이다. 중국에서 결혼식이나 기념파티 같은 중요한 행사의 답례품으로 사용될 정도로 인기가 높다. 사드 보복으로 중국 진출 기업이 어려움을 겪을 때도 초코파이는 큰 타격을 받지 않았다. 이와 같이 일반적으로 오리온의 중국 진출 성공 사례에 대해서는 알고 있지만 초기 실패한 스토리는 잘 알지 못한다.

(사례 19 오리온 초코파이 초기 실패 사례)

오리온이 중국 지역시장의 기후 특징을 이해하지 못해 중국 시장 진출 초기에 실패한 사례가 있었다. 1997년 베이징 외곽 랑팡

초코파이의 중국 광고 이미지(좌)와 날씨로 인해 변질된 초코파이(우)

(출처: 중국경영연구소)

경제기술개발구에 초코파이 공장을 설립하기 전까지 한국에서 직접 중국으로 수출할 때였다. 1997년 5월 랑팡 공장에서 첫 생산을 할 때까지 1인 대표 체제로 면밀한 시장조사와 개척 시뮬레이션을 진행했고 본사와 연계해 초코파이를 수출하는 한편 랑팡 공장 생산에 필요한 현지 원·부재료 확보와 영업 대리점 발굴 등 조금씩 중국 사업을 확대해가는 도중 생각지도 못한 일이 일어난 것이다. 1995년 평택항을 출발해 중국 남부 푸젠성 항만을 통해 수출된 초코파이가 변질되는 사건이 일어난 것이다. 중국 남부지역에 판매된 초코파이가 무덥고 습한 날씨와 장마로 인해 녹아버리거나 곰팡이가 생긴 채 판매가 되었다. 국내에서 방부제 없이도 전혀 문제가 없었던 초코파이가 더위를 이겨내지 못하고 변질된 것이었다. 유통망 확충과 내수 판매에 박차를 가하던 상황에서 닥친 최대의 위기였다.

오리온은 고심 끝에 이미 판매된 초코파이를 모두 매장에서 수거해 10만 개가 넘는 초코파이를 전부 소각했다. 결국 오리온은 중국 시장에 맞게 포장 재질에 대한 연구개발R&D을 진행했고 기존 비닐 포장재질에서 내열성을 강화한 필름 타입으로 바꾸었다. 또한 수분이 조금만 늘어도 맛이 변하고 미생물에 의한 제품 변질이 일어날 수 있기 때문에 1년여 동안 최적의 수분 함량을 찾기 위한 연구개발 작업에 착수했다. 수술용 메스를 이용해 초코파이를 분해하는 등 섬세한 연구 끝에 최적 수분 함량 13%를 찾아냈고 그 결과 방부제나 알코올을 전혀 쓰지 않고도 영하 35도의 흑룡강 지역에서부터 영상 35도가 넘는 윈난성에 이르기까지 6개월 넘게 품질과 맛을 유지할 수 있게 된 것이다. 오리온의 중국 시장 진출 초기의 실패 사례는 향후 중국 시장에서 성공하는 데 밑거름이 되었다. 그 사건 이후 중국 현장 곳곳을 더욱 직접 발로 뛰었고 방대한 분량의 중국 지역 특성과 비즈니스에 관해 공부했다.

글로벌 비즈니스는 결국 문화적, 지역적 특성을 기반으로 감성 마케팅이 수반되어야 한다는 것을 잘 보여주는 의미 있는 사례라고 볼 수 있다. 포장지도 본래 파란색이었으나 중국 시장을 겨냥해 붉은색으로 바꾸었고 일본에서는 흰색과 노란색을 활용해 간결하고 부드러운 색상을 좋아하는 일본 소비자에게 어필하고 있다. 오리온은 초코파이 성공을 기반으로 스낵류 시장에서도 존재감을 나타내고 있다. 중국 각 지역시장에 맞게 재료와 맛에 차별화 전략을 가미했다. 감자를 좋아하는 중국 각 지역 현지인의 입맛에 맞춰 고래밥은 감자가루로 반죽했고 오감자와 예감은 스테이크맛, 마라룽샤맛, 치즈맛, 토마토맛 등 한국에는 없는 시즈닝을 입혀 현지화에 성공했다.

또한 중국을 상징하는 판다 이미지를 활용한 중국향 카스테라인

'판다 파이파이'를 출시하기도 했다. 단기 현지화 전략과 중장기 현지화 경영을 통해 오리온은 오랫동안 중국 시장에서 고객추천지수 C-NPS 파이 부문, 브랜드파워지수C-BPI, 종합브랜드 가지경영 대상, 고객만족지수 등 각종 브랜드 평가에서 1위를 차지하고 있다. 이처럼 오리온의 성공은 절대 하루아침에 이루어진 것이 아니다. 중국은 하나의 국가가 아니라 '중화 합중국United State Of China'의 마인드로 접근해야 한다.

3
지역의 방대함을 이해해야 한다

중국 지역마다 다른 음식 맛을 표현할 때 자주 쓰는 중국어 표현이 있다. 동산서랄 남첨북함東酸西辣 南甜北咸이다. 동쪽은 시고, 서쪽은 맵고, 남쪽은 달고, 북쪽은 짜다는 의미다. 맞는 말이다. 지역에 따라 음식 맛도 다를 뿐만 아니라 중국인의 체형과 성향도 완전히 다르다. 우리 기업이 실수하는 것 중 하나가 바로 "중국인 친구가 있다."라는 표현이다. 우선 이 표현부터 바꾸어야 한다. "중국 ○○ 지역 친구가 있다."라고 표현하는 게 더 정확하고 중국을 이해하는 데 도움이 된다.

필자가 가끔 듣는 질문이 있다. "중국에도 지역감정이 존재하나요?" 당연히 중국에도 지역감정이 존재한다. 그들이 드러내고 말을 하지 않을 뿐이지 분명히 중국 특정 지역과 사람에 대해 선입관을 가지고 있다. 우리나라도 지역감정이 있는데 우리보다 약 100배 큰 중국에서 지역감정이 존재하는 것은 어쩌면 당연하다. 그만

상하이인이 생각하는 중국지도(좌)와 광둥인이 생각하는 중국 지도(우)

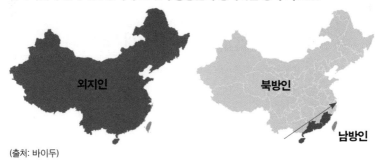

외지인

북방인

남방인

(출처: 바이두)

큰 중국 지역의 방대함과 다양성을 이해해야 중국 내부와 속내를 해부할 수 있다.

브랜드와 기술경쟁력이 있는 글로벌 기업을 제외하고 대부분 기업은 중국을 통으로 보지 말고 각 지역시장을 대상으로 사업을 하는 것이 매우 중요하다. 특히 중소기업의 중국 사업은 더욱 그렇다. 중국은 보이지 않는 비즈니스 규칙과 지역감정이 생각보다 심하게 존재한다. 따라서 중국 지역시장에 대한 철저한 조사와 연구가 필요하다. 무엇보다 해당 지역상인의 비즈니스 관행과 특성을 이해해야 한다.

간단한 예를 들어보자. 보편적으로 상하이 출신 상인은 상하이를 제외한 모든 지역의 중국인을 외지인外地人으로 취급하는 경향이 있다. 광둥지역 사람은 광둥, 푸젠 등 일부 남방지역을 제외한 나머지 지역 사람을 통틀어 북방인北方人으로 분류한다.

중국의 남방과 북방의 차이점을 좀 더 깊이 알아보자. 중국은 지역별로 민간예술인 희극의 특징이 다르다. 대표적인 것이 베이징을 중심으로 하는 경극京劇과 저장성과 상하이 지역을 중심으로 하

중국 경극의 남분여장(좌)과 월극의 여분남장(우)

(출처: 바이두)

는 월극越剧이다. 중국은 지방별로 약 360여 개의 희극이 존재한다. 그중에서 가장 유명한 것이 바로 북방지역의 경극과 남방지역의 월극이다. 경극은 약 200여 년 전 창장강 연안 지역에서 시작되어 베이징에서 완성되었고 월극은 100여 년 전 저장성 사오싱에서 탄생하여 장쑤성, 상하이, 장시성, 안후이성 등 남방지역 중심으로 발달된 지방 공연예술이다. 특이한 것은 경극은 일반적으로 '남성이 여성 분장男扮女裝'을 하고 주인공을 맡지만 월극은 '여성이 남성 분장女扮男裝'을 하여 주인공 역할을 하는 특징이 있다.

사실 과거 중국 봉건 사회에서는 여자가 무대 공연에 오를 수가 없었다. 그러다 보니 생김새가 여성스러운 남자가 여성 역할을 했다. 경극의 경우 여성 주인공을 '단旦'이라 부르는데 이 역할을 남자가 하는 것이다. 대표적으로 우리에게 잘 알려진 영화『패왕별희』에서 고인이 된 홍콩 영화배우 장국영이 맡은 역할이 바로 단이다. 한편 월극은 초창기에는 남자 배우가 주인공 역할을 하다가 1930년대 여성해방운동에 따라 여성도 지방 희극에서 공연을 할 수 있게 되면서 대부분 여성이 월극의 주인공을 맡고 있다.

재미있게도 이러한 중국 남방과 북방 희극의 특징이 현대 중국 사회에도 고스란히 반영되고 있다는 것이다.

남방은 북방보다 여성 파워가 세다

일반적으로 중국인은 남방지역의 여성 파워가 북방지역보다 훨씬 강하다는 얘기를 하곤 한다. 필자가 과거 중국 칭화대에서 강의할 때 얘기다. 수업 중 중국 대학원생들에게 "중국에서 결혼한 남성이 아내 허락을 받지 않고 스스로 살 수 있는 물건이 3개 밖에 없다고 하는데 그게 무엇일까요?"라고 물은 적이 있다. 많은 학생이 웃으면서 "술과 담배 그리고 내가 보고 싶은 책"이라고 답했다. 중국에서 여성의 구매력을 잘 보여주는 우스운 농담이지만 시사하는 바가 크다. 중국은 근대화 시기를 겪으며 남녀평등을 넘어 여성 상위 시대라고 볼 수 있다. 그만큼 여성의 파워와 지위가 높아진 것이다. 일반 가정은 대부분 경제력을 여성이 가지고 있다고 해도 과언이 아니다. 특히 상하이를 중심으로 하는 남방지역의 경우 그런 현상이 더욱 뚜렷하게 나타난다. 중국 마케팅에서 이른바 쉬코노미Sheconomy를 최대한 활용해야 한다는 것이다. 쉬코노미는 '여성she'과 '경제economy'의 합성어로 여성이 경제의 주체로서 자신을 위한 소비를 점점 늘리는 현상을 의미한다. 중국에서는 이를 타징지她经济라고 부른다. 고가 제품이나 부동산, 자동차, 가전제품 등 다양한 제품의 결정권을 남성이 아니라 여성이 가지고 있다는 것이다.

중국은 대표적인 여성 경제의 사회이자 문화를 가진 나라이기 때문에 타징지는 중국을 이해하는 중요한 팁이 될 수 있다. 세계 부호의 자산을 평가하는 『포브스』 자료에 의하면, 2021년 기준 세계 여성 억만장자(10억 달러, 1조 2,000억 원 이상 자산가)는 모두 328명이다. 그중 거의 60% 이상이 중국인이다. 실제 중국 내 기업 경영층의 여성 비율이 35%로 세계에서 가장 높은 수준이다. 중국 여성 사업가들은 다양한 경제 분야에서 활발한 활동을 벌이며 막대한 부를 축적하고 있다. 상황이 이렇다 보니 글로벌 럭셔리 명품 브랜드가 중국 시장을 집중적으로 공략할 수밖에 없다. 중국이 1인당 국내총생산GDP이 1만 달러밖에 안 된다고 생각하면 안 되는 이유다.

아직 전체적으로 보았을 때 개도국 수준인 중국이 향후 지속적으로 성장할 경우 이러한 신흥 여성 부호들은 점차 늘어날 것으로 전망된다. 한편 중국의 이러한 여성 부호의 한 축을 이루는 계층이 있다. 홍색귀족红色贵族이라고 불리는 여성들이다. 홍색귀족은 중국의 개혁개방과 함께 새로 탄생한 신흥귀족으로 공산당 고위층과 군 출신 원로의 자녀나 손녀 등으로 대를 이어 권력과 부를 누리는 계층을 의미한다. 지금은 중국 고위직 공산당 자녀를 일컫는 말로 통용되고 있다. 중국판 '정치 금수저'인 홍색귀족은 이러한 정치적 후광 속에 비슷한 부류와 같이 성장하면서 자신들만의 독특한 문화를 형성하고 있다.

중국 비즈니스 격언 중 "여성에서 시작해서 여성으로 끝난다."라는 말이 있다. 결국 우리 소비재 기업들의 경우 중국 타징지 비즈니스를 어떻게 최적화할 것인가가 매우 중요하다. 특히 중국 남방지역의 여성 소비를 선점하는 노력이 필요하다.

지역이 방대해 다양한 방언이 있다

중국은 지역이 방대해 매우 다양한 방언이 존재한다. 크게 북방방언과 남방방언으로 구분된다. 북방방언은 수도 베이징을 포함 헤이룽장성, 지린성, 랴오닝성의 동북3성 지역에서 주로 사용된다. 북방지역 한족의 60~70%가 사용했던 언어로 현재 중국 표준어의 근간이 되었다. 남방방언은 산악과 구릉지대 그리고 강이 많아서 교류가 불편한 자연적 원인으로 인해 다양한 지역 방언이 존재한다. 크게 오吳방언(상하이, 저장성), 상湘방언(후난성), 감贛방언(장시성 일부, 후베이성), 객가客家방언(장시성, 광둥성 일부 지역), 민閩방언(푸젠성), 월粤방언(광둥성, 홍콩) 등 6대 방언으로 요약된다. 따라서 중국 남방지역은 외부적으로는 표준어를 사용하지만 그들만의 지역 방언 커뮤니티를 통해 사업의 기회를 창출하고 공유한다.

특히 월방언인 광둥어의 경우는 비즈니스 사용 범위가 방대해 활용도가 높다. 홍콩을 포함 동남아 화교권에서 광둥어를 사용하는 경우가 적지 않기 때문이다. 광둥어는 과거 춘추전국시대 패망한 월나라 사람들이 남쪽으로 이주해 오면서 지금까지 사용되고 있는 언어로 중국 본토 사업을 위해 홍콩을 활용할 경우 광둥어를 할 줄 아는 것은 비즈니스의 윤활제가 될 수 있다. 홍콩인은 표준어보다 '캔토니스cantonese'라고 불리는 광둥어 커뮤니티를 매우 중요시하는 경향이 있다. 광둥어를 할 수 있다면 사업에 도움이 된다. 따라서 중국 남방 비즈니스를 하는 기업이라면 해당 지역 방언에 대해 이해하고 접근하는 노력이 필요하다. 여기서 지역 방언을 할 줄 안다는 개념은 유창하게 한다는 것을 의미하지 않는다. 단지 식사 자리에서 분위기를 띄울 수 있을 정도의 멘트만 할 수 있어도 상대방에게 신뢰감을 줄 수 있다는 것이다. 필자의 경우 중국 사업 업무 미팅 시 사전에 미팅 상대의 출신 지역을 체크하고 그 지역 방언을 몇 마디 습득하고 만나는 것을 원칙으로 한다.

4
북방은 권력을 잡고 남방은 부를 잡았다

중국무술도 남방과 북방이 서로 다르다

우슈武術 혹은 쿵푸功夫라고 불리는 중국무술도 남방과 북방에 따라 다르게 형성 발전되어 왔다. 역사적으로 장창강 이남 지역은 남방무술, 이북 지역은 북방무술로 구분된다. 중국무술이라 하면 일반적으로 한족이 주로 거주했던 중원지역, 즉 북방무술을 의미한다. 중국무술의 역사와 특징을 잘 살펴보면 남방무술은 주로 주먹을 쓰는 동작이 많고 북방무술은 반대로 발과 다리를 쓰는 동작이 많음을 알 수 있다. 그 이유는 신체조건이 다르기 때문이다.

북방민족은 체격이 장대하여 손과 발이 길고 말을 타고 다니는 기마문화의 특징을 가지고 있다. 남방민족은 체격이 왜소하여 발보다는 빠른 손동작을 통한 권법을 연마하게 되었던 것이다. 중국 본토와 홍콩에서 '남방은 주먹, 북방은 다리'라는 뜻의 '남권북퇴南拳北腿'라는 제목으로 무술액션 영화와 TV 드라마가 여러 차례 제

남권북퇴 제목의 영화와 TV드라마 포스터

(출처: 바이두)

작된 바 있다.

만약 주먹과 다리가 싸우면 어느 것이 이길 확률이 높을까? 당연히 파워가 있는 긴 다리가 이길 확률이 높다. 역사적으로 거슬러 올라가면 중국 중원을 장악한 북방민족이 지배계층으로 대부분의 권력을 잡았던 이유다. 힘의 권력이 대부분 북방에 집중되었다는 것을 의미한다. 따라서 생존을 위해 남방민족이 할 수 있었던 것은 바로 '장사'를 통해 부를 축적하는 것이었다. 돈을 벌어 관직을 사고 권력을 옆에 두는 것이다. 중국에서 유명한 지역상인이 대부분 남방지역에 분포되어 있음을 봐도 알 수 있다.

중국 10대 상방 분포도

산시(山西)상방
산시(陝西)상방
산둥 상방
동팅 상방
후이저우 상방
닝보 상방
장유 상방
롱유 상방
광둥 상방
푸젠 상방

(출처: 바이두)

중국 경제에 영향을 미친 10대 상인이 있다

남방의 지역상인은 그들만의 커뮤니티를 형성하여 정보와 사업 기회를 공유하고 상호협업을 통해 사업 규모를 넓혀왔다. 그렇다면 중국의 지역상인은 어떻게 성장하고 발전하였을까? 역사적으로 중국 상인은 지역 특성에 따라 다양한 상방商帮이 생겨났고 그 규모와 세력에 따라 흥망성쇠가 반복되었다. 상방이라고 함은 해당 지역을 기반으로 성장한 중국의 상인 집단을 말한다. 거대한 비즈니스 세력을 형성하고 중국 경제에 엄청난 영향을 미치며 점차적으로 세력을 키워 나간 지역상인들을 일컫는 말이다.

중국에서 상방이 생기기 시작한 것은 약 530년 전인 명나라 16세기부터라고 볼 수 있다. 15~16세기 명나라 때 시작된 상방문화는 북방의 진상晉商과 남방의 후이상徽商을 중심으로 전국적으로 확대되며 이른바 '10대 상방'이 형성되기 시작했다.

전통적인 중국 10대 상방을 남방과 북방으로 나누어 살펴보면 3대 북방상방과 7대 남방상방으로 나눌 수 있다. 북방상방으로는 크게 진상晉商으로 불렸던 산시山西상방, 산상陝商인 산시陝西상방, 노상魯商으로 불렸던 산둥山東상방의 3대 상방이 있었다.

남방상방으로는 첫째, 창장강 일대의 상권을 장악했던 안후이성 남부 후이저우시를 중심으로 성장한 후이저우徽州상방이다. 후이저우상방은 중국 역대 상방 중 가장 강력한 네트워크와 영향력을 가지고 성장한 상인들이다.

둘째, 둥팅洞庭상방으로 장쑤성 쑤저우 타이후 둥팅의 동산과 서산 일대를 근거로 형성된 상인 집단이다. 둥팅상방은 비옥한 토지를 기반으로 면화, 연초, 차 등 물품을 수로를 통해 전국으로 운송하며 장사를 해 돈을 번 상인들이다.

셋째, 저장성 닝보를 중심으로 형성된 닝보寧波상방으로 항저우, 광저우와 함께 해상무역이 발달하면서 급격히 그 세력을 키워나간 지역상인이다. 닝보시를 관통하는 용강甬江을 기반으로 성장했기 때문에 용상甬商이라고 불렸다. 우리에게 잘 알려진 중국의 대표적 약국 브랜드인 베이징 동인당同仁堂도 닝보상방이 만들었다.

넷째, 저장성 취저우衢州 일대 상인 집단으로 형성된 룽유龍游 상방이다. 룽유 명칭은 취저우 산하 시안西安, 창산常山, 카이화开化, 장산江山, 룽유 등 5개 현이 있었는데 룽유지역 상인의 규모가 크고 유명했기 때문에 룽유 상방으로 통칭되었다.

다섯째, 장시江西성 일대의 상인 집단으로 지역 약칭을 따서 간상贛商이라고 불리기도 했지만, 명청시대부터 습관적으로 장유江右 상방으로 불렸다.

여섯째, 푸젠성 일대를 중심으로 성장한 푸젠상방이다. 민상閩商으로 불렸던 그들은 바다를 끼고 있는 해안의 특성을 살려 해상무역으로 명청시대 전성기를 누린 대표적인 남방 상인이다.

마지막 일곱째, 웨상粵商으로 불리는 광둥상방이다. 광둥상방은 명나라 가정제(1122~1566) 중엽 이후 형성된 상방으로 지금까지도 중국의 대표적 상인 집단으로 알려져 있다. 광둥상방은 외국과의 해상무역을 기반으로 하는 해상海商과 국내 도매사업을 하는 아상牙商으로 분리되어 성장하며 그 사업 범위와 인적 자원과 자본 규모가 확대되었다. 광둥상방에서도 지역 특성에 따라 광저우와 그 주변 지역을 기반으로 성장한 광저우廣州상방과 차오저우와 그 주변 지역을 기반으로 성장한 차오저우潮州상방으로 나눌 수 있다.

이러한 지역상방은 중국의 파란만장한 역사적 변곡점을 거치는 동안 각자도생하며 쇠퇴와 몰락과 부활을 꿈꾸게 되었다. 신중국이 설립되고 덩샤오핑의 개혁개방과 급격한 경제성장과 함께 과거의 상방정신을 기반으로 새로운 지역상방들이 생겨나기 시작했다. 바로 신진상新晉商, 신저상新浙商, 신후이상新徽商, 신루상新魯商 등 이른바 신상방들이 지금의 중국 산업계를 주도하고 있다. 매년 전 세계에 흩어진 동향 상인들을 불러 모아 비즈니스 네트워크를 구축한다. 세계저장상인浙商대회, 국제후이저우상인徽商대회 등이 가장 대표적이다. 매년 개최되는 동향 기업인들의 네트워킹 모임을 통해 비즈니스 정보를 공유하고 새로운 사업 방향에 대해 논의하고 소통하는 행사다.

세계저장상인대회(위)와 국제후이저우상인대회(아래)

(출처: 바이두)

그중에서 중국에서 가장 유명한 저장상인들의 네트워킹 모임인 세계저장상인대회는 2015년부터 매년 진행되며 행사 규모가 더욱 확대되는 추세다. 신저장상방은 1980~1990년대 무역, 부동산, 건설 영역을 넘어 현재 인터넷, 자동차, 금융 등 다양한 영역으로 확장되고 있다. 대표적인 기업으로는 마윈馬云의 알리바바, 리수푸李書福의 지리자동차, 딩레이丁磊의 왕이닷컴, 금융권으로는 저장은행, 저장증권 등 매우 다양하다. 흥미로운 것은 매년 중국 전역에 흩어져 있는 저장상인이 세운 기업 대상 매출액 기준 '중국 저장상인 500대 기업'을 선정 발표하고 있다. 2020년 기준 순위를 보면

1위 알리바바, 2위 물산중대그룹, 3위 지리자동차가 차지하고 있다. 2020년 절강상인 500대 기업의 영업이익 총액이 8조 8,000억 위안(약 1,601조 원)으로 만약 이 수치를 하나의 지역으로 가정할 경우 중국 성별 국내총생산 순위에서 광둥성, 장쑤성 다음 3위에 해당한다. 세계 각국 국내총생산 순위에서 세계 14위 수준에 이를 정도로 어마어마한 규모와 경쟁력을 가지고 있다.

중국과 동남아의 커넥터 3대 상방을 잡아라

과거 역사 속의 중국 10대 상방은 많은 정치 경제적 변화를 겪으며 저상(浙商, 저장성 일대 상인), 웨상(粤商, 광둥성 일대 상인), 후이상(徽商, 안후이 일대 상인), 진상(晉商, 산시성 일대 상인) 등 4대 상방 중심으로 재편되었다. 4대 상방은 현대 사회에 접어들면서 인터넷과 부동산 산업의 폭발적 성장과 함께 다시 월상의 대표 격인 차오상潮商, 저상浙商, 민상閩商의 3대 상방 중심으로 세력을 확대해갔다. 이 3대 상방을 좀 더 살펴보자.

첫째, 차오상은 광둥성 차오저우, 지에양, 산터우, 산웨이 지역 상인으로 차오산潮汕 상방 혹은 동방의 유태인으로 불린다. 대표적인 차오산상방으로 텐센트의 CEO 마화텅马化腾, 홍콩 제일 갑부인 리자청李嘉诚 등을 꼽을 수 있다. 또한 태국 제일 갑부를 포함한 태국 경제의 절반 이상을 차지하는 기업인 모두 차오산상방이 독점적 지위를 차지하고 있다. 차오산상방이 사업에 뛰어난 이유는 광둥성 차오저우와 산터우 등 특수한 지리적 특성 때문이다. 이 지역

광둥성 상방 분류

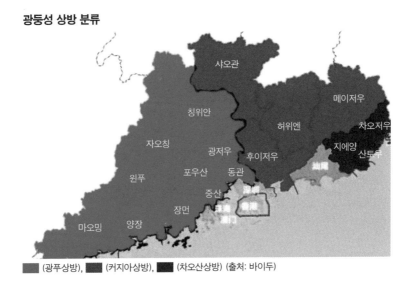

샤오관

메이저우

칭위안

허위엔

차오저우

자오칭

광저우

후이저우

지에양

산토우

윈푸

포우산

동관

중산

장먼

마오밍

양장

■ (광푸상방), ■ (커지아상방), ■ (차오산상방) (출처: 바이두)

은 삼면이 산으로 둘러싸여 있고 한 면은 바다를 향하고 있어 농사를 지을 토지가 많지 않았다. 산림이 아니면 바다인 지형적 특징으로 대부분의 차오산 사람들은 외지로 나가 장사를 통해 가족을 먹여 살렸다. 따라서 지역적으로 가까운 동남아 지역을 기반으로 전 세계적으로 차오산상방이 비즈니스를 하는 이유이기도 하다. 차오산상인은 용감하고 모험정신이 뛰어난 것으로 알려져 있다. 이 지역 사람들은 어릴 때부터 부모로부터 "능력 있는 남자는 집에 머물면 안 된다." "바닥에서 잠을 잘지언정 반드시 사장이 되어야 한다." 라는 말을 듣고 자란다.

광둥지역은 차오산상방을 선두로 지역에 따라 광푸广府상방, 커지아客家상방, 레이저우雷州상방 등 4대 광둥지역 상방을 형성하고 있다. 자료에 의하면 광둥시장 내 사업 주체가 대략 1,300만 개가 있으며 인구 만 명당 약 1,300명이 사장이다. 2019년 기준 웨상의 상장기업 수가 618개이다. 또한 중국 500대 민영기업 중 58개사와 중국 500대 기업 중 59개사가 모두 웨상이 운영하는 기업들이다.

둘째, 저상은 중국에서 '제일 상방'으로 불리는 지역상인으로 저장성의 연해지역을 배경으로 성장한 상방이다. 저상의 특징은 저장성 내 지역별로 닝보宁波상방, 원저우温州상방, 샤오싱绍兴상방, 이우义乌상방 등 세부적으로 나뉜다. 대표적인 저상으로 완샹그룹万向集团의 루관치우鲁冠球 회장, 알리바바 마윈 회장, 와하하 CEO 종칭허우宗庆后, 중국 선박왕으로 불렸던 바오위강包玉刚 회장 등 전설적인 많은 사업가를 배출했다. 2019년 기준 저상 기업 중 468개사가 증시에 상장되어 있다. 또한 500대 민영기업 중 96개사, 중국 500대 기업 중 43개사가 저상 기업들이다. 저상의 큰 특징은 현금보유 능력이 기타 상방보다 훨씬 뛰어난 것으로 알려져 있다. 그로 인해 현대 중국 산업계에서 저상의 영향력이 가장 크다고 볼 수 있다.

셋째, 푸젠성 지역을 기반으로 성장한 민상은 3대 상방 중 가장 겸손한 상방으로 해상 실크로드를 통해 세력을 확장해온 지역상인들이다. 민상은 과거 진상과 후이상의 위치를 대체하며 세력을 키워온 상방으로 현재 동남아 지역 기업 중 민상이 차지하는 비중이 높다. 웨상과 저상에 비해 기업 규모와 영향력은 떨어지나 현재 동남아 국가들과 사업 연관성이 꽤 깊다고 볼 수 있다. 동남아를 중심으로 170여 국가와 지역에 천만 명에 가까운 민상이 활동하고 있다. 특히 중국 내 홍목红木과 민영병원 등 산업 생태계에서 80% 이상을 민상이 독점할 정도로 특정한 산업 영역에서 그들만의 커뮤니티를 형성해 규모를 확장하고 있어 결코 가볍게 볼 수 없는 상방이다. 차오산상인과 마찬가지로 민상도 사업의 당위성을 어릴 때부터 교육하기로 유명하다. 그러다 보니 일반적인 중국인의 민상에 대한 평가는 긍정과 부정의 상반된 의견으로 나뉜다. 민상은 기타 상방 대비 지명도는 떨어지나 응집력은 가장 강한 것으로 알려져 있다. 만약 한 사람이 사업 기회를 포착하면 함께 비즈니스를 키워나가는, 이른바 '바오퇀 경영抱团经营' 모델로 유명하다. 혼자보다 함께 해야 사업규모도 커지고 수익도 커진다고 그들은 굳게 믿고 있다.

말레이시아 화교로 샹그릴라 호텔 등 여러 호텔 체인을 운영 중인 곽씨그룹郭氏集團로버트 곽郭鶴年 회장, 중국 자동차 유리 대왕으로 알려진 유리공업그룹 차오더왕曹德旺 회장, 필리핀의 대형 쇼핑몰 SM 창업주인 SM프라임 헨리 시施至成 회장, 중화전국공상업연합회 부회장이자 부동산 기업 스마오世茂그룹 쉬룽마오许荣茂 회장 등이 대표적인 민상으로 꼽힌다.

중국의 지역상방을 이해하는 것은 단순히 중국 시장을 넘어 동남아 시장 진출의 교두보가 될 수도 있다. 동남아 화교 대부분은 본토 지역상방 커뮤니티를 통해 새로운 사업과 파트너를 물색한다. 그것을 기반으로 동남아 시장의 내재화를 통해 지속적인 부를 축적해가고 있다. 이처럼 중국 지역상방은 각 지역적 특성을 가지고 그들만의 커뮤니티를 형성하며 성장하고 있다. 지역상방의 위챗 단체방, 지역상방 잡지, 지역상방 금융권(예를 들어 저상은행, 웨상투자운용사) 등 다양한 형태의 커뮤니티를 통해 그들의 정보와 사업모델을 공유한다. 따라서 지금 우리가 만나는 중국 사업 파트너는 어떤 지역상방의 배경을 가지고 있는지 한번 살펴봐야 한다. 14억 중국 시장의 파트너가 아니라 좀 더 세밀히 공략한 중국 지역시장 파트너로서 다가가야 한다. 그리고 중국과의 동남아 사업에서 주인공이 아니라 전략적 파트너로서 우리 기업의 장점과 역할을 부각해야 한다. 중국 지역상방과의 연결고리를 찾고 거기서 우리 기업 스스로 존재감을 알릴 수 있도록 노력해야 한다. 중국 지역상방을 이해하는 것은 중국을 넘어 동남아 시장을 연결하는 커넥터가 될 수 있다. 무엇보다 남방상방의 커넥터를 잘 활용해야 한다.

상하이상인, 저장상인, 광둥상인 등과 같은 남방상인은 그 영향력과 응집력과 규모 면에서 일반적으로 북방상인보다 높게 평가받고 있다. 돈 버는 장사 수단도 남방사람이 북방사람보다 훨씬 뛰어나다고 평가된다. 예를 들어 저장성 원저우상인의 경우 중국뿐만 아니라 미국, 프랑스, 일본 등 세계적으로도 매우 유명하다. 중국의 유대인으로 불리며 시장이 있는 곳이면 어디든 원저우 상인이 있다는 말이 있을 정도다. 900만 명이 넘는 원저우 사람 중 약 300만 명이 자기 사업을 하고 해외 비즈니스를 하고 있다. 우스운 얘기로 원저우 중심가에서 '왕 사장님'이라고 크게 부르면 지나가는 왕 씨 사람의 3분의 2가 자기를 부르는 줄 알고 뒤돌아 쳐다본다고 한다. 규모가 크고 작을 뿐이지 모두 자기 사업을 하는 사장들이다. 중국 서점에 가보면 원저우 상인의 성공 철학을 다룬 경영인문 도서들이 한 칸을 채울 정도다. 책 제목을 보면 『원저우 상인들은 왜 돈을 버는가?』 『원저우인들이 생각하는 것은 당신과 다르다』 『원저우 상인 따라 하기』 등 매우 다양하다. 이러한 원저우 상인의 사업 성공과 창업과 경영 철학을 소재로 다룬 TV 드라마도 여러 편 제작되어 방송된 바 있다.

중국은 지역적 방대함으로 인해 각기 다른 지역적 비즈니스 성향과 특징을 가지고 있고, 56개의 다양한 민족이 어우러진 다민족 국가임을 반드시 숙지해야 한다. 당연히 중국에도 지역감정이 있을 수밖에 없다. 단지 표현하지 않을 뿐이다. 중국 사회를 촘촘히 들여다보면 각 지역에 대한 편견과 선입관이 강하게 자리 잡고 있다. '어느 지역 사람들은 어떤 특징과 성향을 가지고 있다.'라는 식의 지역상인에 대한 선명한 이미지를 가지고 있다. 중국을 이해하는 측면에서 기술적인 접근법보다 중국의 지역적 특징과 상이한 사고방식을 제대로 이해하는 게 더 중요할 수 있다. 따라서 이제 얘기하는 방식도 바꿔야 한다. "중국 친구가 있다"가 아니라 "상하이 친구가 있다." 혹은 "산둥 칭다오 친구가 있다."라는 식의 구체적인 표현이 향후 중국과 중국인을 이해하는 데 더 도움이 될 것이다.

5
중국은 단일이 아니라 분리독립 시장이다

중국인도 중국을 모른다

"교수님, 저희 회사가 중국 지방정부 환경설비 조달 입찰에 응찰하려고 하는데요. 제도나 규정이 다른 도시와 전혀 다릅니다. 14억 단일시장이 아니라 분리 독립된 시장인 것 같습니다."

미세먼지 저감 환경설비 관련 중국 지방정부 조달 입찰을 준비 중인 국내 중견 환경기술 기업이 필자한테 하소연하며 한 말이다. 우리는 너무 쉽게 중국을 '14억 내수시장'이라고 얘기하고 있다. 우리 기업은 지금까지 중국이라는 큰 거대담론의 프레임에 빠져 안간힘을 쓰며 중국 시장에서 성공하기 위해 여러 노력을 해왔다. 그러나 중국 시장에서 들려오는 얘기는 대부분 실패 사례로 점철되어 있다. 중국을 보는 안목과 관점을 다시 설정해야 한다.

그만큼 중국은 지역별로 조금씩 다른 제도와 정책, 시장 특징과 소비 성향, 사회문화적 이질감 등 각기 다른 비즈니스 관행을 가지고 있다. 중국인도 중국을 모르는데 어떻게 외국인인 우리가 중국을 안다고 얘기할 수 있을까? 중국의 지방에서 태어나서 평생 베이징이나 상하이를 못 가보고 죽는 사람이 3억 명이 넘는다는 통계가 있다. 그 정도로 중국은 절대 하나의 단일 목표시장이 될 수 없다. 필자는 1992년 한중 수교 이후 지난 30여 년간 중국 곳곳을 돌아다녔지만 아직도 중국을 배우고 공부하고 정리하고 있다. 우리나라보다 92배나 큰 중국 면적과 14억 인구의 다양성이 존재하는 중국을 어떻게 몇 마디로 정의 내릴 수 있겠는가? 절대 쉽지 않은 일이다. 따라서 방대한 중국 시장을 좀 더 세분화하고 맞춤형 시장 진출을 위한 시장 구분법과 접근 전략을 얘기해보고자 한다.

지역마다 맞춤형 포장으로 승부하라

국내 대표적인 스낵이라고 할 수 있는 크라운제과(현 크라운해태)의 죠리퐁의 중국 진출 사례를 통해 지역시장의 다양성과 특수성을 이해할 수 있다.

(사례 20 죠리퐁의 포장 패키지 성공 사례)

크라운제과는 2002년 초부터 중국 시장에 대한 본격적인 진출 계획을 세웠다. 그해 10월 상하이에 현지 판매법인 설립했고 2005년 상하이에 최초 해외 현지 공장을 설립했다. 다양한 제품생산이 아니라 단일 품목 생산라인으로 선택과 집중 전략으로 접근했다. 전 세계 스낵 기업들이 모두 진출해 있는 상하이 소비시장에서 생

크라운제과의 죠리퐁의 중국 내 포장 패키지

(출처: 메타브랜딩차이나, 중국경영연구소)

존하기 위해서는 확실한 셀링포인트selling point가 필요했던 것이다. 다양한 품목을 판매할 때보다 단일 품목의 경우 중국 내수시장에 더욱 집중할 수 있기 때문이다. 중국 로컬 스낵보다 소비자 가격이 비싼 죠리퐁의 경우 구매력이 뛰어난 상하이를 중심으로 장쑤성, 광둥성 등 남부 연해지역 시장 확대를 위한 마케팅에 집중했다. 날씨가 매우 습하고 더운 상하이 이남지역의 기후, 물류, 유통 등 지역 특수성을 고려해 기존 포장 패키지로는 시장접근이 제한적일 수밖에 없었다.

죠리퐁의 맛은 바삭바삭한 식감에서 출발한다. 그런데 긴 유통 기간과 기후 특성으로 인해 죠리퐁의 맛이 눅눅해질 수 있기 때문이다. 그래서 생각해낸 것이 지역 특성과 기후를 고려해 포장 패키지를 2겹으로 하고 휴대하기 편하게 소포장 처리해 판매하기 시작했다. 이러한 마케팅 전략은 적중했고, 2004년에는 상하이시 식품 협회가 선정하는 중국 인기 스낵 10대 신상품에 최초로 선정되기도 했다. 까르푸, 월마트, 연화마트 등 중국 내 주요 유통매장에서 단일 품목 판매량 1위를 기록하는 등 짧은 시간에 중국 소비시장에서 빠르게 성공할 수 있었던 결정적 계기가 되었다. 그 이후 크라운제과는 중국 내 죠리퐁 유사 제품 출시로 인한 경쟁력 약화, 인건비 상승, 중장기 성장전략 부재 등으로 인해 2012년 중국 현지 공장을 매각한 뒤 해외 공장을 운영하지 않고 있지만, 수출 중심으로 중국 사업은 지속적으로 운영되고 있다.

이처럼 중국은 똑같은 제품을 다른 포장 패키지로 팔아야 성공할 수 있는 시장이다. 중간재든 산업재든 소비재든 관계없이 '중국 시장을 가위질하라'는 중국 사업에서 가장 기본 원칙에 해당된다. 중국 진출 기업에 가장 최적화된 목표시장만 남겨두고 다른 중국 지역시장은 과감히 가위질해서 버리라는 것이다. 대부분 우리 기업은 회사에 중국 지도를 붙여놓고 중국 시장에서의 엄청난 성공을 꿈꾼다. 중국 시장은 방대한 만큼 지역시장마다 다른 특징과 유통 관행을 가지고 있다. 우리가 모르고 있을 뿐 국내 대기업도 많은 시행착오를 겪었다. 중소기업은 그러한 실패의 수렁에 빠지기 더욱 쉽다.

그렇기에 중국 지역을 하나로 보지 말고 좀 더 세분화해서 이해해야 한다. 우선 목표시장에 대한 정확한 선정과 접근 전략이 필요하다. 일반적으로 중국 목표시장을 선정할 때 많이 쓰는 표현이 바로 중국 1·2·3·4선 도시 개념이다. 34개 성급도시, 333개의 지급도시, 2,962개의 현급도시를 경제적 규모(국내총생산), 인구, 시장 수요 등을 기준으로 나눈 것이다. 국내에서는 흔히 베이징, 상하이, 광저우, 선전 등 4개 도시를 1선 도시라고 부른다. 기본적으로 인구 천만 이상이고 1인당 국내총생산 규모가 2만 달러가 넘는 도시를 근거로 한 것이다. 중국 경제의 성장과 변화에 따라 실제 중국의 1선 도시 개념도 변화되고 있다. 중국 통계국 자료에 의하면, 2021년 기준 인구 1,000만이 넘는 도시는 총 18개 도시[11]이고 1인당 국내총생산이 2만 달러가 넘는 도시 또한 31개[12]다. 여기서 주의할 점은 단순히 인구 천만 이상과 1인당 국내총생산을 기준으로 소비재 목표시장으로서 1선 도시를 선정해서는 절대 안 된다는 것이다.

5개 지역별 기후 유형을 파악해야 한다

국내 G홈쇼핑 회사가 중국 내륙 충칭시장에 진출한 사례로 중국의 지역 특성과 어떻게 시장을 재구성해야 하는지를 잘 설명하고 있다.

(사례 21 G홈쇼핑의 실패 사례)

G홈쇼핑은 중국 진출 초기 상하이나 베이징에 진출하길 원했다. 하지만 이미 상하이에는 다른 국내 유명 홈쇼핑 회사가 진출해 있었고 베이징은 방송 채널을 잡을 수가 없었다. 고민 끝에 단일시장으로서는 가장 인구(약 3,200만 명)가 많은 충칭시장을 선택하고 현지법인을 설립했다. 순조롭게 법인설립을 마무리하고 첫 번째 방송 아이템으로 화장품을 선정했다. 피부를 촉촉하게 만들어주는 기능성 화장품으로 나름 국내 홈쇼핑 시장에서는 대박이 난 검증된 제품이었고 급성장하고 있는 중국 화장품 시장에 가장 적합한 제품이라고 믿었다. 30일 가량 홈쇼핑 방송을 했지만 결과는 완전

중국 지역별 기후 유형에 따른 스킨케어 선호도 조사

지역	기후 유형	기후 특징	피부 타입	선호 제품류
화북지역	온대 대륙성 온대 계절풍	건조, 미세먼지와 황사 많음	극건성, 유수분 밸런스 불균형	수분 보충, 딥클렌징 등
동북지역	온대 계절풍	일조시간 짧고 춥고 바람 많음	민감성, 홍조, 칙칙함, 극한 온도로 인한 피부 손상 등	수분 보충, 민감케어 등
동남·화중·화남지역 북부·서남지역 동부	아열대	습하고, 일부 미세먼지 심함	혼합성, 유수분 밸런스 불균형, 여드름, 민감성	여드름 케어, 딥클렌징, 유수분 밸런스 제품 등
화남지역 남부	열대 계절풍	열대 계절풍	혼합성, 피부 손상, 유수분 밸런스 불균형, 일조로 인한 건조 등	유수분 밸런스 제품, 화이트닝, 선케어, 보습 등

(출처: 중국경영연구소)

한 참패였다.

이 기능성 화장품은 왜 충칭시장에서 실패했을까? 그 이유는 '피부를 촉촉하게 만들어준다.'라는 광고 문구와 제품 특성에 있었다. 충칭은 1년 365일 중 3분의 1 이상이 비가 오거나 흐린 날씨다. 중국에서 대표적인 습한 지역 중 한 곳이다. 예를 들어 베이징에서 빨래를 널면 2시간이면 마른다. 그만큼 날씨가 건조하다는 얘기다. 그러나 충칭의 경우 빨래가 이틀이 걸려도 마를까 말까 한다. 그만큼 날씨가 습하다는 것이다. 가습기의 경우 베이징처럼 건조한 지역에서는 잘 팔리겠지만 충칭 같은 덥고 습한 지역에서는 별 필요성을 못 느낀다. 충칭 사람들이 싫어하는 표현 중 하나가 축축하다, 눅눅하다 등과 같은 형용사다. 충칭지역은 역사적으로 미인의 고향이다. 이런 습한 기후로 인해 피부미인이 많기로 유명했고 과거 궁녀를 가장 많이 배출한 지역이다.

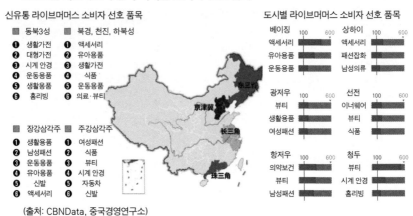

2020년 타오바오의 중국 지역별 소비자 선호 품목

신유통 라이브머머스 소비자 선호 품목

■ 동북3성
❶ 생활가전
❷ 대형가전
❸ 시계 안경
❹ 운동용품
❺ 생활용품
❻ 홈리빙

■ 북경, 천진, 하북성
❶ 액세서리
❷ 유아용품
❸ 생활가전
❹ 식품
❺ 운동용품
❻ 의료·뷰티

■ 장강삼각주
❶ 생활용품
❷ 남성패션
❸ 운동용품
❹ 유아용품
❺ 신발
❻ 액세서리

■ 주강삼각주
❶ 여성패션
❷ 식품
❸ 뷰티
❹ 시계 안경
❺ 자동차
❻ 신발

도시별 라이브머머스 소비자 선호 품목

베이징 — 액세서리 / 유아용품 / 운동용품
상하이 — 액세서리 / 패션잡화 / 남성의류
광저우 — 뷰티 / 생활용품 / 여성패션
선전 — 이너웨어 / 뷰티 / 식품
항저우 — 의약보건 / 뷰티 / 남성패션
청두 — 뷰티 / 시계 안경 / 홈리빙

(출처: CBNData, 중국경영연구소)

만약 중국 시장에 진출하고자 한다면 지역의 성향과 기후 특성 등을 명확히 이해하고 진출해야 한다. 중국 여성의 화장품 선호도도 당연히 기후 특성에 따라 달라질 수밖에 없다. 중국은 크게 5개 지역별 기후 유형으로 나뉘며 그에 따라 선호하는 스킨케어 제품도 차이가 난다고 볼 수 있다.

일반적으로 북쪽은 춥고 건조하며, 남쪽으로 갈수록 덥고 습기가 많으며, 서쪽은 해발이 높고 자외선이 강하며, 동쪽으로 갈수록 해발이 낮아져 자외선이 약해지는 특징이 있다. 충칭지역의 사례에서 보았듯이 중국의 서남지역은 아열대계절풍으로 습도가 높아 일반적으로 수분 케어 제품보다는 유수분 밸런스 제품이 더 많이 판매되는 이유다. 또한 중국 지역별로 선호하는 제품 유형도 확연히 다른 경향을 보이고 있다. 2020년 알리바바의 타오바오 라이브커머스 기준, 지역별로 선호하는 제품군이 동북3성 지역은 가전 제품, 베이징과 상하이 등 부유한 지역은 보석류와 액세서리 등

복과 고귀함을 주는 소비 제품이 많이 판매되는 경향을 보이다. 상하이, 장쑤성, 저장성 등 창장강삼각주 지역은 오프라인 소비패턴으로 생활용품, 남성복, 야외활동 관련 제품이 제일 많이 판매되는 것으로 나타났다. 광둥성을 중심으로 하는 주강삼각주 지역은 여성패션, 식품, 뷰티 등 여성 카테고리 소비가 다른 지역 대비 매우 많은 것으로 조사되었다. 화장품 등 뷰티 제품의 경우는 쓰촨성 지역 수요가 기타 다른 지역 대비 매우 높게 나타나는 경향을 보이고 있다.

따라서 가격대, 연령대, 제품 특성에 맞는 지역을 타깃팅해서 접근하는 전략이 매우 중요하다고 볼 수 있다.

신유통 라이브커머스 소비자 선호 품목
 동북3성 생활가전 대형가전 시계·안경 운동용품 생활용품
 홈리빙
 베이징·톈진·하북성 액세서리, 유아용품 생활가전 식품 운
 동용품 의료·뷰티
 창장강삼각주 생활용품 남성패션 운동용품 유아용품 신발
 액세서리
 주강삼각주 여성패션 식품 뷰티 시계·안경 자동차 신발

도시별 라이브커머스 소비자 선호 품목
 베이징 액세서리 유아용품 운동용품
 상하이 액세서리 패션잡화 남성의류

광저우 뷰티 생활용품 여성패션
선전 이너웨어 뷰티 식품
항저우 의약·보건 뷰티 남성패션
청두 뷰티 시계·안경 홈리빙

6
중국 내수 시장은 어떻게 구분할 것인가

기업 역량에 맞는 지역시장을 공략하라

소비재B2C 품목의 경우, 1선 도시를 목표시장으로 선정하기 위해서는 도심인구, 1인당 국내총생산, 소비 수준, 도시화율 등 네 가지 요소를 종합적으로 고려해야 한다. 이러한 기본적인 자료를 바탕으로 1인당 국내총생산 2만 달러 이상인 31개[13]의 새로운 소비재 목표시장이 생겨난다. 중간재와 산업재B2B 품목의 경우는 다른 시장 구분법과 접근 전략이 필요하다. 산업 클러스터 현황과 밸류체인 생태계 등과 같은 제품 특성에 맞는 지역 선정과 함께 제품경쟁력, 기술 특징, 중국 시장 전담 인력 여부 등 기업역량에 맞는 최적화된 중국 지역시장을 먼저 공략해야 한다. 반드시 1선 도시만을 고집할 필요가 없다는 얘기다.

그럼 거대한 중국 내수시장을 어떻게 가위질할 것인가? 이에 대한 방법론을 소개한다. 중국 시장을 구분하는 방법 중 가장 기본은

중국 지역시장 3분법

동부	베이징, 톈진, 허베이성, 랴오닝성, 상하이, 장쑤성, 저장성, 푸젠성, 산둥성, 광둥성, 하이난성
중부	산시(山西)성, 지린성, 헤이룽장성, 안후이성, 장시성, 허난성, 후베이성, 후난성
서부	네이멍구자치구, 광시좡족자치구, 쓰촨성, 충칭, 구이저우성, 윈난성, 산시(陝西)성, 간쑤성, 칭하이성, 닝샤후이족자치구, 신장웨이우얼자치구, 티베트자치구

크게 동부와 서부지역으로 나누는 2분법, 동부와 중부와 서부지역으로 나누는 3분법, 그리고 동북, 동부, 중부, 서부지역으로 나누는 4분법이 있다.

2분법, 3분법, 4분법은 중국의 지형학적 관점에서 쉽게 구분한 방법이다. 실제 중국을 이해하는 데는 별로 도움이 되지 못한다. 따라서 중국 지역시장 특징에 따라 좀 더 세분화하고 구체화할 필요성이 있다. 이러한 지역시장의 특징을 이해하지 못해 실패한 사례가 매우 많다.

중국 지역을 7대, 8대 권역별로 나누자

그렇다면 어떻게 14억 중국 내수시장을 세분화할 것인가? 일반적으로 세 가지 시장 구분 목적과 기준에 따라 중국 내수시장을 크게 7대, 8대 권역별로 나눌 수 있다. 우선 세 가지 구분 목적을 살펴보자. 첫째는 역사, 문화, 지리적 동질성이다. 지리적 인접성, 역사적 연속성, 자연적 조건의 유사성 등 구분 기준이 있다. 둘째는 경제적 동질성이다. 경제발전 수준과 사회구조의 구분 기준이 있다. 셋째는 정책적 유용성이다. 적절한 규모, 행정구역의 형태, 연

중국 7대 권역별 시장 구분법

동북지역	랴오닝성, 지린성, 헤이룽장성
화북지역	네이멍구자치구, 베이징, 톈진, 허베이성, 산시山西성
화중지역	허난성, 후베이성, 후난성
화동지역	상하이, 산둥성, 장쑤성, 저장성, 푸젠성, 안후이성, 장시성
화남지역	광둥성, 광시좡족자치구, 하이난성
서남지역	쓰촨성, 충칭, 윈난성, 구이저우성, 티베트자치구,
서북지역	신장웨이우얼자치구, 칭하이성, 간쑤성, 닝샤후이족자치구, 산시陝西성

구와 정책 진행 편리성의 구분 기준이 있다. 이러한 세 가지 특성을 기준으로 중국 시장을 7대, 8대 권역별로 가위질할 수 있다. 이제 본격적으로 중국 7대 권역별 시장 구분법을 알아보자.

중국 로컬 기업들도 가장 많이 활용하는 내수시장 구분법이기도 하다. 화북, 화동, 화중, 화남 등과 같은 표현은 중국에서 매우 보편적으로 쓰는 지역 구분법이다. '화華'는 중국이 세계의 중심이라는 중화사상을 의미한다. 당연히 우리 기업도 이러한 7대 시장 구분법을 기준으로 중국 내수시장을 세분화하는 경우가 많다. 필자가 방문한 대부분의 중국 진출 기업의 경우 회사 사무실에 중국 지도를 붙여놓고 7대 권역별 시장 구분법에 따라 내수시장을 세분화하여 중국 사업을 진행하고 있다. 물론 7대 권역별 시장 구분법도 나쁘지 않다.

하지만 필자는 중국 시장을 좀 더 세분화하여 8대 권역별 시장 구분법을 활용하기를 추천한다. 방대한 중국 내수시장을 가능한 쪼갤 수 있으면 더욱 세분화하여 가위질하라는 것이다. 그만큼 자사 제품과 기술, 조직역량 등에 맞는 가장 적합한 맞춤형 지역시장을 찾아내야 한다는 것이다. 특히 중국 사업에 역량이 부족한 중소기업의 경우는 더욱 그렇다.

자양강장제 원비디는 어떻게 성공했는가

중국 7대 권역별 시장 구분법이 많이 보편화된 반면 필자가 소개하고자 하는 8대 권역별 시장 구분법은 그다지 활용도가 높지 않은 편이다. 앞에서 언급했다시피 중국 내수시장은 가능한 세분화하여 시장 진출 전략을 수립하는 것이 현명하다. 중국 내수시장을 가위질해야 한다는 얘기를 수없이 해도 실제 비즈니스 현장에서 잘 활용되지 못하는 것이 현실이다. 그렇다면 이번에는 중국 지역 문화와 특성을 잘 활용해 세분화해서 성공한 기업 사례를 하나 소개하고자 한다. 우리에게 친숙한 일양제약 자양강장제인 원비디의 중국 진출 성공 사례다.

(사례 22 원비디의 진출 성공 사례)

원비디 제품은 인삼을 국내 최초로 드링크화했으며 피로회복과 자양강장에 도움을 주는 일반의약품으로 알려져 있다. 사실 국내에서는 박카스에 밀려 존재감이 떨어진다. 하지만 중국 일부 지역 시장에서 원비디의 브랜드 이미지는 박카스를 능가할 정도다. 원비디는 1972년 일본 시장 진출을 기반으로 미국, 중국, 싱가포르, 인도네시아 등 30여 국가에 수출되고 있는 국내 대표적인 건강기능식품이다. 특히 중국의 경우 총 3개의 법인을 통해 중국 내수시

중국에서 판매되는 일양제약의 원비디 광고 이미지

(출처: 중국경영연구소)

장을 확대해가고 있다. 우선 1996년 지린성 통화에 통화일양보건 유한공사(이하 통화일양) 조인트벤처 설립을 계기로 본격적인 중국 시장 진출이 시작되었다. 통화일양은 일양제약의 대표적인 드링크 제인 원비디 등 일반의약품이나 건강기능식품을 주로 생산 판매한다. 특히 원비디는 1997년 중국 내 7번째 수입 의약품이자 한국 제품으로는 처음으로 중국 정부로부터 인가받은 일반 보건의약품이다. 1998년에는 장쑤성 양조우시에 전문 의약품을 제조 판매하는 양주일양제약유한공사(이하 양주일양) 조인트벤처를 설립했다. 이담 소화제 아진탈, 위궤양 치료제 알드린, 해열진통 주사제 알타질 등 중국 내수용 전문 의약품이 바로 양주일양에서 생산 판매된다. 또한 2009년 상하이에 중국 내 수출과 유통을 전담하는 일양 한중(상하이)무역유한공사를 설립하여 운영하고 있다. 일양제약은 중국 내수시장과 함께 전반적으로 매출 성장세가 지속되고 있다.

중국 수출금액과 현지 사업매출이 회사 전체 매출에 절반을 차지할 정도다. 특히 성공의 일등 공신인 원비디는 2020년 기준 중국 시장에서 4억 병이 넘게 팔려나갔고 매출액(손익계산 기준)은 2016년 272억 원, 2017년 281억 원, 2018년 326억 원 등 매년 급성장하고 있다.

과연 원비디의 중국 내수시장 성공비결은 무엇일까? 여러 가지 성공요인 중 첫 번째는 바로 정확한 내수 지역시장 선정이었다. 원비디가 모든 중국 지역시장에서 잘 팔리는 것은 아니다. 전반적으로 많이 팔리는 지역을 살펴보면 7대 권역별 기준으로 저장성과 푸젠성의 화동지역과 광둥성을 중심으로 한 화남지역에 집중되어 있다. 그중에서 특히 푸젠성의 매출이 매우 큰 비중을 차지하고 있다. 비록 푸젠성 인구가 약 4,000만 명(2021년 기준) 수준으로 다른 지역에 비해 적은데도 원비디의 중국 매출액의 거의 3분의 1 이상이 바로 이 푸젠성 한 지역에서 발생한다. 신기할 수밖에 없다. 푸젠 사람들은 왜 원비디를 이렇게 좋아하는 것일까? 그 해답은 푸젠성 지역의 문화적 특성에서 찾을 수 있다. 우리나라에서는 여성이 출산 후 산후 몸조리를 위해서 대부분 미역국을 먹는 것이 문화이자 정서다. 산모가 출산하면 출혈로 몸의 혈액이 부족해지고 전신의 기능이 떨어진다. 미역의 요오드 성분이 산모 기력을 보충하고 혈액을 맑게 하기 때문이다. 또한 젖의 분비를 도와주고 붓기를 가라앉히는 데도 도움이 된다는 것이다. 재미있게도 푸젠성에서는 이러한 효능을 주는 음식으로 인삼에서 해답을 찾는다. 푸젠성에서는 산후 몸조리를 위해 인삼 달인 물을 마시는 전통이 지금까지 전해져 내려오고 있다.

원비디의 주요 성분이 바로 인삼과 구기자 추출물, 판토텐산칼슘B5이다. 운명적으로 푸젠 지역 시장에 딱 맞는 아이템인 셈이다. 최근 중국 시장에서 웰빙의 중요성이 확대되면서 남녀노소 모든 계층이 애용하는 건강보조식품으로 자리매김했다. 필자가 예전 푸젠성 출신 중국 친구의 자녀 결혼식에 참석한 적이 있다. 결혼식장 입구에 원비디가 층층이 쌓여 있는 것을 보고 이유를 물어보았다. "여기서는 요즘 결혼식이든 칠순 잔치든 집안의 큰 행사가 있을 때마다 원비디를 대량 구매해 오시는 손님들에게 드립니다." 하객들이 결혼식장에 들어갈 때 원비디를 한 병씩 들고 들어가라는 혼주의 배려인 것이다. 필자는 우연한 기회에 푸젠 지역의 대형마트를 방문한 적이 있다. 아니나 다를까? 마트 진열대 골든존Golden Zone에 원비디가 타사 제품을 밀어내고 대부분을 차지하고 있었다. 원비디는 이러한 푸젠성 진출 성공을 기반으로 광둥성과 저장성 등 주변 지역시장으로 확대해가고 있다. 중국 지역시장 한 곳이 한국 시장보다 훨씬 큰 내수시장이 될 수도 있다.

일양제약은 이러한 중국 시장 매출 성장과 중국인 관광객 증가에 따라 원비디의 국내 라벨을 영어 대신 한자로 병행 표기하는 리뉴얼 제품을 새롭게 출시했다. 기존의 'WONBI-D'를 '元祕-D'로 바꾸었다. '으뜸 원元'과 '신비할 비祕'에 드링크Drink의 D를 혼용한 것이다. 중국 고객 맞춤형 타깃팅을 더욱 강화하겠다는 것이다. 원비디의 사례에서 알 수 있듯 중국의 14억 내수시장이라는 함정에 빠져선 안 되며 단계적 접근이 필요하다.

8대 권역별 키워드를 찾아라

그럼 이제 본격적으로 중국 8대 권역별 시장 구분법을 설명해보자. 8대 권역별은 동북, 북부 연해, 동부 연해, 남부 연해, 황하 중류, 창장 중류, 서남, 서북지역으로 구분하는 방법이다.

첫째, 동북지역은 여러 시장 구분법에서도 공통으로 나오는 권역별 시장이다. 흔히 동북3성으로 부르는 지역이다. 동북3성은 시장 규모에 따라 나뉘는데 랴오닝성이 가장 크고 그다음이 헤이룽장성이고 지린성이 가장 작다. 따라서 동북3성의 허브는 랴오닝성의 성 소재지인 선양을 기점으로 내수시장을 세분화해야 한다. 국내 소비유통형 기업은 동북3성 시장 진출을 위해 선양에 법인 혹은 판매 대리상을 두고, 수출가공형 제조 중소기업 다롄을 거점으로 사업을 하는 게 일반적이다.

그러나 최근 중국기업의 제품경쟁력 제고와 인건비와 사회보험료[14] 인상으로 인한 노동집약형 수출생산기지의 장점이 희석된 반면 다롄지역이 내수생산기지 역할이 가능해지면서 비용이 상대적으로 저렴한 주변의 잉커우나 단둥지역으로 진출하는 기업들이 늘어나는 추세다.

둘째, 북부 연해지역시장은 거점지역인 베이징과 산둥성 칭다오의 2개 핵심 지역으로 구분할 수 있다. 베이징은 2,000만 명이 넘는 자체 내수시장을 기반으로 주변 톈진과 허베이성으로 확장할 수 있는 지리적 거점지역이다. 사실 베이징에 법인 혹은 지사를 설립해 비즈니스를 하는 것은 대기업을 제외하고 중소기업의 경우 사무실 임대료와 생활·주거비용이 비싸 사업 효율성에 대해 의문점을 갖

중국 8대 권역별 시장 분포

(출처: 중국경영연구소)

동북3성 지역시장 분포

게 된다. 그럼에도 불구하고 베이징에 거점을 마련하는 것은 상징적인 의미가 크기 때문이다. 칭다오의 경우 우리나라와 가까워 수출입 물류 기반을 활용할 수 있고 제조와 내수시장 기반을 함께 공유할 수 있는 장점이 있어서 북부 연해지역시장의 거점 역할을 할 수 있다. 그러나 옌타이, 웨이하이, 르자오 등 산둥성의 기타 연해지역 도시의 경우는 내수시장 접근보다는 우리나라와 가까워 수출입 물류 기반과 산업 클러스터를 활용할 수 있는 지역들이다. 옌타이는 중국 중앙정부가 발표한 자유무역시범구 산둥성 3개 지역(지난, 칭다오, 옌타이) 중 한 곳으로 포함되면서 앞으로 한중 경제·무역 협력의 중요한 거점 역할을 하게 될 것으로 판단된다.

특히 옌타이는 한국과 일본과의 지리적 이점을 활용한 한중일 무역·투자 협력의 선행지역으로 지정되면서 향후 발표될 세부 중점 육성산업에 따른 우리 기업의 전략적인 접근이 필요하다. 자유무역시범구는 홍콩과 같은 완전자유무역지대의 바로 전 단계 수준의 개방지역을 의미한다. 예를 들어 한중 간 통관AEO(통관우대사업자), 상호인증제도, 검사검역 분야의 상호협력 등이 구체화될 가능성이 크기 때문에 단순히 공장 설립 형태의 제조업 진출방식이 아니라 중국 사업의 거시적 관점에서 옌타이를 활용해야 한다. 웨이하이의 경우도 향후 물류거점 지역으로서 활용가치가 있다. 시정부 차원에서 적극적으로 사항연동四港联动 시스템 구축을 준비하기 때문이다. 사항연동은 4PORT 연동 시스템으로, 이른바 항공운송, 육상운송, 카페리운송 등을 연동하는 개념이다. 다른 지역 공항이나 항만의 화물을 물류트럭으로 공항까지 운반한 뒤 항공기로 환적해 목적지까지 수출하는 시스템을 의미한다. 이를 활용해 최근 한중 간 활발히 진행되는 국경 간 전자상거래CBEC, Cross Border E-commerce 거래의 물류허브 역할을 하겠다는 것이다.

북부 연해지역시장 분포

셋째 동부 연해지역시장은 중국 소비시장의 핵심 거점 역할을 하는 권역별 시장이다. 이른바 '창장삼각주 경제권'으로 불리며 소비, 유통, 물류를 아우르는 중국 경제성장의 견인차 역할을 하는 곳이다. 중국 1인당 국내총생산 2만 달러가 넘는 도시 31개 중 동부 연해지역의 약 10개 도시[15]가 포진해 있다. 따라서 대부분의 소비재의 경우 상하이를 중심으로 하는 동부 연해지역시장에 진출해 있다. 예를 들어 사드 사태 이후 롯데마트, 이마트, CJ 등 국내 유통기업이 철수하는 상황에서 파리바게트는 중국에서 나 홀로 성장하고 있다.

파리바게트는 2019년 3월 텐진에 대규모 SPC공장을 설립하는 등 중국 사업에 더욱 박차를 가하고 있다. 2021년 기준 중국 내 점포 수가 약 320개를 넘어섰고 그중 60%에 가까운 약 180개 점포가 상하이, 장쑤성 등 동부 연해지역시장에 집중되어 있다. 점포 수가 매년 약 40% 이상 증가하는 추세로 직영점 100여 곳을 제외하고 220여 개 이상의 점포는 모두 중국인 대상 프랜차이즈 사업

중국 8대 권역별 시장 구분법

동북지역	랴오닝성, 지린성, 헤이룽장성
북부 연해지역	베이징, 톈진, 허베이성, 산둥성
동부 연해지역	상하이, 장쑤성, 저장성
남부 연해지역	푸젠성, 광둥성, 하이난성
황하 중류지역	산시(山西)성, 산시(陝西)성, 허난성, 네이멍구자치구
창장 중류지역	후베이성, 후난성, 안후이성, 장시성
서남지역	윈난성, 구이저우성, 쓰촨성, 충칭, 광시좡족자치구
서북지역	간쑤성, 칭하이성, 닝샤후이족자치구, 티베트자치구, 신장웨이우얼자치구

형태로 운영되고 있다.

　넷째, 남부 연해지역시장은 광둥성 광저우와 홍콩을 잇는 첨단 제조가공과 소비유통의 핵심 지역이라고 볼 수 있다. 특히 최근 들어 중국 정부가 야심차게 밀고 있는 '웨강아오 대만구大灣區'를 적극적으로 활용할 필요가 있다. 웨강아오粤港澳란 광둥성을 뜻하는 웨粤, 홍콩을 뜻하는 강港, 마카오를 뜻하는 아오澳를 합친 용어이다. 동 지역을 중심으로 큰 만大湾이 있다고 하여 웨강아오 대만구로 호칭한다. 광둥성의 9개 주요 도시[16]와 홍콩과 마카오를 연결하는 거대 경제권을 일컫는 개념으로 세계적 혁신 경제권인 중국판 실리콘밸리를 만들겠다는 포부다. 웨강아오 대만구의 중국 내 경제적 위상을 보면 면적은 1%, 인구는 5% 정도밖에 되지 않지만 중국 국내총생산의 약 15%, 수출량의 약 25%, 외국인 투자의 약 20%를 차지할 정도로 핵심적인 중국 사업의 거점지역이다. 2020년 기준 웨강아오 대만구 소재 11개 도시의 국내총생산 총액이 약 2조 달러로 한국 국내총생산 1조 6,250억 달러보다 많을 정도로

동부 연해지역시장 분포

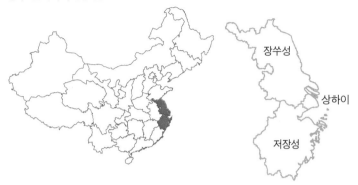

남부 연해지역시장 분포

향후 성장 가능성이 매우 크다.

중원의 중심 허난성은 전략 핵심 거점 도시다

다섯째, 황하 중류지역시장부터 본격적으로 내륙시장으로 들어간다. 내륙시장은 황하와 창장강이 중부 내륙지역을 관통하는 지역을 기준으로 황하 중류지역시장과 창장 중류지역시장으로 구분된다. 황하 중류지역시장은 네이멍구자치구, 산시山西성, 산시陝西성, 허난성으로 나눌 수 있다. 주요 거점지역은 산시陝西성 시안과 허난성 정저우로 압축된다. 시안의 경우, 중국 내륙의 중간지역으로 서북지역시장으로 들어가는 허브 역할을 하는 아주 중요한 거점지역이다. 시안 인구만 약 1,000만 명으로 자체 시장뿐만 아니라 주변 지역까지 포함하면 성장 가능성이 매우 크다. 또한 시안은 서북지역 시장의 대표적인 IT 혁신 도시로 마이크로소프트, HP, 알리바바, 징동 등 선진 혁신 제조기업들이 진출해 있고 중앙정부가 인가한 시셴신구西咸新區를 중심으로 주변 IT 인프라가 매우 발달한 지역이다. 시셴신구는 중국 국무원에서 처음으로 '혁신 도시 발전방식'을 주제로 설립한 국가급 신구로 정부의 다양한 우대혜택을 받을 수 있다.

한편 1억 명이 거주하는 허난성은 역사적으로 중화민족의 발상지로 중원으로 불렸던 곳이다. 중국의 허리 역할을 했던 곳으로 남에서 북으로 동에서 서로 이동할 때 반드시 거쳐가야 했다. 사실 중국 내에서 허난성에 대한 평가는 그리 좋지 않은 편이었다. 허난 사람河南人이라고 하면 부정적 인식이 매우 강하게 자리 잡고 있었다.

허난 사람은 도둑이 많다, 음흉하다, 거짓말쟁이, 흉악범죄가 일어나면 허난성이다, 짝퉁천국이다 등 매우 많은 지역 드립이 자리 잡고 있었다. 예전에 광둥성 아파트 단지 내에 '허난성 공갈사기단을 결연히 반대한다'라는 플래카드가 붙으면서 파장을 불러일으킨 바도 있다. 과거 외국인이 중국인에 대해 가진 부정적 속성들을 허난인에게 대부분 투영하고 있는 듯하다. 실제 중부 내륙의 가

황하 중류지역시장 분포

네이멍구 자치구

산시(山西)성

산시(陝西)성   허난성

장 큰 도매시장인 허난성 정저우 중원제일성에 가면 수없이 많은 짝통 제품이 유통되고 있다. 중원제일성은 2014년 설립된 이래로 2,800개가 넘는 도매 점포들이 짝통과 진품을 함께 판매하고 있다. 상황이 이렇다 보니 2001년부터 허난성 정부가 적극적으로 이미지 개선 캠페인을 벌이고 있다.

최근 들어 허난성 정저우 시장은 대표적인 중부 내륙시장으로 빠르게 급부상하고 있다. 정저우시는 인구 1,000만 명으로 중국

허난성 사람들이 생각하는 중국 지도

(출처: 바이두)

광둥성 아파트 단지 내 플래카드(좌)와 중원제일성 입구(우)

(출처: 구글, 바이두)

교통·물류의 허브이자 거점 기능을 최적화하여 중국 최초로 국경 간 전자상거래 시범지구로 지정되었고 현재 수천 개에 달하는 중소형 온라인 유통 플랫폼이 활동하고 있다. 우리 소비재 기업들이 반드시 활용해야 하는 매우 전략적인 핵심 거점도시다.

유니클로는 어떻게 승승장구하고 있는가

여섯째, 창장 중류지역시장은 후난성, 후베이성, 안후이성, 장시성 등 4개 성의 인구 2억 5,000만 명을 보유한 내륙시장이다. 창장 중류지역시장의 핵심은 후베이성 우한(인구 약 1,200만 명), 후난성 창사(약 800만 명), 안후이성 허페이(약 800만 명)로 집약된다. 최근 우리나라에서는 한일관계 악화로 유니클로를 보이콧하고 있다. 하지만 중국 시장에서는 가장 큰 수익을 창출하고 있는 유니클로 사례를 들어보자.

(사례 23 유니클로의 지역세분화 성공 사례)

유니클로는 일본 자국시장 매출은 하락하는 추세이나 해외 시장 매출이 급성장하고 있다. 2021년 회계연도 기준 중국 지역 매출은 약 5,322억 엔(약 5조 5,300억 원)으로 유니클로가 진출한 23개 국가 중 가장 큰 수익을 올리고 있으며 매년 약 20% 이상 급성장하고 있다. 최근 자라, H&M, 포에버21 등 해외 브랜드가 중국 시장에서 고전을 면치 못하는 가운데 유니클로의 성장은 매우 눈부시다. 앞의 기업들이 베이징과 상하이 등 대도시 중심으로 영업매장을 오픈하여 상위층 대상으로 마케팅을 한 반면에 유니클로는 1선 도시 베이징-상하이-광저우-선전北上广深을 중심으로 중산층 고객을 대상으로 중부 내륙지역 시장에 본격적으로 진출했다. 2020년 8월 기준으로 중국 내 매장 수가 767개로 일본 내 764개 점포를 추월했다. 중국 내 점포 수는 매년 수십 개씩 증가하고 있다. 최근 오픈한 점포 현황을 보면 우한, 창사, 허페이를 중심으로 하는 창장 중류지역시장의 성장세가 매우 가파르다. 유니클로가 2013년 기준 도쿄와 뉴욕보다 훨씬 큰 8,000평(2만 6,446제곱미터) 이상의 플래그숍flag shop을 상하이에 오픈하여 운영해오고 있지만 실제 매출 성장이 가장 빠른 지역은 베이징과 상하이 등 대도시보다 우한과 창사 등 중부 내륙지역시장이다.

특히 우한은 중부 내륙시장 확대 정책인 '중부궐기 및 창장경제벨트'[17]의 가장 핵심 지역으로 향후 우리 기업이 활용해야 할 지역 중의 한 곳이다. 우리 기업의 우한시장 진출은 우한의 4대 지주산업인 철강, 자동차, 광통신, 석유화학의 인프라를 활용한 부품소

창장 중류지역시장 분포

재 중심의 중간재 진출이 일반적이었다. 그도 그럴 것이 우한은 중국의 3대 철강기지, 중국 3대 자동차 기지, 중국 광光 산업의 메카로 불리기 때문이다. 광밸리Optical Valley로 불리는 우한에 인텔, 노키아, IBM, 필립스 등을 포함한 2,000여 개의 광통신 기업과 관련 첨단기업들이 입주해 있다. 광케이블 생산량은 중국 1위, 세계 2위 수준으로 세계 시장의 약 13%를 차지하고 있다. 최근에는 내수 소비시장으로도 매우 각광받고 있다. 인구 1,000만 명 이상의 내수 시장과 1인당 국내총생산이 2만 달러가 넘는 소비구매력을 갖춘 시장이다. 그러나 국내 소비재 기업들의 우한시장 진출은 아직도 미흡하다고 볼 수 있다. 우한에 대한 부정적인 이미지에도 불구하고 시장으로서의 성장성과 활용가치는 분명해 보인다.

8대 권역별 시장 구분법의 남아 있는 두 시장은 서남지역시장과 서북지역시장이다. 일반적으로 중국 서부지역시장은 적은 인구와 낮은 소비 수준으로 진출 가능성이 적다고 생각한다. 하지만 필자가 만나본 네이멍구자치구와 닝샤후이족자치구에 진출한 우리 기업 대부분이 위안화를 벌고 있었다. 중국 어느 지역이든 기업은 위안화를 버는 게 중요하다. 이제라도 중국 서부 내수시장에 대한 편견과 오해를 버려야 한다. 그렇다면 중국 서부지역시장의 키워드는 무엇일까? 간단히 살펴보자.

일곱째, 서남지역시장은 쓰촨성, 충칭, 윈난성, 구이저우성, 광시 좡족자치구 5개 지역 인구 2억 5,000만 명의 내륙시장이다. 서남지역시장은 지역별 기후, 문화, 시장규모 등의 특징에 따라 산업의 경쟁력과 특화된 산업클러스터를 형성하고 있다. 예를 들어 윈난성의 경우 열대몬순기후로 인해 커피원두 산업이 매우 발달되어 있다. 중국에서 생산되는 커피원두의 90% 이상이 윈난성에서 생산되는데 그중에서 절반 이상이 윈난성 남서부에 있는 푸얼시에서 재배된다. 푸얼시는 우리가 잘 아는 보이차의 산지로 유명한 곳이다. 보이차를 중국어로 푸얼차라고 한다. 그래서 도시 이름도 푸얼시라고 명명되었다. 현장을 가보면 보이차 밭을 뒤엎고 부가가치가 큰 커피원두를 심고 있다는 얘기를 듣는다. 중국이 변하고 있는 것이다. 중국에서 마시는 스타벅스 커피의 경우 일부분은 윈난성 푸얼시에서 나오는 커피원두를 사용하고 있다. 광시좡족자치구의 경우는 중국 중서부 지역에서 유일하게 연해지역에 위치하여 중국과 아세안(동남아 10개국) FTA의 교두보 역할을 하는 지역이다. 매년마다 중국과 아세안 엑스포가 광시좡족자치구 소재지인 난닝에서 개최된다. 따라서 중국과 아세안 국가를 연결하는 사업을 할 경우 난닝지역을 잘 활용해야 한다.

한편, 구이저우성은 2014년 중국에서 최초로 빅데이터 종합시범구로 지정된 후 현재 중국 빅데이터의 수도中国大数据之都, 중국의 데이터 밸리中国数谷 등으로 불리고 있는 지역이다. 과거 구이저우는 중국에서 못살고 낙후된 지역으로 유명한 지역이었으나 지금은 4차 산업혁명 도시로 변모하고 있다. 구이저우는 빅데이터 산업 관련 제도적 장치를 강화하고 정보 인프라 등을 개선하며 점차 중국 빅데이터 사업의 핵심 도시로 급부상하고 있다. 특히 최근 들어 중국 정부의 정책 지원 아래 글로벌 주요 대기업의 투자와 데이터센터의 중국 진출이 늘어나고 있다. 아마존의 아마존웹서비스AWS는 베이징과 닝샤후이족자치구에 데이터센터 리전Region[18]이 있고 마이크로소프트의 애저Azure 데이터센터 리전도 4개나 중국에 있다. 이처럼 대부분 글로벌 기업들이 중국에 데이터센터를 운영하고 있다.

그중 가장 대표적인 지역이 바로 구이저우성이다. 국가급 구이안 신구에 빅데이터센터를 설립하는 기업에 대해 2년간 법인세 면제, 법인세 감면 기간 종료 후 3년간 세율 50% 감면 혜택 등 각종 투자유인책을 제공하기 때문이다. 애플의 경우 첫 번째 데이터센터가 구이저우에 있고 중국 내 아이클라우드 사용자를 위한 두 번째 데이터센터를 네이멍구자치구에 설립할 예정이다. 현대자동차그룹도 글로벌 빅데이터센터를 구이저우에 설립했다.

서남지역시장 5개 지역군 중 핵심은 쓰촨성 청두와 충칭으로 집약된다. 그중 거점지역으로 가장 중요한 곳이 바로 쓰촨성의 청두시장이다. 청두는 상주인구 1,500만 명 이상의 거대 도시로 2,300

여 년의 역사를 가지고 있는 문화의 도시이다. 또한 중국 서남지역의 과학기술, 금융, 교통, 유통물류의 요충지 역할을 하는 지역으로 소비구매력이 매우 높은 지역이다. 따라서 서남지역시장 진출은 청두로부터 시작된다고 볼 수 있다. 포춘 500대 기업 중 인텔, IBM, 마이크로소프트 등 약 250여 개 글로벌 다국적기업들이 중서부 진출의 거점으로 청두시장을 활용하고 있다.

충칭은 실크로드 물류 거점지역이다

한편, 충칭은 인구 3,200만 명의 거대 도시로 중국 서남부의 유일한 직할시다. 동부와 서부를 연결하는 결합부에 있으며 중심지역을 기준으로 몇몇 위성도시와 공업지역을 포함하는 다중심 조직형 구조로 되어 있다. 중국에서 단일시장으로 가장 많은 인구를 보유한 도시로 향후 성장 가능성이 매우 크다고 볼 수 있다. 특히 수로와 철로의 장점을 활용한 제조물류기지로서도 각광을 받는, 이른바 '실크로드 물류' 거점지역이다. 즉 충칭 내륙보세구역과 창장 강수로를 활용한 중국 내 제조가공무역이 발달되어 있고 위신어우(渝新欧, 충칭-신장웨이우얼-유럽 구간) 철도를 활용해 중앙아시아, 러시아, 독일 등 여러 국가로 수출이 가능하다. 충칭에서 생산되는 IT 제품의 40% 이상이 유럽으로 수출되고 있다. 그중에서 노트북의 경우는 90% 이상이 충칭에서 유럽으로 수출되고 있다. 위신어우 철도는 충칭을 기점으로 카자흐스탄, 러시아, 벨라루스, 폴란드를 거쳐 독일까지 총 6개국을 통과하는 국제열차다. 충칭은 유럽

서남지역시장 분포도

행 중국횡단철도TCR가 지나는 중국 서남부의 주요 길목이자 동남 아로 통하는 도로운송이 발달한 물류 중심지이기도 하다.

(사례 24 충칭 지역 오토바이 산업 사례)

충칭시장은 중국 내 다른 도시와 비교해 산을 배경으로 한 지형이 매우 특이하여 시내에도 구릉지대가 많아서 산비탈에 아파트가 줄줄이 들어서 있는 모습을 쉽게 찾아볼 수 있다. 그래서 충칭을 '산의 도시山城'라고 부른다. 이런 특징 때문에 충칭은 자동차와 오토바이 산업이 매우 발달되었다. 우스운 얘기로 충칭 사람들은 자전거를 탄 사람을 보고 두 가지 유형으로 판단한다고 한다. 첫째는 저 사람은 잘못을 저질러 지금 벌을 받고 있다. 둘째는 저 사람은 운동선수로 체력 단련 중이다. 지형이 오르락내리락하는 구릉지대가 많으니 정말 그렇게 생각할 수도 있겠다. 사정이 이러하다 보니 충칭에는 아파트를 간통하는 충칭경전철CRT이 있다. 2호선 라인의 리쯔바李子坝역으로 아파트를 지을 때부터 그렇게 설계가 된 것이

산비탈에 있는 아파트(좌)와 아파트를 관통하는 충칭경전철(우)

(출처: 바이두)

다. 이 아파트는 차로는 갈 수 없는 산비탈 길에 있어 경전철 노선이 유일한 교통수단이라고 볼 수 있다.

　또한 충칭에만 있는 직업군이 있다. 이른바 '방방쥔棒棒君'이다. 우리말로 하면 지게꾼 또는 짐꾼이다. 과거에 산간지대가 많고 언덕이 높다 보니 차량이 갈 수 없는 지역이 많아 자연스럽게 생겨난 직업군이다. 지금은 많이 사라졌으나 충칭지역 곳곳을 거닐다 보면 길거리에 대나무를 매고 있는 방방쥔을 쉽게 찾아볼 수 있다. 충칭은 중국의 다른 지역에서는 전혀 찾아보기 힘든 볼거리가 많다.

왕라오지의 상화 마케팅

(출처: 바이두)

그 지역의 풍토가 그 지역 사람을 만든다

사실 우리가 알고 있는 '쓰촨요리는 맵다'는 표현은 엄격히 얘기하면 틀린 말이다. "쓰촨성에 살기 위해서는 매운 음식을 먹어야 한다."라는 표현이 더 정확할 것이다. 중의약에서 쓰촨성이나 충칭시처럼 쓰촨분지가 있어 습하고 더운 지역에 사는 사람들은 땀을 통해서 몸에 있는 습기를 배출하지 않으면 몸이 상한다고 얘기하기 때문이다. 중국의 대표적인 음료 브랜드인 왕라오지王老吉의 사례를 들어보자. '상화가 무서우면 왕라우지를 마시세요怕上火 喝王老吉'는 왕라오지의 핵심 슬로건이다. 즉 상화上火를 예방하는 기능성 음료라는 것이다.

(사례 25 왕라오지의 상화 마케팅 사례)

그런데 '상화'는 무엇일까? 상화는 '더운 기운이 위로 솟는다'는 중의학 개념이다. 우리말로 쉽게 표현하면 '몸에 열이 많다'는 개념이다. 중의학에서는 모든 병의 근원은 상화에서 시작된다고 얘기하고 있다. 이는 우리 한의학에서도 더운 기운은 아래서 위로, 찬 기운은 위에서 아래로 기운이 잘 순환되는 것을 기본으로 삼는 것과 비슷하다고 볼 수 있다. 따라서 쓰촨, 충칭 등 습하고 더운 지역의 사람들은 상화를 조심해야 한다는 것이다. 왕라오지의 쓰촨 지역 마케팅은 적중했다. 중국 전체 매출액 중 쓰촨성과 충칭지역 매출액이 거의 1, 2위를 차지할 정도다. 쓰촨과 충칭지역 식당을 가보면 다른 음료는 팔지 않고 대부분 왕라오지만 팔고 있다. 그 이유는 간단하다. 손님들이 왕라오지만 찾기 때문이다.

중국 속담에 '일방수토 양일방인—方水土 養一方人'이라는 말이 있다. 그 지역의 풍토가 그 지역의 사람을 만든다는 뜻이다. 그 지역의 자연, 기후, 문화 환경에 적응하기 위해 사람들의 생활방식도 달라진다는 얘기다. 여기에서 중국 사업이 출발된다는 것을 명심해야 한다.

서북지역은 오지여행과 문화탐방으로 유명하다

마지막 여덟째, 서북지역시장은 간쑤성, 칭하이성, 닝샤후이족자치구, 티베트차지구, 신장웨이우얼자치구 등 5개 지역으로 구성된 전형적인 소수민족 중심 지역이다. 지대가 높은 곳으로 시장보다는 중국 오지여행과 문화탐방으로 더욱 유명한 지역이기도 하다.

서북지역 5개 지역을 합친 면적은 405.6제곱킬로미터로 중국 전체 면적(약 960제곱킬로미터)의 약 40%를 차지하고 있는 반면 인구는 약 6,300만 명으로 중국 전체 인구의 약 2.3% 정도를 차지하

서북지역시장

신장자치구

간쑤성

닝샤자치구

칭하이성

티베트 자치구

고 있다. 사업적인 관점에서 매우 비대칭적 구조로 된 지역시장이
다. 게다가 지역적 특성으로 인해 소수민족이 절반을 차지하고 있
어 5개 지역의 서북지역은 내수시장보다는 천연자원과 문화적 특
징을 이해하는 게 매우 중요하다. 우선 서북지역시장의 핵심 중심
도시는 간쑤성의 란저우로서 서북지역시장의 허브 역할을 담당한
다. 만약 소비재 기업일 경우는 란저우보다 황하 중류지역시장의
거점지역으로 시안을 활용하는 것이 좋다. 교통물류 인프라 등을
고려한다면 시안이 서북지역의 입구 역할을 담당하기 때문에 란저
우보다 시안을 거점으로 서북지역 비즈니스를 해야 한다. 따라서
시안-란저우 벨트를 활용한 서북지역시장 접근 전략이 필요하다.
기타 동부 연해지역이나 중부 내륙시장 대비 접근이 쉽지 않기 때
문에 업종과 업태에 따른 신중한 접근이 필요하지만 그만큼 코리
안 프리미엄이 분명히 존재하고 있다.

인촨은 중국 구기자의 고향으로 불린다

필자가 닝샤후이족자치구의 소재지인 인촨 방문 때 현지에서 구기자 수출입 업무를 하는 한국 기업가 한 분을 만난 적이 있다. 인촨에서 4년째 중국 구기자 비즈니스를 하면서 적지 않은 위안화를 벌고 계셨다. 구기자는 원래 원산지가 중국으로 고대 중국 황실에서 불로장생을 위한 명약으로 여겨져 왔다. 한의학에서도 간과 신장 기능을 개선하고 몸의 기운을 돋워주는 대표적인 약초로 유명하다. 바로 구기자의 본 고향이 닝샤후이족자치구 황하 주변에 위치한 중닝현 일대다.

중닝은 '중국 구기자의 고향'으로 불리는 곳이다. 구기자 재배 600년의 역사를 자랑하며, 세계적인 구기자 원산지로 중닝에만 1만 4,000헥타르가 넘는 구기자 재배지가 있다. 중국인은 구기자를 그냥 생으로 먹거나 차나 스프에 넣어 먹기도 하고 최근에는 구기자가 들어간 샐러드와 케이크도 인기를 얻고 있다. 또한 말린 열매, 주스, 오일, 동결 건조 파우더 등 구기자는 슈퍼푸드super food로서 미국, 유럽, 일본, 호주 등 전 세계 40개 국가와 지역에 수출되고 있다. 2018년부터 중닝에서 매년 국제 구기자산업박람회가 개최되고 있다.

놀부와 신장웨이우얼족이 닮았다

한편 서북지역의 경우 다른 내륙시장 진출 시 문화적인 관점에서도 반드시 이해해야 할 특징과 성향이 있다. 바로 티베트자치구와 신장웨이우얼자치구다. 이 두 지역은 중국에서 강력히 분리 독

한국 놀부 이미지(좌), 위구르족 이미지(중), 중국 놀부 이미지(우)

(출처: 놀부 홈페이지, 바이두)

립을 외치고 있는 지역으로 정치적으로 매우 민감한 지역이다. 그래서 중국 인구의 92%를 차지하는 한족은 티베트족이나 신장웨이우얼족에 대해 좋은 감정을 가지고 있지는 않다. 특히 신장웨이우얼족이 대표적이다. 예전 중국 리서치 회사가 한족 중국인을 대상으로 소수민족에 대한 이미지 조사를 한 적이 있다. 위구르족의 경우 음흉하다, 소매치기, 폭력 등 부정적인 빅데이터 조사결과가 나왔다.

(사례 26 놀부의 중국 진출 사례)

이와 연관하여 국내 대표적인 요식업 프랜차이즈인 놀부의 중국 진출 사례를 들어보자. 보쌈, 부대찌개, 철판구이로 유명한 놀부는 대형매장과 숍인숍shop in shop 방식의 매장까지 합쳐 현재 국내 약 900여 개 이상의 매장이 있다. 중국에도 놀부부대찌게, 항아리갈비 등 12개 이상의 매장을 운영하고 있다. 초창기 놀부의 중국 사업은 국내 브랜드를 베이징 현지 한국인에 의해 런칭하는 간접 형태의 사업을 진행하다가 2014년 5월 중국 외식전문업체 맥브랜즈 MAK Brands사와 함께 상하이에 맥브랜즈 70%, 놀부 30% 지분구조로 조인트벤처 형태의 직접 진출을 시작했다. 2018년 중국경영연구소가 중국 소비자 300명을 대상으로 놀부 브랜드 이미지를 조사해본 결과 전체 조사대상의 42%가 인상을 쓰고 있고 짙은 눈썹에 갓을 쓴 이미지가 신장웨이우얼족을 연상하게 된다고 응답했다. 놀부 브랜드 이미지에 대한 부정적인 의견이 적지 않다는 것이다.

다행히 현재 중국 내 놀부 항아리갈비 혹은 부대찌개 식당을 가보면 환하게 웃고 있는 놀부의 새로운 캐리커처를 볼 수 있다. 우리나라 사람들이 보면 어쩌면 흥부의 이미지가 더 연상될 수도 있는 캐리캐처다. 중국어 브랜드 네이밍은 놀부의 음과 뜻을 가미한 '러보乐伯'를 사용하고 있지만 이미지는 국내에서 보는 놀부와는 전혀 다른 모습을 확인할 수 있다. 중국인은 '흥부와 놀부' 이야기를 모르니 흥부 모습을 보고 놀부라고 해도 그대로 믿을 것이다. 한 가지 아쉬운 것은 새로운 놀부의 이미지가 있을 뿐 그에 맞는 스토리가 부족해 보인다. 중국 문화에 맞는 놀부 스토리텔링을 새롭게 구성한다면 좀 더 중국에서 사랑받는 브랜드로 성장할 수 있을 것이다.

딥 차이나 3

급변하는 중국 시장의 트렌드와
특징을 분석하라

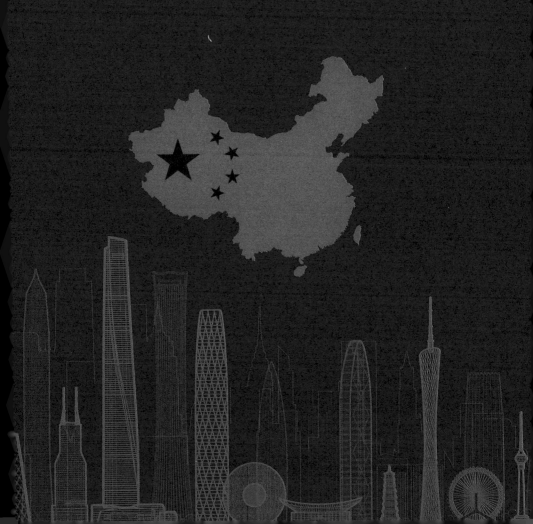

1
라마와 다마를 잡아라

중국의 아줌마 부대는 누구인가

2019년 8월 27일 미중 무역전쟁의 포화 속에서 미국의 대표적인 할인 매장 코스트코가 상하이에 중국 1호 매장을 오픈했다. 말그대로 인산인해였다. 1,300대 차량을 수용할 수 있는 주차장에 진입하는 데 3시간 이상 걸렸고 계산대에서 계산하는 데 1~2시간이 걸렸다. 결국 상하이 코스트코는 시민 안전을 위해 개장 5시간 만에 영업을 중단했다. 우수한 제품을 할인된 비용으로 살 수 있다는 소문에 상하이의 '아줌마 부대'가 총출동한 것이다. 신선한 식료품과 온라인보다 저렴한 술, 화장품, 영유아 제품, 명품 패션과 가방들이 순식간에 모두 팔려나갔다. 우리가 그동안 흔히 보고 들어왔던 중국 대륙의 소비력을 보여주는 한 단면이다.

그렇다면 이러한 '아줌마 부대'는 도대체 누구인가? 중국의 아줌마 부대는 크게 두 가지 부류로 나눌 수 있다. 하나는 젊은 아줌마

라마를 소재로 한 드라마와 관련 쇼 프로그램

(출처: 바이두)

부대인 라마족辣妈族, Hot Mom이고 다른 하나는 중년 아줌마 부대인 다마족大妈族, DAMA이다.

　우선 젊은 아줌마 부대인 라마족은 누구인가? 라마족은 '맵다'라는 뜻의 라辣와 '엄마'라는 뜻의 마妈가 합쳐져서 만들어진 신조어로서 이른바 '매운 엄마'라는 뜻이다. 1980~1990년대 출생의 일정한 경제력을 갖추고 패셔너블한 신세대 엄마들로서 겉보기에는 엄마 같지 않은 일종의 미시Missy족이라고 볼 수 있는 소비계층이다.

　라마족이 바로 홍콩과 캐나다 등에서 분유를 집단으로 사재기했던 소비군이다. 정작 현지에 거주하는 젊은 엄마들은 영유아 자녀를 위한 분유 등 유제품을 구매하지 못하는 상황에 이른 것이다. 라마족은 몇 년 전까지만 해도 중국에서 매우 핫한 유행어로 드라마와 쇼 프로그램까지 만들어질 정도였다.

　(사례 27 이하오뎬의 기네스 단기간 판매 기록 사례)

　그렇다면 중국 라마족의 소비력을 알 수 있는 국내 유제품의 중

이하오뎬의 수입산 신선우유 판매를 위한 프로모션 행사 홍보물

(출처: 바이두)

국 수출 사례를 들어보자. 중국의 대형 온라인 식품 오픈마켓 중 하나인 이하오뎬1号店이 가진 세계 기네스 기록이다. 본래 중국 본토 기업인 이하오뎬은 2015년 월마트에 의해 인수되었다가 다시 2016년 6월 징동닷컴에 의해 인수된 식음료F&B 수입 전문 온라인 오픈마켓이다. 이하오뎬은 2014년 3월 8일 중국 부녀자의 날을 기념하여 30개 컨테이너에 담긴 60만 개의 수입산 신선우유 판매 프로모션 행사를 진행한 적이 있다. 그 결과 정확히 52분 25초 만에 60만 개의 신선우유가 완판되었다. 세계에서 가장 짧은 시간에 신선우유를 판 기록으로 기네스 기록에 올라갔다. 자신감을 얻은 이하오뎬은 또다시 60만 개의 신선우유를 수입했고 대대적인 홍보와 마케팅을 진행한 결과 4분 48초 만에 60만 개를 모두 팔아치웠다. 새로운 기네스 기록을 만들어낸 것이다.

여기서 두 가지 궁금한 점이 생긴다. 첫째, 60만 개의 신선우유가 도대체 어느 나라에서 수입되었을까? 놀랍게도 서울우유, 매일

우유, 연세우유, 남양우유 등 대부분 한국산 신선우유라는 것이다. 중국에 유통기한이 짧은 신선우유를 수출할 수 있는 나라가 한국밖에 없다고 할 정도다. 새벽에 국내 공장에서 출하되어 인천과 평택 항만을 통해 산둥성 칭다오로 수출된 한국산 신선우유는 곧바로 중국 전역의 오프라인 유통매장으로 배달된다. 양국 간 지리적 근접성이라는 장점 때문에 가능한 일이다. 미국 등 외국계 신선우유는 상상도 할 수 없는 일이다. 둘째, 도대체 누가 세계 기네스 기록을 세울 정도로 수입된 신선우유를 구매하는가? 그 주인공이 바로 젊은 신세대 엄마들인 라마족이다. 중국산 제품에 대한 불신과 자녀의 건강을 생각하는 라마족들이 신선우유를 구입하는 것이다.

중국은 원래 7~14일 유통기한이 짧은 신선우유보다 3개월 이상 보관해도 마실 수 있는 멸균우유가 발달한 시장이었다. 그런데 몇 년 전부터 웰빙의 중요성이 부각되면서 신선우유를 마시는 소비자가 점차 늘어나는 추세다. 이런 붐을 타고 매일, 서울, 남양, 연세 등 많은 국내 유제품 기업들이 신선우유를 지속적으로 중국에 수출하고 있다. 국내 유제품 기업들의 성공 사례에서 보았듯이 우리나라만이 가지고 있는 경쟁력이 무엇인가를 곰곰이 생각해보아야 한다. 그 경쟁력이 기술, 물류의 근접성, 콘텐츠, 비즈니스 모델 등 어느 것이든 우리만이 할 수 있는 사업의 핵심을 정확히 공략하는 게 중요하다. 또한 우리 제품을 누구에게 팔 것인가에 대한 정확한 이해와 학습 노력이 수반되어야 한다.

자, 이제 두 번째 아줌마 부대인 다마족에 대해 알아보자. 다마족은 1940~1950대생 중년 여성들이다. 다마는 '크다'라는 뜻의 다

大와 '엄마'를 뜻하는 마妈가 합쳐진 용어로 중국의 '큰손 아줌마'라 불리는 소비계층이다. 이른바 '다마경제'는 1978년 개혁개방 이후 축적된 경제력을 바탕으로 국내외에서 부동산, 황금, 주얼리, 핸드백 등과 같은 사치품을 사들이는 중국 중년 여성들의 소비력을 의미한다. '다마부대'는 일반적으로 춘절, 노동절, 국경절의 긴 연휴기간을 이용해 홍콩에 가서 금을 사재기하는 것으로 유명한 집단들이다. 2020년 세계 금 총생산량이 3,241톤인데 중국이 380톤으로 11.7%를 차지하며 세계 1위를 기록하고 있다.[19] 재미있는 것은 이중 약 300톤가량이 다마부대가 홍콩 등을 여행하며 구매하여 소유하고 있다는 것이다.

다마를 얻으면 천하를 얻는다

중국 정부는 과거 금 거래를 독점했고 민간의 금 소유를 제한해왔지만 1970년대 후반 자국 내 금 시장을 개척하기 시작하면서 점차 자유화했다. 무엇보다 미국이 1971년 달러와 금의 태환을 거부하면서 마음대로 달러를 찍어내는 것에 대항해서 개방화한 측면이 강하다고 볼 수 있다. 1982년 금 소매시장이 생겨나면서 금 장신구 판매와 구입이 가능해졌고 2002년 상하이금거래소SGE가 본격적으로 개설되면서 금 시장이 완전히 개방되었다고 볼 수 있다. 어느 나라 사람이나 금을 좋아하겠지만 중국인은 체제 특성상 남다르다. 그 이유를 보면 세 가지가 있다.

첫째 미중 간 이슈와 글로벌 경제 하락과 최근의 코로나19 사태

다마가 좋아하는 금 욕조(좌)와 골드 아이폰(우)

(출처: 바이두)

등 불확실성으로 인해 금이 제일 안전한 자산이라는 인식이 있기 때문이다. 둘째, 과거 시진핑 정부의 부정부패 퇴치운동과 최근 들어 이슈가 되고 있는 함께 잘살자는 '공동부유' 사상이 확산되면서 중국 사법당국의 눈을 피해 재산을 해외로 빼내기 어렵게 되자 금을 사 모으는 경향이 더욱 강해지고 있기 때문이다. 셋째, 역사적인 배경으로 많은 전쟁을 겪으면서 긴급상황에서 금붙이는 재빨리 챙겨 몸에 지닐 수 있기 때문이다. 또한 노란색은 과거 청나라 때 황제만 사용할 수 있는 색상으로 신분 상승효과를 주기 때문이다.

다마를 비롯한 중국 부자들은 대부분 아이폰을 사용하는데 특히 24k 황금 도금의 아이폰 5s를 사용하곤 했다. 골드 아이폰을 중국에서는 '투하오찐土豪金'이라 부른다. 토호土豪의 금이란 뜻이다. 토호는 역사적으로 국가 권력과 어느 정도 대립적인 위치에 있으면서 시골에 토착화한 지역 세력으로 우리도 조선시대 때는 보편적으로 사용되었던 용어다. 하지만 현대 중국에서는 촌스럽다는 뜻의 '투土'와 부자를 뜻하는 '하오豪'의 합성어로 졸부, 벼락부자, 신흥부자의 의미로 사용된다. 다마들은 일반적으로 금으로 도배한 욕조를 사용하고 심지어 금으로 도배한 차량을 타기도 한다. 이러한 다마는 글로벌 소비시장에서 무시할 수 없는 계층이다.

중국 소비시장에서 '다마를 얻으면 천하를 얻는다得大妈得天下.'라는 비즈니스 격언이 있을 정도다. 2010년대 초반 영국『타임』은 미국에 스미스 부인, 유럽에 소피아 부인, 일본에 와타나베 부인, 한국에 강남 아줌마가 있다면 중국에는 다마가 있고 다마에 의해 글로벌 소비시장이 변화될 것이라고 전망한 바 있다. 다마족은 집단적 사고와 소비패턴을 가지고 있고 합리적이면서 체면문화에 익숙한 계층이다. 다마족은 과거 제주도 부동산 투자의 주요 구매자였고 글로벌 주식과 가상화폐 비트코인 주요 투자자로 빠른 재테크 정보력을 가진 것도 특징이다. 지난 2010년대를 풍미했던 다마부대가 노령화됨에 따라 향후 실버경제에 새로운 변화와 기회가 생길 것으로 보인다.

남성 경제가 급부상하고 있다

라마와 다마 중심의 여성경제와 함께 최근 남성 경제가 꿈틀대고 있다. 히코노미He Economy로 불리는 남성 경제(타징지他经济)의 성장이다. 중국은 전통적으로 여성경제의 대표적 국가라고 볼 수 있다. 그러나 최근 외모 중심의 소비활동에 따른 경제효과를 의미하는 이른바 옌즈颜值경제의 급성장이 이어지면서 1990대년 이후 출생한 주링허우九零後 남성을 중심으로 하는 새로운 변화가 불고 있다. 가장 대표적인 영역은 뷰티와 '이메이醫美'로 불리는 성형수술이다. 특히 중국 남성 뷰티 시장의 경우 빠르게 성장하고 있다.

글로벌 리서치 기업인 유로모니터Euromonitor에 따르면 2018년 144억 8,500만 위안(약 2조 6,700억 원)이었던 남성 화장품 시장규모는 2023년에는 약 200억 위안(약 3조 5,000억 원) 규모로 성장할 것으로 전망하고 있다. 중국 대표적 전자상거래 기업인 티몰天猫 통계에 따르면 남성 화장품 거래규모는 2018년 32억 9,100만 위안(약 5,750억 원), 2019년 40억 1,400만 위안(약 7,024억 원), 2020년 41억 900만 위안(약 7,180억 원)으로 매년 증가세를 보이고 있다. 중국 리서치 전문기관인 CBN데이터 보고서에 의하면 주링허우 남성 중 약 80%가 대학생 때부터 피부관리를 시작해 향후 남성 화장품 시장이 더욱 커질 것으로 전망하고 있다.

좀 더 구체적으로 살펴보면 「중국 95허우(1995년 이후 출생자) 소비 트렌드 보고서」를 보면 95허우 남성 중 5명 중 1명꼴로 비비크림, 파운데이션, 아이라이너, 립스틱을 사용하는 것으로 조사되었다. 특히 파운데이션 구매 증가율은 여성의 2배에 달하는 것으로 나타났다. 중국 기업정보 조회 시스템인 치차차企查查에 따르면 남성 스킨케어를 제조 판매하는 기업 수가 매년 증가하는 추세다. 2016년 1,180개, 2017년 1,105개, 2018년 1,209개, 2019년 3,927개, 2020년 3,141개로 최근 2년 사이 급증하는 추세다. 한편 '성형수술을 통한 아름다움'을 의미하는 이메이도 중국 남성들 사이에서 새로운 트렌드로 자리잡으며 인기를 끌고 있다.

중국 최대 온라인 의료·미용 플랫폼인 신양커지新氧科技에 따르면 2019~2020년 중국 남성 성형수술 환자 수도 매년 평균 50%

이상 증가하는 추세다. 중국 시장조사 기관인 아이리서치가 발표한 「2020년 중국 화이트칼라 소비 연구 보고서」에는 2019년 남성 성형수술 비중이 전체 시장의 30%를 차지하는 등 이메이 시장의 새로운 소비층으로 성장하고 있다.

2021년 9월 중국 국가광전총국은 총 8개 항목의 대중문화 분야 일부 규제를 담은 「문화예술 프로그램과 관계자 관리 강화에 대한 통지」를 발표했다. 그에 따라 국내 언론에서는 이른바 냥파오娘炮, 즉 여자 같은 남자, 예쁜 남자는 중국 방송에서 활동을 금지한다는 식의 보도를 쏟아냈다. 심지어 화장하는 남성을 금지한다는 식의 보도도 있었다. 잘못된 보도다. 냥파오는 일반적으로 남자의 행동이나 성격 등이 여자 같은 사람을 가리키는 중국식 표현이다. 중국 정부가 발표한 「통지」 내용을 보면 크게 다음과 같은 사항을 골자로 하고 있다.

- 덕성에 문제가 있는 사람을 단호히 배척한다.
- 트래픽을 올리기 위한 자극적인 콘텐츠를 단호히 배척한다.
- 모든 것을 예능화하는 트렌드를 단호히 배척한다.
- 고액의 출연료를 단호히 배척한다.
- 업계 종사 인원의 관리를 강화한다.
- 권위 있는 전문가의 문예 비평을 전개한다.
- 관련 업계가 조직적 역할을 충분히 발휘한다.
- 관리 책임을 철저히 이행한다.

그런데 국내 언론은 검증도 되지 않은 외신보도 기사를 그대로 실어 나르기 바빴다. 중국 통지문 내용에는 화장품 관련 내용은 전혀 없다. 냥파오에 대한 언급이 '여자 같은 남자 퇴출' '화장하는 남성 연예인 퇴출'을 의미하는 것이 아니다. 통지문의 핵심은 남자 아이돌에 대한 규제가 아니라 TV 예능 프로그램 출연에도 이념적, 정치적 국가가 지향하는 방향에서 벗어나지 말라는 메시지가 담겨 있는 것이다.

2
란런과 종차오 경제를 잡아라

　미래 혁신을 볼 수 있는 세계 최대 전자·IT 전시회 'CES 2021'
이 씁쓸하게 마무리되었다. 코로나19로 사상 처음 온라인으로 개
최된 이번 전시회에서 미국 다음으로 우리 기업이 제일 많이 참가
했지만 무언가 허전함이 느껴진다. 그 이유는 과거 화웨이, 알리바
바, 바이두 등 중국의 대표적인 혁신기업이 모두 빠졌기 때문이다.
CES 2021 행사에 참여한 중국기업 수는 202개로 미중 간 마찰이
시작되던 2018년 1,551개 기업, 2019년 1,325개, 2020년 1,368
개 대비 확연히 줄어든 것을 알 수 있다. 미중 간 기술 패권 경쟁에
따른 중국기업의 조심스러운 행보와 중국 정부의 갈퀴를 숨겨야
한다는 가이드라인도 함께 작동한 듯하다.
　CES 2021의 핵심 키워드는 홈코노미Home at Economy와 모빌리
티Mobility 영역으로 압축할 수 있다. 특히 홈코노미는 코로나 영향
으로 인해 업무와 문화·레저를 즐기는 공간으로 변모하며 생겨난

새로운 소비 트렌드를 의미한다. 중국의 홈코노미 시장의 경우 소비시장 확대와 소비계층의 다양화와 세분화로 인해 이미 상업화 단계에 진입했다고 볼 수 있다.

코로나19로 자이경제가 부상했다

코로나19 확산으로 인해 중국은 세계에서 가장 먼저 도시 봉쇄를 시작했고 그에 따른 재택근무와 재택소비를 본격화했다. 홈코노미를 중국에서는 집을 뜻하는 '자이宅'를 써서 '자이경제宅經濟'라고 부른다. "2020-2021년 코로나19 기간 자이경제 서비스를 이용한 소비계층이 대략 10억 명으로 그들이 만들어내는 시장규모는 상상을 초월할 정도다." 자이경제의 생태계는 신선제품 커머스, 원격의료·교육·근무, 배달 서비스, 스마트 소형가전, 모바일 게임 등 그 영역과 범위도 매우 방대하다.

예를 들어 IDC 자료에 의하면, 중국 소형가전 시장규모가 2019년 4,020억 위안(약 68조 5,000억 원)으로 2022년에는 5,000억 위안(약 95조 원)을 훨씬 넘어섰다. 한편 중국 온라인 교육시장도 2020년 기준 사용자가 4억 명으로 시장규모는 4,538억 위안(약 77조 3,200억 원)으로 추정되고 있다. 10년 전 중국 전자상거래가 활성화되면서 자이경제의 기초를 마련했다면 코로나19는 자이경제가 활성화되는 계기가 되었다.

중국 사회와 시장의 트렌드를 잡아라

코로나19 확산은 중국인의 사고방식 변화뿐만 아니라 중국사회 전반에 많은 변화를 가져왔다. 자이경제를 기반으로 다양한 사회와 시장의 트렌드가 급격히 확산되는 추세이다.

란런경제懒人经济, 중차오경제种草经济, 야간경제夜经济, 싱글경제单身经济 등 핵심경제 트렌드가 빠르게 퍼져가고 있다. 새롭게 떠오르는 사회·경제 트렌드의 특징과 변화를 살펴보자. 첫 번째 트렌드로 란런경제가 시장의 변화에 따라 재해석되고 있다. 란런은 '게으른 사람'을 의미하는 중국어 표현이다. 란런경제는 2010년부터 등장한 소비 트렌드로 원래는 게으른 사람이 늘어나면서 이들을 만족시키는 상품이나 서비스 산업을 활성화하는 역할을 했다. 예를 들어 중국인의 대표적인 야식인 '마라롱샤'의 민물가재 껍질을 까주는 서비스, 반려견을 산책시켜주는 서비스, 누워서 보는 휴대폰 거치대 등 매우 다양한 란런경제 시장이 형성되었다.

그런데 최근 들어 부정적인 의미의 란런경제가 아니라 바쁜 일상생활의 직장인이 효율적으로 시간을 활용할 수 있도록 도와주는 신개념의 란런경제가 확산되고 있다. 코로나바이러스가 재확산되면서 란런경제가 중국 소비시장의 핵심 키워드로 성장하고 있다. 란런방(懒人坊, 게으름뱅이 마을)이라는 이름으로 각종 대행서비스를 제공하는 모바일앱, 청소 대행 전문 업체 등 우후죽순 새로운 제품과 서비스 업종이 생겨나고 있다. 또한 바쁜 직장인을 위한 각종 1회용 생활용품 판매와 구매를 대행하는 서비스를 하는 란런방 O2O 지역상권도 생겨나는 추세다.

알리바바 타오바오가 발표한 2018년 중국 란런경제의 시장규모가 160억 위안(약 2조 7,000억 원)으로 전년 대비 70% 증가했고 2020년은 200억 위안(약 3조 4,000억 원)을 넘어섰다. 란런경제의 10억 명에 달하는 자이경제 소비계층은 대략 10억 명으로 이 중 한 달 동안 해당 서비스를 이용한 순수한 이용자 수 MAU[20]는 8억 3,000만 명에 이른다. 이들이 만들어내는 시장규모는 수십조 위안에 이른다. MAU는 약 1억 5,000만 명으로 그중 1995년 이후 출생한 '지우우허우95后' 란런 소비계층이 전년 대비 82% 증가하며 가장 빠른 증가세를 보이고 있다. 특히 2021년 기준 란런경제 사용자가 약 2억 3,000만 명으로 란런경제의 대부분은 대도시의 젊은 직장인인 나홀로족이 주도하고 있다. 중국 국가통계국 자료에 따르면, 중국의 1인 가구 비중이 2018년 17%에서 2020년 약 20%로 증가하면서 중국 시장의 핵심 계층으로 주목받고 있다. 젊은 계층의 1인 가구는 더 많은 지출을 해서라도 시간을 아끼고 남는 시간을 관심사에 투자하는 소비 성향을 가지고 있다. 2021년 상반기 기준 중국 배달앱을 통해 배달음식을 주문하는 인구가 4억 명을 넘어서며 중국 사회의 새로운 트렌드로 자리매김했다.

두 번째 트렌드는 최근 중국에서 뜨고 있는 중차오경제种草经济의 폭발적 성장이다. 중차오경제는 상품을 추천해서 다른 사람의 소비 욕구를 자극하는 행위에서 발생하는 경제를 의미한다. 이른바 영향력 있는 소비자인 KOC(Key Opinion Consumers)와 왕훙网红[21] 등이 추천해서 물건을 구매하는 소비 현상을 의미한다. 70% 이상의 지우링허우95后 소비자는 소셜미디어를 통해 직접 구매하는 것을 선호하는 것으로 조사되었다. 중국의 대표적인 소셜미디어인 웨이보微博 통계에 따르면 1995년과 2000년 이후에 태어난 소비자의 76.6%는 중차오를 통해 물건을 구매하는 것으로 조사되었다. 그중 19%는 KOC 혹은 왕훙이 추천하는 제품에 대해 절대적인 신뢰를 하고 있다고 응답했다. 상황이 이렇다 보니 KOC 혹은 왕훙 기반의 라이브커머스가 상품 판매와 마케팅의 핵심으로 등장했다. 중국은 '라이브커머스의 공화국'이라고 불릴 만큼 전 산업과 영역으로 확산되고 있다.

전세계 라이브커머스에서 가장 앞서 있다

2021년 4월 20일 시진핑 주석이 산시陝西성 상뤄시 자수이현 농촌마을 특산물인 목이버섯을 판매하는 타오바오 생방송 스튜디오에 갑자기 나타났다. 평소 시청자가 1만 명 정도 된다. 그런데 시 주석의 깜짝 등장으로 약 2,200만 명이 동시 시청했고 그날 하루 약 23톤에 달하는 목이버섯이 판매되었다. 평소 4개월 판매 분량에 해당되는 약 320만 위안(약 5억 5,000만 원)의 매출을 기록했다. 중국 매체에서는 '역사상 가장 강력한 다이휘带货[22]가 나타났다'고 보도한 바 있다. 시 주석은 "전자상거래가 농수산물 판매와 홍보에 매우 중요하고, 앞으로 농촌 경제발전에 크게 도움이 될 것이다."라고 강조하며 라이브커머스가 향후 더욱 성장할 것으로 전망했다. 라이브커머스는 라이브 스트리밍과 전자상거래의 합성어로 모바일 앱이나 인터넷으로 실시간 중계하며 제품을 판매한다는 점에서는 홈쇼핑과 비슷하다. 하지만 판매자가 시청자와 실시간 채팅을 하면서 자유롭게 소통할 수 있고 수요자 중심의 방식이다.

전 세계에서 라이브커머스가 가장 발달한 국가가 바로 중국이다. 성장 규모도 엄청나다. 2019년 기준 중국 라이브커머스 거래액이 4,338억 위안(약 74조 원)에서 2020년에는 9,610억 위안(약 165조 원) 규모로 성장했다. 한편 2020년 6월 기준 라이브 스트리밍 시청자가 5억 6,200만 명으로 이 중 라이브커머스 사용자는 3억 900만 명에 이른다. 최근 우리나라도 라이브커머스가 본격화되고 있지만 중국은 이미 2016년부터 시작되어 플랫폼의 다변화와 BJ의 다양화 등 라이브커머스 생태계가 매우 빠르게 진화하고 있다. 사람, 제품, 장소, 플랫폼 등 4대 주체의 다원화로 중국 라이브커머스 생태계가 완전히 변모하고 있다. 4대 주체의 다원화 방향을 간략히 살펴보자.

첫째, 라이브커머스의 진행자인 사람(人)의 다원화로 기존 왕홍, 연예인, KOL(Key Opinion Leader) 중심의 BJ 주체가 정부관료, 생산자, CEO, 점원 등으로 다원화되면서 누구나 라이브커머스의 주체가 될 수 있다는 분위기가 확산되고 있다. 중국 시장조사기관인 아이리서치 자료에 의하면 전문적인 달인 혹은 왕홍 중심의 라이브커머스는 단지 13.6%에 불과하지만 제품 관련 기업 대표 혹은 직원 비중이 86.4%로 일반인이 대부분을 차지하고 있다.

둘째, 제품(貨)의 다원화로 화장품, 의류, 가공식품 등 기존 인기 온라인 판매 상품에서 가전, 가구, 주얼리, 부동산, 자동차까지 라이브커머스를 통해 판매되는 파격적 혁신을 거듭하고 있다. 최근

BMW, 아우디, 테슬라, 창안자동차 등 중국과 외국의 다양한 자동차가 라이브커머스를 통해 판매되면서 라이브커머스가 중국 내수 시장 판매에 가장 핫한 이슈로 부각되고 있다.

셋째, 장소(場)의 다원화로 기존 라이브 방송 스튜디오 중심에서 점차 제품을 판매하는 실제 매장, 산골 산지의 농장, 생산공장, 이동판매대, 도매시장, 해외 매장 등 오프라인 제품 생태계와 직접 연결되는 장소로 점차 확대되고 있다. 예를 들어 동대문시장에 가면 중국 왕훙들이 SNS를 통해 중국 소비자와 소통하며 다양한 한국 의류제품을 체험하며 구매하는 모습을 쉽게 목격할 수 있는 것처럼 오프라인 매장 현장에서 실시간 비즈니스가 진행되는 것이다.

넷째, 플랫폼(渠道)의 다변화로 라이브 채널이 매우 다양화되고 있다. 과거 타오바오 라이브나 징동 라이브 등 전통적인 전자상거래 플랫폼을 통한 라이브커머스가 최근에는 더우인(틱톡), 콰이서우快手, 비리비리bilibili, 샤오훙수小红书 등 쇼트클립·콘텐츠 플랫폼과 위챗, 웨이보 등 SNS 플랫폼을 통한 라이브커머스 방식으로 다원화되고 있다. 모바일 인터넷이 만들어내는 중국 라이브커머스의 진화는 도시를 넘어 농촌까지 확산되며 전통적인 판매채널의 개념을 무너뜨리고 있다.

중국 인터넷정보센터CNNIC 통계에 의하면, 2021년 기준 약 10억 명의 중국 네티즌 중 농촌 네티즌 수가 약 3억 1,000만 명에 이른다. 농촌 온라인 커머스 매출액은 약 2조 위안(약 371조 원)이다. 이 중 농산물 매출액이 약 5,000억 위안(약 92조 7,000억 원)으로 전년 대비 20% 증가했다. 라이브커머스가 농촌 경제 활성화의 새로운 주인공으로 자리매김하고 있다. 이제 중국에서 시작된 라이브커머스의 성공 모델이 점차적으로 미국과 우리나라로 확산되고 있다. 전형적인 역혁신reverse innovation이다. 개도국에서 만들어진 비즈니스 모델이 선진국으로 역류하는 것이다. 미국은 2019년 아마존 라이브 플랫폼을 개설하여 뷰티, 패션, 영유아 제품 등 다양한 상품을 판매하기 시작했다. 우리나라도 2020년 상반기를 기점으로 카카오, 네이버, 롯데백화점 등 다양한 플랫폼이 라이브커머스 방식을 통한 제품 판매에 적극적으로 뛰어들고 있다. 중국의 비즈니스 모델 혁신은 항상 우리가 생각한 것보다 빠르게 진화되고 있다.

온오프라인이 통합된 야간경제를 키워라

코로나와 미중 간 탈동조화로 인해 침체된 중국 내수시장 진작을 위해 정부가 적극적으로 야간경제夜经济를 지원하고 있다. 야간경제란 저녁 6시부터 다음 날 오전 6시까지 이루어지는 여행, 쇼핑, 헬스, 문화, 요식업 중심의 현대화된 소비 서비스 확대 정책을 의미한다. 중국 상무부가 발표한 「도시주민 소비습관 보고서」에 의하면, 2020년 기준 하루 소비 중 60%가 야간에 발생하고 대형 쇼핑몰의 경우 저녁 6시에서 밤 10시 사이 판매액이 하루 판매액의 50%를 초과하고 있다. 중앙정부 차원의 야간경제 활성화 방침이 발표되자 베이징과 상하이 등 지방정부 차원의 야간경제 활성화 정책이 쏟아지고 있다. 예를 들어 상하이는 금토일과 공휴일의 경우 지하철 등 대중교통의 운행시간을 평소 대비 1시간 연장하는 정책이 시행되고 있다. 대도시에는 24시간 오픈 경제 개념이 생겨나며 중국 내수 소비시장이 확산되는 추세다.

야간경제는 온오프라인이 통합된 개념으로 크게 네 가지 특징을 가지고 있다. 첫째는 쇼핑 활성화다. 온오프라인 쇼핑 확대, 배달음식 증가, 라이브커머스 활성화 등이 여기에 속한다. 알리바바 「야간경제 보고서」를 보면 인터넷 쇼핑, 배달음식 등 중국 소비자의 온라인 야간 소비가 확산되고 있으며 타오바오의 경우 저녁 9~10시 거래량이 가장 많은데 하루 전체 거래량 대비 40.3%를 차지하고 있다. 둘째는 엔터테인먼트 영역으로 모바일 동영상과 쇼트클립 시청이다. 셋째는 야식 배달 서비스 영역이다. 배달업체 어러머 자료에 의하면 심야 시간대 음식 배달 주문량이 2020년 기준 약 40%로 증가했다. 넷째는 야간문화 서비스 영역으로 박물관, 미술관, 관광지 야간개장을 통해 주변 소비상권을 확대하고 있다. 중요한 것은 야간경제 소비 주체가 20~30대로 중국 내수시장의 가장 주력군으로 자리잡았다는 것이다.

3

4억 명의 싱글경제를 잡아라

싱글족의 대변혁 시대가 온다

2020년 여름 중국에서 방영된 드라마 「겨우 서른」이 많은 젊은 이의 공감대를 얻으며 인기를 얻은 바 있다. 넷플릭스를 통해 해외에 소개되었고 70억 이상 조회 수를 기록하면서 2020년 가장 인기 있는 중국 드라마로 자리매김했다. 「겨우 서른」은 제목에서도 알 수 있듯이 서른 살을 앞둔 3명의 여자 주인공인 구지아, 왕만니, 중샤오친 각자의 힘든 도시 생활을 바탕으로 한다. 30대 여성이 겪게 되는 직장생활, 결혼, 이혼, 육아 등 난관을 거치며 성장하는 모습을 상하이라는 상징적인 도시를 배경으로 그려냈다. 현재 중국 30대의 고민과 사고방식을 가장 잘 반영한 드라마라고 볼 수 있다.

최근 중국에서는 결혼보다 독신의 삶을 선택하는 젊은이가 더욱 늘어나는 추세다. 중국 민정부 통계에 따르면 2018년 중국 독신 성인 인구가 약 2억 4,000만 명으로 그중 7,400만 명이 1인 가구로 생활하고 있고 2022년에는 1억 명이 넘을 것으로 전망했다. 중국 내 많은 전문가와 연구기관은 향후 10년 내 4억 명의 싱글족이 중국 사회의 변화를 주도하는 '싱글족의 대변혁 시대'가 올 것으로 전망하고 있다.

중국 싱글족의 증가 이유는 세 가지로 요약된다. 첫째, 급격한 이혼율의 증가다. 중국에서 '결혼률 하락, 이혼율 증가' 현상이 심각하게 나타나고 있다. 2020년 중국 혼인신고 건수는 총 814.3만 쌍인데 같은 해 이혼 건수는 총 433.9만 쌍으로 이혼율이 50%를 넘는다. 인구통계학적 관점에서 중국의 조혼인율(인구 1,000명당 혼인 건수)은 2018년 7.3%에서 2020년 6.4%로 하락했고, 조이혼율(인구 1,000명당 이혼 건수)은 1987년에는 0.5%였는데 2003년부터 점차 상승하기 시작해 2020년 3.8%로 18년 연속 상승하는 추세다. 이미 2010년과 2013년에 각각 일본과 우리나라를 추월했다. 2021년 1월 1일부터 개편된 중국 「민법」에는 '이혼 냉정기'라는 제도가 새로 추가되었다. 이혼 신청을 한 뒤 30일 동안 쌍방 중 한쪽이 이혼 신청을 취소하는 경우 이혼 접수 자체가 거부되는 제도다. 급증하는 젊은 부부의 이혼율을 막기 위한 중국 정부의 고육책이다. '이혼 냉정기' 제도가 도입된 이후 중국 SNS에서는 '더 결혼이 하기 싫어졌다'라는 댓글이 젊은이들의 공감대를 얻으며 급속히 퍼져가고 있다. 중국에는 과거 결혼 7년 차가 되면 권태기가 온다는 '7년지양七年之痒'이라는 말이 있었다. 그러나 최근 1980~1990년대생 젊은이들 사이에는 '2년지양兩年之痒'이라는 말이 유행하고 있다.

둘째, 고학력 골드미스의 반란이다. 중국에서는 '남겨진 여자'라는 뜻의 '성뉘剩女' 라는 신조어가 있다. 우리말로 노처녀, 골드미스라는 의미다. 결혼하지 못하는 의미보다는 능력 없는 이성을 만나 결혼해서 힘들고 어렵게 살아가느니 차라리 하지 않겠다는 여성을 의미한다. 중국 이혼 데이터를 살펴보면 여성이 먼저 이혼소송을 제기하는 비율이 70% 정도로 조사되고 있다. 대학 졸업생 비중은 여성이 남성보다 높고 25~55세 여성의 노동참여율도 90%에 이를 정도로 여성의 사회참여도가 남성보다 훨씬 높다. 그러다 보니 좀 더 가치 있는 삶을 추구하는 여성이 많아지고 있다. 그만큼 결혼 가치관의 변화와 육아 등 사회비용의 증가로 여성들 사이에서 구속된 결혼생활보다는 멋진 싱글족으로 살아가는 게 낫다는 조류가 형성되고 있다.

셋째, 막중한 혼수 부담으로 결혼을 포기하는 남성이 늘어나고 있다. 결혼 적령기의 남성들 사이에서는 '3개의 큰 산三大山'을 준비하지 못하면 결혼을 못 한다는 얘기가 이미 보편화된 것 같다. '3개의 큰 산'은 남성이 결혼할 때 준비해야 할 세 가지 혼수품을 의미한다. 즉 아파트, 자동차, 현금예물이다. 특히 지속적인 부동산 가격 상승은 남성들의 결혼 포기로 이어지고 있고 출산율 하락의 주요 원인으로도 대두되고 있다. 통계를 보더라도 부동산 가격이 10% 상승할 때마다 출산율이 1.5% 하락하는 것으로 나타나고 있다. "집값이 가장 좋은 피임약이다."라는 말이 유행할 정도로 부동산 상승에 따른 출산율 하락은 가파르다. 현금예물도 지역과 사람마다 다르긴 하지만 금액이 점점 커져 가는 추세다. 현금예물을 중국에서는 차이리彩礼라고 부르는데 신랑이 신부 측에 감사하다는 의미로 건네는 일종의 지참금이라고 볼 수 있다. 중국 1·2선 도시 현금예물의 평균 금액이 수천만 원에 이르며 큰 부담으로 작용해 결혼을 아예 포기하는 남성들이 늘어나고 있다.

최근 중국 사회와 중국인의 사고방식 변화는 기존의 경제 흐름과 트렌드를 뒤바꾸고 있다. 향후 4억 명의 중국 싱글족이 만드는 중국 내수시장은 분명 우리 기업에 또 다른 기회로 다가올 수 있다. 4억 명의 싱글족에 올라타야 한다. 1인 가구의 증가는 중국뿐만 아니라 우리나라도 매우 빠르게 증가하고 있다. 행정안전부 자료를 보면 2020년 기준 인구는 줄어들고 있지만 1인 가구의 비중이 39.2%로 큰 폭의 증가세를 보이고 있다. 따라서 한국과 중국 시장을 함께 고려한 투 트랙 비즈니스 전략으로 변화하는 양국의 젊은 소비 트렌드를 이해하고 그에 맞는 맞춤형 제품과 서비스로 시장에 접근해야 한다.

인구 감소가 가져올 변화를 예측하라

'중국 인구가 14억 명 아래로 떨어졌고 곧 인도가 세계 1위의 인구대국'이 될 것이라는 외신보도가 나오면서 10년에 한 번 진행되는 2021년 중국 제7차 인구조사 결과에 관심이 집중되었다. 중국 국가통계국이 발표한 제7차 인구센서스 공식 통계를 보면 2020년 중국 인구(홍콩, 마카오 포함)는 약 14억 2,000만 명으로 전년 대비 1,173만 명이 증가했다. 10년 전 제6차 인구조사 대비 약 7,200만 명 늘어났지만 인구증가 속도는 확연히 떨어졌다. 지난 10년 연평균 증가율은 0.53%로 특히 2017년부터 신생아 수가 3년 연속 감소하고 있다. 2020년 신생아 수가 약 1,246만 명으로 전년 1,495만 명 대비 약 250만 명이 감소했는데 그 속도가 더욱 가파르다. 중국은 개도국 발전 전략에 따라 1982년 산아제한 정책을 시행했고 출생률이 하락하자 2012년부터 부부 중 한 명이 독생자일 경우는 3~5년의 터울을 두고 둘째를 낳을 수 있도록 정책을 완화했다. 그리고 2015년부터 2자녀 정책을 본격적으로 시행하며 반짝 증가세를 보이다가 다시 2017년부터 하락하기 시작했다.

결국 중국 정부는 2021년 5월 '1가정 3자녀' 허용 정책을 발표했다. 지금 상황으로는 3자녀 허용 정책도 곧 폐지될 것으로 전망된다. 상황이 심각하다 보니 남성의 정관수술도 정부가 통제하고 있다. 지역마다 약간 다르지만 대부분은 병원에서 정관수술을 하기 위해서는 정부의 허가를 받아야 하는 게 암묵적인 관행이 되었다. 관련 데이터를 보면 중국 정관수술 건수가 2015년 약 15만 건에서 2020년에는 약 4,000여 건으로 확연히 감소했다. 최근 중국 관영매체 사설에서 '인구 감소에 대비해 9,400만 명의 공산당원은 3명의 자녀를 의무적으로 낳아야 한다.'라는 내용이 언급되면서 논란을 불러일으킨 바 있다.

1자녀 산아 제한 기준을 어기고 불법으로 출생한 호적이 없는 아이들, 이른바 '헤이하이쯔黑孩子'의 천국이었던 중국이 대전환의 시대에 봉착한 것이다. 3자녀 정책이 시행되면서 과거 과중한 세금부과 등 엄격한 산아제한 정책으로 2000~2010년에 태어났으나 출생신고가 안 된 1,160만 명이 합법적으로 호구를 갖게 되었다. 중국 제7차 인구조사 결과가 주는 의미와 시사점은 무엇일까? 필자는 세 가지 측면에서 인구 감소가 가져올 향후 중국의 변화를 전망해보고자 한자.

첫째, 출산장려 정책의 재정과 제도 확대, 농민공 제도개혁 개편이다. 현재 출산장려 정책은 매우 미흡한 실정이다. 물론 둘째, 셋째 자녀를 출산할 경우 출산장려금을 받을 수 있다. 그러나 관련 규정에 부합해야 받을 수 있기 때문에 실제 둘째 자녀를 출산해도 받지 못하는 사람이 많다. 출산장려금의 경우 월급과 해당 지역경제 수준에 따라 금액의 차이가 매우 크고 실제 수령금액도 얼마 되지 않는다. 장려금 지급 방식도 매우 다양하다. 2019년 1월 1일부터 정식 시행되고 있는 「의료위생영역의 중앙 및 지방 재정권한 및 지출책임 구분 개혁방안」에 의하면 지역별로 크게 5등급으로 구분하여 중앙과 지방의 분담금을 규정하고 있다. 예를 들어 광시, 구이저우, 충칭, 네이멍구, 티베트 등 1급에 해당하는 지역은 중앙이 80%, 지방이 20%를 분담하는 구조이고 베이징, 상하이 등 5급 지역은 중앙이 10%, 지방이 90%를 분담하는 형태다. 중국은 인구보너스 효과와 저렴한 인건비를 통한 '메이드 인 차이나'를 기반으로 G2 반열에 오를 수 있었다. 따라서 적극적인 재정 확대와 출산장려 정책 도입, 농민공에 대한 전폭적인 개혁조치를 통해 최대한 인구 감소 위기에 대처하고자 할 것이다.

둘째, 생산인구 감소로 인한 글로벌 공급망 변화의 가속화다. 제7차 인구조사에서 가장 큰 특징은 15~59세 노동가능인구의 감소

추세가 매우 뚜렷하다는 것이다. 우선 연령대별 비중을 보면 2020
년 기준 0~14세 인구가 2억 5,339만 명(17.9%), 15~59세 인구가
8억 9,438만 명(63.4%), 60세 이상 인구가 2억 6,402만 명(18.7%)
을 차지하고 있다. 중국 경제성장의 허리 역할을 하는 15~59세
생산가능인구가 2010년 대비 6.8% 줄었다. 값싼 농민공에 의해
1978년 개혁개방 이후 급격한 경제성장을 이루었다. 하지만 향후
생산가능인구 감소로 인해 임금이 상승하는 '루이스 전환점'이 더
욱 가속화될 것이다. 임금인상은 기업의 비용 상승으로 이어지면
서 탈중국화 현상이 가속화되면 결국 중국 경제성장 둔화의 촉매
제가 될 수도 있다. 저출산, 고령화의 고착화로 향후 저축률이 떨
어지면 더욱 큰 위험에 직면할 수도 있다. 그로 인해 2030년을 기
점으로 글로벌 공급망의 대변화가 일어날 가능성을 배제할 수 없
다. 특히 중국의 노동인구 감소 대비 미국은 반대로 이민 유입 확
대에 따른 노동인구가 유지될 경우 새로운 글로벌 공급망 구조개
편이 가시화될 수도 있다.

셋째, 성장 방식의 변화와 디지털 인재 강국으로의 전환 가속화
다. 중국은 양적 인구 보너스 효과가 향후 10년 내 상쇄될 것으로
전망하고 있다. 따라서 질적 인구보너스 효과를 최적화하기 위한
노력을 더욱 경주할 것이다. 과거 인구대국의 '메이드 인 차이나'가
아니라 인재 강국의 '디지털 인 차이나'로 성장 방식의 변화를 더
욱 가속화할 것이다. 제조업이 아니라 하이테크 고부가가치 중심
의 성장 방식 전환을 통해 적신호가 켜진 인구오너스 위기를 모면
하고자 할 것이다. 사실 중국의 인재육성 정책은 이미 빠르게 과학

기술 인재 중심으로 재편되고 있다. 중국은 본래부터 테크노크라트(기술관료)[23] 중심의 국가로 이공계 인재가 대우받는 사회다. 중국 고등교육학회 자료를 보면 신중국이 설립되던 1949년 이공계 전공 비중이 13.7%였지만, 70년이 지난 2019년 기준 35.4%로 증가하며 3분의 1 이상이 이공계 관련 전공이다. 칭화대, 베이징대 등 일류 중점대학만 살펴보면 이공계 전공 비중이 47.6%로 거의 절반을 차지한다. 2016년 세계경제포럼에서 중국은 연간 470만 명의 STEM(과학, 기술, 공학, 수학) 졸업생을 배출하며 인도를 훨씬 능가한다고 언급한 바 있다.

중국은 미래 성장동력에 맞게 인구 감소의 공간을 향후 디지털 인재양성을 통해 메우고자 할 것이다. 유엔경제사회국UNDESA이 발표한 2019년 세계인구전망 보고서를 보면 2024년 인도가 중국을 추월해 세계 1위 인구 대국이 되고 중국은 2024년 14억 3,191만 명의 정점을 찍고 2100년에 7억 3,189만 명으로 줄어들 것으로 전망하고 있다. 중국이 조급해진 이유다. 결코 남의 일이 아니다. 유엔은 한국의 경우 2031년에 인구 정점인 5,429만 명을 기록한 뒤 점차 감소하기 시작해 2100년에 2,678만 명이 될 것으로 전망하고 있다. 우리의 출산장려 정책과 인재육성에 대한 전반적인 고민이 필요한 시점이다. 틀을 깨는 교육 방식으로 미래 사회를 준비해야 한다.

4

MZ세대를 잡아라

왜 네이쥐안과 탕핑이란 신조어가 만들어졌는가

요즘 중국 정부의 알리바바, 텐센트, 메이퇀디엔핑美團點評, 디디
추싱滴滴出行 등 자국 플랫폼 기업에 대한 강력한 단속과 제재 관련
얘기가 중국 젊은 세대의 가장 핫한 이슈다. 그들 대부분은 당연한
결과이고 정부가 잘하고 있다고 평가한다. 이를 최근 중국 젊은이
들 사이에서 부는 애국소비, 중국 트렌드라고 불리는 '궈차오國潮'
열풍의 맥락으로 이해할 수도 있다. 그러나 그것은 매우 단편적인
접근이다. 중국 사회의 핵심 동력인 2030세대들은 과연 정부에 대
해 어떻게 생각하고 있을까? 필자가 그동안 인터뷰한 조사내용을
근거로 보면 두 가지 이유에서 시진핑 정부를 적극적으로 지지하
고 있다.

첫째, 시진핑 집권 이후 그들의 임금이 향상되고 있다는 것이다.
2013년 집권 이후 매년 10% 전후로 증가하는 추세로 국유 혹은 외자 기업은 2020년 코로나 팬데믹의 어려운 상황임에도 불구하고 전년 대비 7.6% 상승했다. 민영기업도 전년 대비 7.7% 증가하는 등 가파른 상승세를 보이고 있다. 이는 정부 입장에서 중국 내수시장 활성화를 통한 경제성장과 공산당에 대한 국민의 지지를 끌어올릴 수 있는 일거양득의 효과가 있다. 특히 소프트웨어, IT 제조, 플랫폼 등 정보통신기술 업종의 임금 상승 폭이 크다 보니 고학력 엔지니어 젊은 세대가 더욱 지지할 수밖에 없다.

둘째, BAT(바이두, 알리바바, 텐센트)를 중심으로 시작된 디지털 경제가 확산되고 그에 따른 경쟁이 과열되면서 고학력 젊은 세대의 고달픈 삶을 정부가 대변하고 있다고 믿는 것이다. 아침 9시부터 저녁 9시까지 일하고 주 6일 일하는 근무환경을 일컫는 '996문화'는 이미 중국 젊은 세대에게 보편화된 용어로 자리잡았다. 과거 알리바바의 마윈 회장은 996문화를 '젊은 세대들의 축복이다.' '그런 열정과 패기로 일을 해야 한다.'라는 발언을 한 바 있다. 그의 발언은 엄청난 파급을 몰고 왔다. 그를 존경하고 힘든 노동과 삶 속에서 성공의 롤모델로 생각했던 젊은 세대는 피도 눈물도 없는 자본주의자라고 마윈 회장을 비판하기 시작했다. 마윈 회장은 '알리바바는 절대 강제로 야근을 시키지 않는다.'라고 강조했지만 젊은 세대의 반응은 냉담했다. 만약 알리바바에서 야근하지 않고 996을 이행하지 않으면 그 안에서 생존할 수 없다는 것은 누구나 아는 사실이라며 항변하고 있다. 중국 정부가 알리바바 등 플랫폼 기업을 제재하는 배경에는 수많은 젊은 세대의 지지와 호응을 바탕으로 설계된 측면도 배제할 수 없다.

최근에는 월요일부터 토요일까지 6일 동안 오전 8시부터 밤 11시까지 8시간 노동한다는 811648, 0시부터 다음 날 0시까지 매주 7일 근무하는 휴식 제로 상태를 의미하는 007 등 수없이 많은 신조어가 생겨나고 있다.

이와 함께 치열한 IT 생존경쟁에서 살아남기 위해 노력하는 젊은 세대와 그들의 행동을 대변하는 신조어가 중국 SNS를 통해 급속히 확산되고 있다. 바로 '네이쥐안內卷'과 '탕핑躺平'이다. 네이쥐안의 사전적 의미는 '안으로 말린다'는 뜻인데 양적 성장만 하고 질적 성장과 발전이 없어 사회가 정체된다는 의미의 인류학과 사회학에서 쓰이는 학술 용어다. 일반적으로 내권화 또는 인볼루션 involution이라고 표현한다. 쉽게 말해 치열하고 과도한 내부경쟁과 취업을 위한 다양한 스펙 쌓기 등 중국 젊은 세대의 지치고 힘든 현상을 일컫는 과로 사회, 번아웃을 의미한다.

한편 탕핑의 사전적 의미는 '평평하게 누워 있다.'라는 뜻으로 노력을 강조하는 네이쥐안과는 상반되는 개념으로 볼 수 있다. 탕핑은 '과로하지 말고 얻기 쉬운 성과에 만족하며 적당한 휴식을 취하며 살자.'라는 중국 젊은 세대의 아픈 자화상을 반영하고 있다. 일본의 사토리 세대, 우리 사회의 N포 세대, 일할 의지가 없는 청년 무직자를 말하는 니트족과는 약간 다른 개념이라고 볼 수 있다. 탕핑족, 탕핑 세대, 탕핑주의로 대변되는 중국의 탕핑문화는 '열심히 일해봐야 성공할 수도 없고 집 사기도 힘들다. 그런데 뭘 그렇게 힘들게 살아. 적당히 필요한 돈만 벌고 그냥 편안하게 누워 있자.'라는 젊은 세대의 힘들고 고달픈 처지를 드러낸다. 어차피 일부 독점 기업들이 만든 생태계에서 우리는 기계적으로 일만 하고 사회적 계층 이동은 힘드니 그냥 포기하고 편안하게 사는 게 낫다는 것이다.

이러한 탕핑문화는 나아가 좌절감과 상실감으로 대변되는 상문화_{喪文化}로 확대되며 1990년대 이후 태어난 젊은 세대를 무기력하게 만들고 있다. 상_喪은 크게 두 가지 의미가 있다. 하나는 상실하다, 잃어버리다, 좌절하다는 뜻이고 다른 하나는 죽은 사람과 관련 있는 상, 장의의 뜻이다. 상문화는 어차피 노력해도 안 되니 현실에 희망을 품지 말고 그냥 포기하고 살자는 젊은 세대의 상실과 좌절의 문화를 해학적으로 표현한 신조어다. 한편으로는 생존을 위한 업무와 사회의 중압감에서 탈출구를 찾는 몸부림이면서 자기위안, 자아승리를 위한 심리적 저항을 의미하는 용어로도 이해할 수 있다.

이 밖에 같은 한자 문화권인 일본에서 파생된 용어가 중국 젊은 세대에서 유행하는 것들도 있다. 서추_{社畜}와 포시_{佛系}가 대표적이다. 서추를 직역하면 회사의 노예, 회사의 개라는 뜻으로 샐러리맨, 월급쟁이의 자조적인 표현이다. 포시는 모든 일을 담담하게 보며 살아가는 태도를 의미한다. 포시는 일본 잡지에서 소개된 '포시남자_{佛系男子}'에서 유래되어 중국에서 쓰이는 신조어다. 이 용어는 이성과 교류하기를 꺼려 하고 자신의 관심사에만 집중하는 신세대 남성을 가리킨다. 이후 포시란 용어는 온라인에서 불교계 청년, 불교계 생활방식, 불교계 부모로 응용되면서 급속히 확산됐다. 높은 수준의 교육을 받았지만 적절한 일자리를 찾지 못하는 청년들이 늘어나면서 물질세계에서 동떨어진 사람들을 일컫는 유행어다.

'더 격렬하게 누워 있고 싶다'고 외치는 젊은 세대의 한탄과 메아리는 중국 정부가 풀어야 할 숙제로 남았다. 급등하는 부동산 가격과 독점적인 플랫폼 기업에 의해 고통받는 젊은 세대의 마음을 얻지 못하면 국가의 미래를 장담할 수 없기 때문이다. 중국 사회의 변화를 통해 경제발전 방향과 정책 방향을 읽을 수 있다. 결코 남의 일이 아니다. 코로나19와 글로벌 경제의 험난한 파도 속에서 우리 젊은이들도 더 격렬하게 눕고 싶다고 외치지 않을까 걱정이 앞선다. 우리나라의 미래를 위해 젊은 세대가 희망과 용기를 가질 수 있도록 정책을 마련해야 한다.

중국 라면계의 명품 라멘숴는 어떻게 성공했는가

힘들고 고달픈 중국 젊은 세대의 마음을 파고들어 성공한 중국 라면 기업 사례가 있다. 이른바 '라면계의 에르메스'라고 불리는 라멘숴(拉面说, Lamian Talk)다. 전 세계 라면 판매의 40%를 중국인이 먹는다. 한 명의 중국인이 1년에 평균 약 30개의 라면을 먹는 것으로 조사될 만큼 중국은 글로벌 라면 시장의 중심이라고 볼 수 있다. 이런 거대한 중국 라면 시장에 다크호스가 나타난 것이다.

(사례 28 라멘숴의 파격 마케팅 사례)

라멘숴는 회사 설립 4년 만에 캉스푸康師傅, 퉁이统一, 농심 등 중국 내 인스턴트 라면 기업을 위협하는 신흥강자로 올라섰다. 라멘

MZ세대를 파고든 라멘쉬

(출처: 바이두)

쉬는 2016년에 1990년대생 3명의 여성이 창업한 회사로 2020년에만 6억 개가 넘는 프리미엄 라멘쉬를 팔았다. 일반 라면은 저렴하지만 건강에 좋지 않고 배달음식은 약간 비싸고 금방 질린다는 단점 사이로 틈새시장을 파고든 브랜드라고 볼 수 있다. 라멘쉬는 2억 명이 넘는 싱글경제의 젊은 독신자들과 치열한 경쟁 속에서 살아남기 위해 고생하는 젊은 세대의 마음을 관통하며 중국 라면 시장의 다크호스로 등장했다. 대도시에 사는 젊은 싱글들은 직접 요리하는 건 귀찮아하지만 그렇다고 영양가 없는 인스턴트 라면으로 한 끼를 때우는 것을 좋아하지 않는 란런경제를 정확하게 공략했다. 또한 '혼자라도 자신한테 잘해주세요—个人.也要对自己好一点'라는 슬로건으로 중국 젊은 세대의 마음을 사로잡았다.

최근 중국 20~30대 젊은 직장인들 사이에서 유행하는 출근 인사가 '자오안, 다궁런早安, 打工人'이다. 우리말로 '좋은 아침, 생계를 위해 열심히 사는 노동자' 정도로 번역된다. 지방에서 올라와 도시에서 직장생활을 하며 하루하루 힘들게 살아가는 젊은 세대의 자화상을 엿볼 수 있는 인사말이다. 원래 다궁打工은 아르바이트하다, 일하다는 뜻이다. 다궁런은 알바 뛰는 사람 혹은 월급쟁이를 지칭하는 말로 약간의 부정적 뉘앙스를 가진 표현이지만 젊은이들은 스스럼없이 스스로를 다궁런으로 부른다. "힘내라, 다궁런. 그럼 기회가 있을 거야."라는 자조 섞인 의미의 말이기도 하다. 라멘쉬는 이런 다궁런의 마음을 사로잡는 새로운 표현을 만들었다. 다궁런의 업그레이드 버전인 '다잔런打圽人'이라는 표현이다. 여기서 관심 있게 봐야 할 단어가 바로 '잔(圽, 펼 전)'이라는 한자다. 잔은 '일하다'는 뜻의 궁工이 4개나 된다. '새해가 되어서 일하고, 변함없이 매일 일하고, 매년 반복되게 일하고, 또 일을 한다. 그래서 다궁런이 다잔런으로 변해간다.'라는 메시지가 담겨 있다. 라멘쉬 라면은 '다잔! 힘들죠. 자신에게 잘해주세요打圽不易 厚待自己'라는 슬로건으로 중국의 MZ세대를 위로하고 있다. 그냥 먹는 라면이 아니라 힘든 젊은 세대를 위로하는 하나의 휴식처인 것이다.

라멘쉬는 건강을 위해 기름에 튀기지 않은 건면 기술과 반조리 기술로 조리가 간편하면서도 맛을 낼 수 있어 젊은 세대에게 인기가 높다. 맛과 건강을 추구하는 젊은 소비자의 마음을 사로잡으며 특유의 한정 판매 이벤트, 온오프라인 플랫폼 결합 판매, 기타 브랜드와의 융합을 통한 새로운 스토리텔링으로 더욱 확장되고 있다. 예를 들어 라멘쉬의 감기약 라면이다. 중국인의 국민 종합감기약이라고 할 수 있는 '999간마오링'과의 콜라보를 통해 바쁘고 힘든 중국 MZ세대의 마음을 사로잡은 대표적 사례다.

필자가 중국에서 유학하고 주재원 생활을 하면서 감기에 걸렸을

라멘쉬와 999간마오링의 콜라보 홍보 이미지

(출처: 바이두)

때 약국에 가면 중국 약사들이 서슴지 않고 가장 먼저 추천하는 종합감기약이 바로 30년 역사의 999간마오링이다. 뜨거운 물에 타서 마시는 분말 타입의 중의학 종합감기약으로 14억 중국인이 모두 아는 브랜드라고 할 수 있다. 당연히 중국 MZ세대는 어릴 때부터 아플 때마다 999간마오링을 마시며 성장했을 것이다. 라멘쉬는 999간마오링과의 콜라보를 통해 '건강함'과 '따뜻함'이라는 이미지를 스토리텔링하여, 이른바 '감기라면'을 탄생시켰다. "힘들고 고달픈 외지생활, 직장생활 중 아프지 마세요. 아플 때는 어릴 때 마셨던 999간마오링을 생각하며 건강하게 따뜻한 라멘쉬의 감기라면을 드시면 힘이 나실 거예요." 1990년대생 라멘쉬의 젊은 여성 CEO들의 과감한 경영방식과 마케팅 전략을 통해 중국 MZ세대의 지지를 받으며 기존 라면 업계의 판도를 바꾸고 있는 셈이다.

라멘쉬의 파격적 마케팅은 여기서 멈추진 않는다. '먹을 수 있는 명화名畫'라는 콘셉트로 예술라면을 출시했다. 영국 국가미술관과의 콜라보를 통해 반 고흐의 「해바라기」, 클로드 모네의 「수련」, 폴 고갱의 「꽃병」 등 대표 미술작품을 라멘쉬 프리미엄 라면의 포장

라멘쉬와 명화 콘셉트 예술라면

(출처: 바이두)

디자인으로 활용했다. 음식과 예술의 콜라보를 통해 단순히 한 끼 때우는 라면이 아니라 바쁜 직장생활 중에 자기의 가치와 소중함을 잊지 말라는 메시지가 담겨 있는 것이다. 라멘쉬는 이처럼 1990년대생과 2000년생 젊은이들의 호기심을 자극하며 신선한 이미지로 빠르게 시장을 확대해가고 있다.

왜 젊은 세대는 마오피팡 구매 열풍인가

베이징, 상하이, 광저우 등 대도시에서 마오피팡毛坯房을 구매하는 젊은 직장인이 많아지고 있다. 마오피팡은 건물은 완공되었지만 타일이나 벽지 등 내부 장식은 전혀 되어 있지 않은 콘크리트와 바닥만 있는 주택을 일컫는 말로 우리에겐 매우 낯선 공간이다. 이와 반대로 건설 시공사가 타일, 벽지 등 기본적인 모든 내부 장식을 한 후 분양하는 주택을 징좡팡精裝房이라고 부른다. 당연히 마오피팡이 징좡팡보다 훨씬 저렴하다. 시골에서 올라와 도시 직장생활을 하는 젊은 세대는 아무리 열심히 돈을 벌어도 올라가는 부동산 가격을 따라갈 수 없고 조금이라도 싼 마오피팡이라도 빨리 사야 한다는 불안감과 부동산 가격이 더 오를 것이라는 강한 믿음에서 기인한 현상이다.

2017년부터 중국 정부는 부동산 가격을 잡기 위해 부동산 기업의 재무건전성 강화와 강력한 대출규제 정책을 시행하고 있지만 베이징과 상하이 등 대도시 지역의 주택가격은 계속 상승하고 있다. 최근 웨이보 등 중국 SNS상에서 팡누(房奴, 집의 노예)가 되지 말고 스스로 팡주(房主, 집의 주인)가 되자며 아무것도 없는 마오피팡을 스스로 꾸미고 집을 채워나가는 모습을 공유하는 젊은 직장인을 쉽게 발견할 수 있다. 일부 계정의 경우 수백만, 수천만 명이 '좋아요'를 누르고 팔로우하며 나도 빨리 마오피팡을 사서 팡주가 되고 싶다는 댓글이 수없이 달린다. '아파트가 없으면 결혼도 포기해야 한다'는 말은 이제 젊은 남성들 사이에서는 매우 보편화되었다. 그중에서 필자의 시선을 끈 문장을 게시한 SNS 계정이 있었다. "집을 살 수 없는 우리 젊은 세대, 당신의 중국몽은 아직 얼마나 남았나요?" 의미심장한 말이다. 정부에 비수를 꽂는 말이면서 지금 중국의 상황을 함축적으로 대변하는 표현이다.

글로벌 리스크로 확대되고 있는 중국 최대의 부동산 기업인 헝다그룹의 파산위기 사태도 중국 젊은이들의 마오피팡 구매 열풍과 무관하지 않다. 헝다는 2000년 초반부터 중국 전역 약 280개 도시에 1,300개 이상의 아파트와 오피스·상가건물을 지으며 엄청난 부를 축적했다. 중국의 경제성장과 부동산 호황을 등에 업고 부동산 업계 2위 기업으로 급성장했고 2021년 기준 포춘 글로벌 500대 기업의 122위까지 오른 기업이다. 참고로 우리나라의 SK는 129위다.

치솟는 부동산 가격은 아파트 매수 열기를 계속 부추겼고 베이징, 상하이 등 대도시의 아파트 가격은 더욱 가파르게 상승했다. 이러한 부동산 열풍이 지금의 헝다그룹을 만들었다고 해도 과언이 아니다. 아파트를 지으면 지을수록 돈을 버는 구조이다 보니 헝다와 같은 대기업을 포함해 많은 중소 부동산 기업들이 은행대출을 받아 무작정 아파트를 짓기 시작한 것이다. 헝다가 지은 지방 아파트 건물의 수요층은 대부분 젊은 직장인이라고 볼 수 있다. 예를 들어 헝다 아파트 물량의 미분양 사태가 발생하면 10만 명이 넘는 헝다 영업사원을 동원해 젊은 직장인을 대상으로 그들의 초조하고 불안한 심리를 자극해 할인된 금액의 마오피팡을 판매해왔기 때문이다.

중국 정부는 "주택은 거주용이지 투기용이 아니다房住不炒."라고 외치며 올해 상반기까지 300건이 넘는 부동산 규제 정책을 쏟아내고 있지만 대도시 부동산 가격은 큰 변화가 없다. 이제 부동산 문제는 공산당 리더십을 판단하는 또 하나의 중요한 잣대가 되고 있다. 부동산 이슈는 향후 중국 경제 전반에 큰 영향을 미칠 가능성이 크다. 중국 내 실물경제와 공산당의 정치 리더십에 미치는 파급이 절대 만만치 않다. 중국 부동산 건설사의 파산으로 인해 경제적 피해를 본 중국 시민들의 시위 확산과 젊은 세대의 마오피방의 아픔이 심화될수록 중국 정부의 고민은 더 커져갈 수밖에 없다. 빚 내서 아파트를 짓지 말라는 경고를 무시한 중국 부동산 건설사의 파산위기를 그냥 지켜볼 것인지, 아니면 악화될 실물경제와 사회 혼란을 막기 위해 헝다 살리기에 나설지 전 세계가 주목하고 있다. '당신의 중국몽은 아직 얼마나 남았나요?'라고 외치는 젊은 세대의 절규에 그 해답의 실마리가 있는 듯하다.

5
중국어의 함정에 주의해야 한다

"교수님, 중국 사업은 다른 나라 대비 성공적 결과물을 만들기까지 시간이 너무 오래 걸립니다."

중국 사업을 하는 많은 분이 필자한테 자주 이런 하소연을 한다. 왜 그럴까? 그 이유는 중국기업의 첫 미팅 때부터 사업 방향성에 대한 정확한 의사소통이 이루어지지 않기 때문이다. 다시 말해 언어와 사고방식의 차이로 한중 양국 기업이 바라보는 사업 방향이 굴절되기 때문이다. 우리는 보이지 않는 시각의 함정이 분명히 존재하는데도 표면적인 합의점에 도달했다고 믿는 경향이 있다. 중국 사업은 계약으로 시작해서 계약으로 끝난다는 말이 있다. 모든 협상에서 진행되는 얘기는 가능한 문서로 남겨야 한다는 것이다. 우리나라와 중국 간의 이질적인 문화, 통역상의 오해, 서류와 업무절차 표준화의 미흡함, 모니터링과 피드백 시스템의 부재 등으로 인해 중국 사업 실패 사례가 매우 많다. 이를 방지하기 위해서는 첫 미팅 때부터 논의된 사항에 대해 모두 문서로 남겨둘 필요가 있다. 조금은 번거롭지만 오늘 무슨 얘기를 했고 향후 어떤 식으로 진행할 것인가 등 대화 내용을 문서화한 뒤 상호 도장을 찍어 보관하는 것이 가장 좋은 방법이다. 중국인이 자주 하는 말 중 "선소인 후군자先小人 后君子."라는 격언이 있다. "먼저 소인이 되고 후에 군자가 되어라."라는 말이다. 우선 세세하게 따진 후 대범하게 대응하며 협상은 한 치의 양보 없이 하고 일단 결정되면 충실히 약속을 지킨다는 뜻이다. 비록 처음에는 조금 어색할 수 있다. 하지만 중국인은 자신들의 언어와 비즈니스 문화를 잘 모르는 외국인의 입장에서 그럴 수도 있다고 충분히 이해한다.

중국어는 정확한 의중을 알기가 어렵다

일반적으로 중국어는 입문은 쉽지만 고급까지 가기는 어렵다고 얘기한다. 특히 학교에서 배운 사전적 중국어 표현이 실제 비즈니스 현장에서는 다르게 해석되는 경우가 많기 때문이다. 현대 중국어는 단순히 한자로서 접하는 표의문자만 있지 않다. 표음, 의성어, 의태어 등 매우 다양해서 내포된 화자의 정확한 의중을 알기가 결코 쉽지 않다. 필자는 이를 '중국어의 함정Trap of Chinese'이라고 표현한다. 예를 들어 옌지우옌지우研究研究라는 뜻은 사전적 의미로 연구 검토해보겠다는 뜻이다. 이 말을 긍정적으로 잘못 이해하는 경우가 많다. 사전적 의미로는 긍정적인 뜻이지만 실제 비즈니스 현장에서는 부정적인 의미로 사용되는 경우도 있기 때문이다. 체면을 중시하는 중국 비즈니스의 특성상 상대방 앞에서 어렵다, 불가능하다 등의 표현을 직접 하지 않는 경향이 있다. 하이커이还可以라는 말도 대표적인 중국어 함정에 속하는 표현이다. 사전적인 의미는 그럭저럭 괜찮다, 그 정도면 괜찮다 정도로 해석된다. 하지만 실제 중국 비즈니스에서는 '나쁘지도 그리 좋지도 않다'는 뜻의 중성적인 의미가 있는 표현이다. 중국 지역에 따라 혹은 중국인의 성향에 따라 이 표현은 부정적인 의미를 내포하는 경우도 허다하다. 짜이쉬再說는 다시 논의하자는 뜻보다 '협상을 더 이상 계속할 의사가 없음'을 우회적으로 표현한 것으로 보아야 한다. 이처럼 중국인은 일상생활과 비즈니스 협상에서 여간해서는 아니오라는 뜻의 '부야오不要'라는 부정어를 쓰지 않는 것이 상례다. 자기가 책임지지 않으려고 하는 습성이 있어서 빠져나갈 구멍을 미리 만들어놓는 것이다. 화려한 중국어 표현 속에 감춰진 중국인의 진정한 속내와 의미를 찾아내야 한다. 그렇지 않으면 중국 사업은 성과 없이 그냥 지속될 수밖에 없고 그런 와중에 대부분 우리 기업은 포기하고 만다.

중국어는 문장부호까지 제대로 이해해야 한다

필자는 대한민국 주중국대사관 중소벤처지원센터 소장 시절 이러한 중국어의 함정에 빠져 우리 기업이 실패한 사례를 여러 번 목격했다. 특히 중국어 계약서 문구에 대한 오해와 해석상의 오류로 인한 실패가 종종 있었다.

(사례 29 문장부호 하나로 20만 달러 날린 사례)

중국에서 법적구속력이 있는 계약은 크게 '합동서合同'와 '협의서协议'로 나눌 수 있다. 중국어의 협의는 일반적으로 우리가 이해하는 협의Discussion가 아니라 합의Agreement의 의미다. 따라서 계약서 본문 중 '갑은 을과 협의协议하여 결정한다'는 표현은 향후 분쟁의 소지가 있을 수 있다.

한편 중국어 함정보다 더욱 조심해야 할 것이 바로 중국어 문장부호에 대한 이해다. 문장부호를 중국에서는 표점부호标点符号라고 부른다. 필자는 표점부호에 대한 이해 부족으로 인해 20만 달러를 손해본 우리 기업의 실패 사례를 본 적이 있다. 중국어 문장부호 중 우리말이나 영어에는 없는 '、'로 표기되는 둔하오顿号가 있다. 문장에서 병렬관계인 단어 또는 구 사이의 멈춤을 나타낼 때 쓰는 문장부호다. 우리말의 쉼표(,)와는 사용 의미가 다르다. 당시 분쟁이 된 계약서 문구는 다음과 같다.

"中国企业负责技术转让费用100万美金、硬件费用20万美金、各种税收由韩国企业承担."

여기에서 둔하오(、)와 쉼표(,)의 해석상의 문제로 법적 분쟁이 발생했다. 한국어 계약서에서는 쉼표를 사용하여 '기술이전 비용 100만 달러와 하드웨어 비용 20만 달러는 중국기업이 부담하고, 나머지 각종 세금은 한국기업이 부담하는 것'으로 표기되어 있다. 그러나 중국기업은 중국어 계약서에 둔하오로 표기되어 '기술이전 비용 100만 달러만 중국기업이 부담하고, 나머지 하드웨어비용 20만 달러와 세금은 한국기업이 모두 부담해야 한다.'라고 주장했다. 둔하오를 쓰면 충분히 그렇게 해석될 수 있기 때문이다. 한국어 계약서 내용처럼 쓰고자 할 때는 중국어 계약서에 쉼표를 표기해 '中国企业负责技术转让费用100万美金，硬件费用20万美金，各种税收由韩国企业承担'라고 작성해야 했다. 결국 미묘한 부호하나 차이로 인해 20만 달러를 우리 기업이 부담해야 했던 아픈 기억이 있다. 만약 계약서에 '한국어와 중국어의 의미가 상충하는 경우 영어를 기준으로 한다'는 문구만 있었다면 해결될 수도 있었던 안타까운 사례다. 중국 사업에서 우리가 갑이 아니라 을일 경우 대부분의 계약서는 한국어와 중국어 2개 언어로만 작성되곤 한다. 가능하다면 한국어, 중국어, 영어 3개 국어로 작성하는 것이 가장 바람직하다.

중국어 함정은 중국 사업에 조그마한 파도에 불과할 수도 있다. 하지만 그 파도를 결코 무시해서는 안 된다. 조그마한 파도가 향후 소용돌이가 되어 우리를 삼킬 수도 있기 때문이다. 중국 시장이 방대한 만큼 중국 사업은 향상 변수와 불확실성이 존재한다. 그 변수를 최대한 방어할 수 있는 노력과 준비가 수반되어야 한다.

우리가 쓰는 한자 뜻과 중국어 뜻은 다르다

우리가 쓰는 한자 뜻이 중국어와 같은 개념일 것이란 착각을 버려야 한다. 한중 양국은 한자 문화권 안에서 깊은 역사적 연계성과 유교사상의 정신적 기반을 공유해왔다. 그러나 급격한 현대 중국 사회의 변화와 흐름 속에서 과거의 산물이 재해석되는 경우가 많

중국에서 판매되는 초코파이와 우리나라에서 판매되는 초코파이

(출처: 중국경영연구소)

아지고 있다.

(사례 30 오리온 '정'의 문화를 버린 사례)

예를 들어보자. 오리온과 관련한 다른 재미있는 사례를 하나 더 들어보자. 우리나라에서 먹는 오리온 초코파이에는 '情(정)'이라는 한자가 적혀 있다. 그러나 중국에서 판매되는 오리온 초코파이에는 '仁(인)'이라는 한자가 적혀 있다. 왜 그런 것일까? 사실 중국어에서 정情은 여러 가지 의미가 있다. 우리나라 사람들이 이해하는 정이라는 기본 뜻도 있지만 사람 사이의 정분, 체면, 성욕을 의미하기도 한다.

따라서 정 자가 들어간 중국어 중에는 야한 뜻을 내포한 단어가 많다. 예를 들어 정부情婦, 정장情場(남녀 간의 애정관계), 정서情书(연애편지) 등으로 흔히 찾아볼 수 있다. 과거 필자가 조사한 바로는 중국 남방의 어느 지역에서는 초코파이가 '남녀의 야한 사랑'을 의미하는 뜻으로 상징적인 매개체 역할을 하고 있었다. 정말 생각지도 못한 일이었다. '우리가 남이가?'라고 얘기하는 한국식 정 문화가 완전히 왜곡되고 있는 것이었다. 아마 오리온도 이러한 문제점을 인식했을 것으로 판단된다. 오리온은 초창기 국내에서 판매되는 情(정) 자가 인쇄된 초코파이를 판매했지만 지금은 중국 문화의 특징을 살린 仁(인) 자로 바꾸었다. 여기서 인은 『논어』의 「이인里仁」편 2장에 나오는 '인자안인仁者安仁'에서 가져왔다. 인자안인은 '어진 사람은 천명을 알아 인에 만족하고 마음이 흔들리지 아니한다.'라는 뜻이다. 일본에서 판매되는 초코파이의 경우 美가 새겨져 있다. 맛있다, 예쁘다는 뜻의 '우마이美味い'에 쓰이는 일본식 한자 美를 활용한 것이다. 문화와 역사적 배경지식이 없는 이문화와 언어 이해는 한계가 있게 마련이다.

6

'메이드 인 차이나'가 몰려온다

　요즘 중국 사업에 있어 가장 핫한 이슈가 바로 '데이터 비즈니스'다. 중국기업뿐만 아니라 많은 글로벌 기업이 중국 빅데이터 기업, 클라우드 기업과 손을 잡고 다양한 데이터 비즈니스를 진행하고 있다. 그만큼 데이터가 중국 사업 확장에 핵심 요소로 등장했기 때문이다. 많은 글로벌 기업의 중국 데이터 비즈니스 사례를 들어보자. 중국 화장품 시장에서 1위를 차지하고 있는 랑콤Lancôme도 데이터를 활용한 맞춤형 상품 서비스를 통해 중국 내 매출이 급격히 상승하고 있다. 랑콤은 알리바바와 클라우드 기반의 유통기업 인타이银泰와 협업하여 임금 수준이 높은 30대 직장인과 40~50대 중장년층을 공략한 오프라인 체험관을 오픈하여 맞춤형 상품 서비스를 제공하고 있다. 중국기업이 보유한 빅데이터와 랑콤의 브랜드 경쟁력을 융합하여 새로운 맞춤형 상품 체험 서비스로 상위층 소비자를 적극 공략하고 있다.

일본의 시세이도도 알리바바의 데이터 자원과 마케팅 노하우를 결합하여 20대 여성 소비자 수요를 파악하여 새로운 신제품 개발과 맞춤형 마케팅 활동을 통해 최근 중국 시장 매출액이 상승하는 추세다. 그밖에도 타이완의 에이서, 영국 자동차 회사인 벤틀리, 힐튼, 피앤지 등의 글로벌 기업들이 14억 중국 시장을 선점하기 위해 중국 소비자의 구매 데이터를 활용해 비즈니스를 확대하고 있다. 구매 데이터는 인공지능 기술과 결합하여 업셀링Upselling을 가능하게 만드는 기업의 중요 자산으로 발전했다. 업셀링은 동일 고객이 이전에 구매한 제품보다 더 비싼 상품을 사도록 유도하는 판매 방법을 의미한다. 과거 구매내역, 배경, 지역 등 데이터 분석을 기반으로 제품의 특성과 고객의 선호도를 미리 파악하여 맞춤형 추천 상품을 제시하는 형태.

데이터 비즈니스 최적화 노력이 필요하다

그러나 최근 데이터 안보를 둘러싼 미중 간 격돌이 가시화되면서 중국 내 데이터 역외유출 금지령이 발표되었고 그에 따른 중국 데이터 비즈니스 주의보가 확산되고 있다. 바로「국가보안법」「네트워크 보안법」「데이터 보안법」 등 3종 보안 종합세트 법안을 말한다. 이로 인해 중국 사업을 하고 있는 모든 중국기업과 외국기업은 반드시 동 법률을 준수해야 한다. 우선 우리 기업의 입장에서 보면 세 가지 측면에서 어려움이 존재하고 그에 대한 대비가 필요하다.

첫째, 국내에 위치한 회사에 보관 중인 기존 중국 관련 핵심 데이터나 개인정보를 반드시 중국 서버로 이전해야 한다. 이미 중국 내에서 지원하는 아마존의 웹서비스AWS, 마이크로소프트의 애저Azure, 알리바바의 클라우드 서버를 사용하는 일부 기업의 경우는 큰 문제가 없다. 그러나 아직 이런 준비를 아직 못한 기업이라면 중국 내 클라우드 서버를 빠른 시간 내 구축해야 하는 어려움이 존재한다. 중국 지역별, 기업 규모별로 세부 지침이 정해지고 그에 따른 본격적인 기업 조사가 진행될 것이다.

둘째, 기업 업종과 규모에 따라 5등급으로 구분된 보안 등급심사를 받아야 한다. 중국 내 인사노무와 영업관리, 네트워크 시스템, 홈페이지와 모바일앱, 고객관계관리CRM 등 모든 네트워크 소프트웨어와 하드웨어 제품에 대해 등급심사를 받아야 할 가능성이 크다. 부품소재 등 중간재, 화장품 등 소비재, 유통서비스 등 모든 업종에 해당된다고 볼 수 있다. 만약 중국 내 여러 개 법인이 있는 중견기업이나 대기업의 경우는 더욱 주의가 필요하다. 법인 사업장별로 같은 소프트웨어와 하드웨어 장비를 사용하고 있다면 대표 법인 한 곳만 등급심사를 받으면 된다. 하지만 만약 다를 경우 각 지역 법인 사업장별로 사용하는 시스템에 대해 보안 등급심사를 받아야 하는 경우가 생길 수도 있다. 이에 대한 철저한 사전조사와 검토가 필요하다.

셋째, 2021년부터 시행되고 있는 「데이터 보안법」은 더욱 예의 주시해야 한다. 중국 역내외에서 생겨나는 모든 데이터를 대상으로 하기 때문에 특히 중국과 관련된 SNS와 전자상거래 등 관련 기업은 꼼꼼히 살펴봐야 한다. 외국가업의 경우 중국 역외에서 수집된 데이터는 해당사항이 없을 것이라고 오해할 수가 있다. 데이터 수집과 가공 등 활동이 중국 역외에서 진행되더라도 만약 중국 국가 안전이나 중국인의 합법적 권익을 침해하는 경우라면 법적 책임을 질 수도 있기 때문이다. 또한 「개인정보 보호법」의 경우 비즈니스 목적을 위해 중국 역외에서 중국인의 개인정보를 무단으로 활용할 경우도 향후 법적 책임을 져야 하는 상황이 되었다.

그러나 이러한 데이터 관련 정책과 제도 변화를 너무 부정적으로 볼 필요는 없다. 오히려 중국 법적 테두리 안에서 우리 기업의 데이터 비즈니스를 최적화하는 노력과 지혜가 필요하다. 중국 플랫폼 기업과의 전략적 제휴 혹은 플랫폼 거래소를 유용하게 활용하면 된다.

최근 중국 내 빅데이터 거래 플랫폼은 더욱 활성화되고 있다. 국유 형태의 빅데이터 거래 플랫폼도 있고 지방정부가 유관기관과 공동투자하여 운영하는 제3자 주도형 데이터 거래소도 생겨나고 있다. 구이저우성, 상하이, 저장성은 국유 형태의 데이터 거래소라면 산시성, 후베이성, 장쑤성 등은 기업이 운영하는 형태의 데이터 거래소로 이 지역을 공략하는 우리 기업이라면 적극적으로 활용할 가치가 있다. 그러나 중국 내 데이터 거래는 우리나라와 많은 차이가 존재한다는 것을 명심해야 한다. 예를 들어 우리나라의 경우는 데이터 스토어에서 데이터 조회→데이터 선택→활용 목적과 계획을 작성한 신청서 제출→관리자 심사→구매의 형태로 진행된다. 그러나 중국은 일반적으로 두 가지 경우로 진행된다. 하나는 해당

지역 플랫폼 거래소에 회원가입 신청→신청서 검토 후 입회 가능
→데이터 신청→해당 거래소가 직접 수요를 매칭하는 것이고 다른
하나는 신청 기업이 온라인 상품 목록에서 직접 신청→데이터 상
품 종류에 따라 거래소가 판매자와 협의하여 가공 후 데이터를 전
송하거나 가공하지 않고 데이터를 전송하는 방식으로 진행된다.

메이드 인 차이넷의 공습이 시작된다

중국 데이터 산업은 매우 빠르게 확산되며 점차 그 영역을 넘나
들며 업그레이드되고 있다.

(사례 31 알리바바 코뿔소 스마트 팩토리 사례)

2020년 9월 대중에 공개된 알리바바의 빅데이터 기반 '코뿔소
스마트팩토리 플랫폼大数据赋能平台犀牛智造工厂'은 기존 중소기업의
문제점으로 인식된 '소품종 대량생산' 방식에서 '다품종 소량생산'
으로 전환되는 혁신 시스템으로 평가받고 있다. 2018년 3월 저장
성 항저우 코뿔소 스마트팩토리 설립 후 2년 6개월 만에 그 실체
가 알려지게 된 것이다.

알리바바가 보유한 막대한 소비자 데이터와 첨단기술을 활용해
최신 젊은 세대의 트렌드를 분석하여 맞춤형 제품을 출시할 수 있
고 수조 달러에 달하는 중국 제조업의 효율성은 대폭 향상하고 원
가는 대폭 절감할 수 있는 일석삼조의 혁신 공장으로 평가받고 있
다. '데이터+인공지능+로봇+사물인터넷+사람'의 오위일체五位一體

의 신개념 스마트팩토리인 것이다. 코뿔소 스마트팩토리는 그 혁신성과 효율성을 인정받아 2020년 9월 세계경제포럼wef에서 글로벌 등대공장Lighthouse factory으로 선정되었다. 등대공장은 전 세계 제조공장 중 4차 산업혁명의 핵심 기술을 도입해 제조업 혁신을 이끌 미래 공장을 의미하는 용어다.

코뿔소 스마트팩토리의 첫 출발은 의류패션 분야부터 시작되었다. 그 이유는 타오바오와 티몰 쇼핑몰에서 가장 거래가 많은 품목으로 주문 4건 중 1건이 의류패션 분야이기 때문이다. 또한 글로벌 시장조사기관인 유로모니터 자료를 보면 2019년 중국 의류(아동복과 성인복 포함) 시장규모는 약 2조 1,900억 위안(약 395조 원)으로 매년 평균 6.2%의 성장률을 보이고 있다. 알리바바 쇼핑몰에 입점되어 있는 200개가 넘는 기업과의 제휴를 시작으로 코뿔소의 다품종 소량생산 시스템은 2020년 11월 11일 광군제를 통해 성공적으로 정착한 듯하다. 디자인 설계, 상품 주문, 생산, 배송까지 기존 6개월 이상 소요되는 의류패션 밸류체인 시간을 75% 이상 단축했고 재고율도 30% 이상 축소되는 시스템이다.

코뿔소 스마트팩토리의 공식 명칭이 '빠른 코뿔소'라는 뜻의 쉰시迅犀라고 불리는 이유다. 쉰시는 최근 유통업과 제조업계에서 가장 큰 화두 중 하나인 C2M(소비자와 제조사 연계)에 빅데이터, 인공지능, 사물인터넷 등 4차 산업혁명 기술이 접목된 시스템이라고 볼 수 있다. 필자는 이러한 방식으로 생산된 중국 제품을 '메이드 인 차이넷Chinet'으로 명명한 바 있다. 차이넷은 '차이나'와 '인터넷'의 합성어로 이제 빅데이터 기반의 인터넷에서 만들어진 중국산

알리바바 쉰시 항저우 공장과 중국 스마트 제조장비 산업 생산액

(단위: 억 위안)

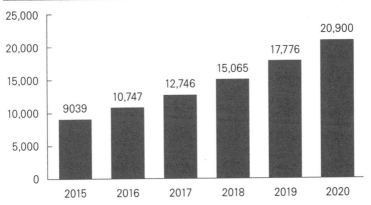

(출처: 바이두, 중상산업연구원)

제품이 본격화하는 것을 의미한다. '메이드 인 차이넷'의 변화를 이
해하기 위해서는 우선 최근 급변하는 제조-유통방식과 C2M을 이
해해야 한다.

기존 B2C(기업과 소비자 연계), B2M(기업과 제조사 연계) 모델과 비
교해 C2M은 진화된 혁신적 시스템 방식이다. B2C는 브랜드 회사

가 기획 생산한 제품을 유통 회사를 통해 소비자에게 판매하는 것을 의미한다. 더 나아가 유통단계를 줄여 브랜드 회사와 소비자를 직접 연결하여 원가를 절감하는 구조인 D2C(소비자 직접 연계) 형태로 진화했다. C2M은 한발 더 나아가 소비자와 제조공장을 직접 연결하는 새로운 가치사슬로 소비자의 니즈를 제조공장에 직접 전달해 상품을 개발하는 방식이다. 이는 전통적인 유통방식이 완전히 뒤바뀐 것을 의미한다. 브랜드 회사가 먼저 제품을 기획하는 것이 아니라 유통 플랫폼이 소비자의 니즈를 브랜드 회사에 전달해 제품을 만드는 방식이다. 즉 '소비자(C)→유통 플랫폼→공장(M)'의 순서로 진행되는 형태로 의류, 생활용품, 가전제품 등 다양한 품목으로 확산되고 있다.

쉰시는 항저우를 기반으로 안후이성 쑤저우宿州, 저장성 닝보 등 여러 지역으로 확대되며 기존 의류 패션에서 다른 제품군으로 범위를 확대해가고 있다. 중국 전자상거래 3위 기업인 핀둬둬拼多多도 1,000여 개 제조공장과 협업을 통해 지난 2018년 7월 C2M 플랫폼인 핀공장拼工場을 오픈해 로봇 청소기, 주방식기 등 다양한 제품을 판매하기 시작했다. 나아가 자체 보유한 빅데이터, 인공지능, 로봇 기술을 기반으로 한 소비자 맞춤형 생산을 준비하고 있다. 이제 '메이드 인 차이넷' 제품이 중국 제조업 전 분야로 점차 확대되는 조짐이다. 중상산업연구원 자료에 의하면 2020년 중국 스마트 제조장비 산업 규모는 약 2조 900억 위안(약 376조 5,000억 원)이고 중국 제조업 시장 총규모는 40조 위안(약 7,205조 원)으로 향후 '메이드 인 차이넷'은 더욱 빠르게 성장할 것으로 전망된다. '메이드

인 차이넷'의 성장은 과거 저가의 질 낮은 메이드 인 차이나의 역습과는 결이 다르다.

우리는 아직도 과거 메이드 인 차이나의 고정관념에 묻혀 중국을 바라보고 있다. 우리나라가 혁신기업들의 노력에도 불구하고 각종 규제와 중국 제품에 대한 나쁜 인식 속에서 허우적거리는 사이 중국은 지속적인 혁신 시스템을 만들어내고 있다. 오위일체의 '메이드 인 차이넷'의 공습은 머지않은 장래에 우리나라에도 불어닥칠 가능성이 크다. '메이드 인 차이넷'은 소비자 중심의 고효율 고품질의 제품이다. 우리 기업은 어떻게 대비해야 할까? 역발상 전환이 필요하다. 중국 내수시장 진출 확대를 위한 빅데이터 기반의 중국 스마트 팩토리를 어떻게 활용할 것인지에 대한 철저한 사전 조사와 접근 전략이 수반되어야 한다. 중국 법적 테두리 안에서 빅데이터를 단순히 디지털 마케팅 목적이 아니라 제조와 유통단계까지 확대해 전체 사업 전략을 구상해야 한다.

7

페인 포인트와 퍼플카우를 잡아라

중국 시장의 변화와 로컬 기업의 급성장으로 인해 중국 내 코리안 프리미엄이 점차 희석되고 있다. 코로나19로 인해 우리 기업의 중국 출장이 막혀 멈춰 있는 동안 중국 시장은 하루가 다르게 변화되고 있다. 문제는 대부분 우리 기업이 급변하는 중국 소비 트렌드를 따라가지 못하고 과거에 매몰되어 있다는 것이다. 게다가 중국 로컬 기업의 약진이 두드러지면서 우리 제품의 입지가 점차 좁아지는 형국이다. K-뷰티와 K-패션 등 소비재에서 일부 소재, 부품, 장비의 중간재까지 그 영역이 확대되고 있다. 따라서 이제 과거와 같이 '한국 제품'이라는 프리미엄 전략으로 중국 시장에 접근하는 것은 의미가 없다.

중국 사업은 과거의 다품종 다기능 기술에서 벗어나 명확하고 선이 굵은 소품종 최적화 기술로 승부를 걸어야 승산이 있다. 중국 소비자의 눈과 마음을 사로잡는 '퍼플카우purple cow' 전략으로 접

(출처: 바이두)

근해야 한다는 것이다. 퍼플카우는 보는 순간 사람들의 시선을 확
잡아끄는remarkable, 그래서 사람들 사이에 화젯거리가 되고 추천거
리가 될 만한 제품이나 기술이나 서비스를 가리키는 개념이다. 중
국 소비자 코드에 맞는 브랜드 개성brand personality을 통해 차별적
가치를 창출하는 노력이 필요하고 색다른 체험을 제공해 고객을
총체적으로 만족시키는 접근 전략이 시급하다.

(사례 32 프로야의 버블 마스크팩 사례)
　이러한 퍼플카우 전략을 가장 잘 활용한 사례가 바로 중국 프로
야(珀萊雅, Proya)의 히트상품인 버블 마스크팩泡泡面膜이다. 버블이
많이 일어날수록 얼굴에 쌓인 노폐물이 많다는 홍보를 통해 엄청
난 매출기록을 올렸다. 피부에 노폐물이 많다는 것을 마스크팩 버

블을 통해 시각적으로 보여주는 전형적인 퍼플카우 전략이다.

프로야는 2019년 7월부터 더우인 플랫폼을 통해 흑해 솔트 버블 마스크팩 마케팅을 진행하여 엄청난 수익을 올리며 중국의 대표 화장품 기업으로 우뚝 섰다. 프로야는 버블 마스크팩의 색다른 체험을 핵심 셀링포인트로 잡고 다양한 디지털 마케팅을 펼쳐 빠르게 입소문을 탈 수 있었다. 'SNS 플랫폼+KOL'의 다이휘帶貨[24] 마케팅 포트폴리오 전략으로 공전의 히트를 기록했다. 사실 프로야는 K-뷰티의 장점을 최적화하며 벤처마킹을 통해 성장한 기업이다. 국내 화장품 회사의 연구개발 인력과 마케팅 인력을 대거 스카우트하며 급성장한 기업으로 중국 증시에 상장된 화장품 기업 중 가장 높은 시가총액을 보유하고 있다. 2021년 11월 1일 기준 약 405억 위안(약 7조 4,000억 원)으로 기존 중국 화장품 선두기업인 상하이자화를 추월하며 부동의 1위를 차지하고 있다.

육심원의 퍼플카우 전략에서 배우다

이번에는 우리 기업이 퍼플카우 전략으로 중국 시장에서 성공한 사례를 살펴보자. 한때 국내에서도 엄청난 인기를 얻었던 한류 아티스트 브랜드인 육심원의 사례다.

(사례 33 육심원의 퍼플카우 성공 사례)

육심원은 국내 동양화가의 작품을 기반으로 성장한 K-아트 브랜드다. 육심원은 패션, 뷰티, 가방, 문구, 액세서리, 리빙 등 다양한 상품에 캐릭터를 입혀 생활 속에서 예술과 개성을 함께 추구하는 브랜드라고 볼 수 있다. '모든 여성은 행복해야 한다All women should be happy'라는 슬로건과 동양화 기법을 통해 생동감 있고 개성 있는 캐릭터를 만들어냈다.

육심원 브랜드의 해외 진출은 2013년 미국과 싱가포르를 시작으로 인기를 얻으며 2015년 중국 시장으로 이어졌다. 2015년 중국 상하이, 청두, 톈진 등에 진출한 뒤 2016년에는 홍콩, 항저우, 하얼빈 등 10개 지역으로 확대해갔다. 2016년 초반 하얼빈 쇼핑센터에 오픈한 육심원 매장은 하루 매출이 6,000만 원을 돌파하는 등 높은 인기를 얻은 바 있다. 그러나 2016년 국내 캐릭터 화장품 브랜드 파시와의 캐릭터 디자인 소송 이슈와 중국 사드 보복 사태가 겹치면서 중국 사업도 영향을 받게 되었다. 특히 사드 사태의 후폭풍인 한한령으로 인한 매출이 하락하며 기존 10여 곳의 매장이 지금은 톈진, 시안, 샤먼, 선양 등 절반 정도로 줄었다. 그러나 문구와 패션의류 등은 지금까지도 중국 소비자에게 인기가 높다.

특히 귀여운 '키키'와 '코코' 캐릭터를 입힌 아동용 문구류와 가방은 중국 어린이의 사랑을 받고 있다. 행동파이자 말썽꾸러기인 '키키'와 조용하고 엉뚱한 '코코'라는 성향이 다른 쌍둥이 자매의 스토리텔링이 색다른 체험과 가치를 제공하는 것이다. 육심원의 가치형 퍼플카우 전략은 눈에 띄는 상품 디자인을 넘어 맞춤형 체험 서비스를 제공한다는 것이 특징이다. 생일, 별자리, 혈액형을 책가방과 문구류에 접목해 여자 어린이의 마음을 사로잡았다. 예를 들어 내가 메고 있는 책가방에 내 생일인 5월 5일, A형인 혈액형,

중국 육심원 매장과 키키와 코코 이미지

(출처: 바이두)

쌍둥이자리 별자리까지 적혀 있으니 더욱 소중할 수밖에 없다. 평소 친하게 지내는 중국 지인은 자신의 딸이 육심원 책가방을 메고 학교에 가서 친구들에게 자랑하고 잘 때도 안고 잔다고 했다. 일반적으로 우리나라보다 중국 어린이가 별자리에 관심과 이해도가 높다는 특성을 잘 활용한 것이다.

육심원의 성공 사례에서 봤듯이 퍼플카우 전략은 단순히 눈에 확 띄는 제품의 특징이나 디자인에만 국한되는 것이 아니라 추가로 무형의 가치와 서비스를 통해서도 구축할 수 있다. 중국 시장은 전 세계에 존재하는 모든 제품이 경쟁을 벌이는 글로벌 시장이다. 따라서 차별화되고 화젯거리가 될 제품과 기술과 서비스의 퍼플카우가 있어야 장기적으로 생존할 수 있다는 것을 기억해야 한다.

오스템의 페인 포인트 전략에서 배우다

중국 시장에 안착하기 위해서는 결국 제품의 셀링포인트를 정확히 잡아내는 것이 핵심이다. 다시 말해 제품의 확실하고 선이 굵은 소구점訴求點을 발굴해야 한다는 것이다. 소구점은 중국 소비자로 하여금 우리 제품에 관심을 갖고 구매할 수 있도록 강조하는 것을 말한다. 특히 중국 내 일용소비재FMCG 시장의 경우 중국과 글로벌 브랜드가 혼재되어 있어 경쟁이 매우 치열한 분야다. 제품의 셀링 포인트와 소구점이 없는 경우 비용과 시간만 낭비하고 대부분 실패한다. 따라서 우리 기업이 중국 시장에 맞는 소구점을 효율적으로 발굴하기 위해서는 중국 시장과 중국 소비자가 불편해하는 통점痛点, 즉 페인 포인트pain point를 찾아내는 것이 중요하다. 중국 시장과 소비자가 불편해하는 문제점을 찾아 선제적으로 해결하는 접근방식이 치열한 중국 시장에서 생존하고 성공할 수 있는 길이다.

(사례 34 오스템의 페인 포인트 성공 사례)

그러한 관점에서 우수한 기술력과 중국 소비자의 페인 포인트를 잘 활용해 최근 중국 시장에서 승승장구하는 기업이 있다. 바로 국내 임플란트 1위 기업인 오스템이다. 오스템의 성장세는 매우 가파

중국 임플란트 시장규모와 오스템의 중국 내 홍보 이미지와 중국어 사명

중국 임플란트 시장 규모 추이
(단위: 억 위안)

연평균 성장률
27.9%

2015 2016 2017 2018 2019 2020 2021년

韩国 TAEGEUKGI
奥齿泰种植牙
含: 烤瓷牙/全瓷牙
让牙齿再"长"一次
牙齿无缺陷 笑容更迷人

奥齿泰
OSSTEM
IMPLANT

(출처: 키움증권, 바이두)

르다. 2020년에는 매출액 6,316억 원으로 전년 대비 30% 성장했다. 2023년에는 1조 원을 무난히 달성할 것으로 예측된다. 더욱 놀라운 것은 오스템 매출액의 60%가 해외 시장에서 창출된다는 것이다. 현재 26개국 30개 해외 법인과 영업망을 통해 전 세계 80여 국가에 임플란트를 수출하고 있다. 그중에서 절대비중을 차지하는 시장이 바로 중국이다. 중국 시장의 매출 확대에 힘입어 오스템 주가는 올해 들어 200% 넘게 급등했다. 오스템은 어떻게 중국 시장에서 성공할 수 있었을까? 중국 국가통계국 자료에 의하면 2021년 중국의 60세 이상 인구가 2억 6,500만 명으로 전체 인구의 20.4%

를 차지한다. 이중 50%가 넘는 약 1억 4,000만 명이 부분 혹은 전체 틀니를 하고 있다. 또한 각종 잇몸 질환 등의 이유로 치아가 빠져 임플란트 수술이 필요한 수요층이 점차 확대되고 있다.

오스템은 중국 노인계층이 불편해하는 페인 포인트를 파악하고 중국 시장의 소구점을 발굴했다. 향후 중국의 급격한 고령화와 소비 수준 향상으로 인해 임플란트 수요가 더욱 확대될 것으로 본 것이다. 현재 중국 임플란트 시장은 매년 약 30% 이상 성장하며 수요층도 더욱 다양화되고 확대되는 추세다.

오스템 임플란트의 중국 시장 성공비결은 중국 시장과 중국인이 불편해하는 세 가지 페인 포인트 접근 전략으로 요약된다. 첫째, 전통적 식습관에 따른 중국 노인계층의 치아에 대한 불편함이다. 소비 수준 향상으로 중국인의 고기 섭취량이 늘었고 전통적으로 말린 딱딱한 육포 섭취와 해바라기씨, 호박씨, 수박씨 등 말린 씨앗인 '과쯔瓜子'를 까먹는 것이 매우 일상적인 습관이다. 과쯔를 먹는 습관은 명나라 때부터 시작되었다. 지금까지도 중국인에게 과쯔는 없어서는 안 될 대표 간식으로 자리잡고 있다. 중국인이 TV나 영화를 볼 때 기차나 비행기를 탈 때 등 어느 곳에서나 쉽게 과쯔를 먹는 모습을 목격하게 된다. 청나라 때는 호박씨와 수박씨를 주로 까먹었고 민국시대부터는 해바라기씨를 먹기 시작해서 지금까지 내려오고 있다. 오랫동안 과쯔를 까먹다 보니 자연스럽게 치아 마모가 생겨났고 그에 따라 65세 이상 인구의 치아 상태가 좋지 않다는 연구결과도 발표된 바 있다.

둘째, 높은 임플란트 시술비용에 대한 불편함이다. 글로벌 임플란트 시장점유율 순위를 보면 2020년 기준 1위는 스위스의 스트라우만(22.5%), 2위는 미국 다나허(20%), 3위와 4위는 독일의 짐머(14.1%)와 덴츠플라이(11.1%), 오스템(7.5%)은 5위를 차지하고 있다. 그러나 중국 시장만 보면 오스템이 시장점유율 33%로 글로벌 기업을 제치고 1위를 차지하고 있다. 세계 5위, 한국 1위의 높은 브랜드 인지도 대비 시술비용이 가격경쟁력이 있기 때문이다. 오스템은 글로벌 기업 중 유일하게 직접 영업망을 확대하는 방식으로 중국 시장을 공략했다. 비록 초기 중국 시장 진출 비용이 많이 투입되었지만 그 대신 빠르게 시장점유율을 확대할 수 있었다. 오스템은 2006년부터 베이징, 상하이, 광둥성, 톈진 등 각지에 영업과 판매 법인을 설립했고 공격적으로 중국 전역 80여 개의 영업 지점을 운영하며 중국 내수시장을 확대해가고 있다. 이를 통해 인력의 현지화와 임플란트 부품공급망 구조를 개선하여 다른 글로벌 기업 대비 임플란트 시술비용을 낮출 수 있었다.

셋째, 중국 내 임플란트 시술이 가능한 치과 비율이 낮다는 불편함이다. 중국은 아직 구강치료 등 치의학이 성숙되지 못한 시장이다 보니 임플란트 이식률이 0.1~0.2%에 불과하다. 그 이유는 중국 의료진의 임플란트 시술 임상경험이 부족하기 때문이다. 관련 통계에 따르면 우리나라는 세계에서 임플란트 시술 건수가 가장 많은 국가로 인구 1만 명당 식립수(임플란트를 심은 개수)가 500개가 넘는다. 반면 선진국인 미국, 프랑스의 식립수는 100개, 중국은 20개도 되지 않는다. 또한 현재 우리나라는 임플란트 시술 가능한 치과 비율이 80%인 반면 중국은 15~20% 정도 수준이다.

오스템은 이처럼 중국의 낮은 임플란트 임상경험의 페인 포인트를 집중적으로 공략했다. 2006년 법인 설립과 함께 중국 치과의사를 대상으로 임플란트 시술 임상교육을 전담하는 연수센터를 설립해 지금까지 약 2만 5,000명의 치과의사에게 교육을 진행한 바 있다. 연수교육은 중국 현지 시술 임상교육과 중국 치과 의료진을 한국에 초청해 진행하는 이론과 현장실습교육 등 여러 형태로 했다. 오스템 임플란트의 오래된 임상경험과 기술력을 전수했다. 코로나 19가 한창이던 2020년에도 2,000여 명의 중국 치과의사가 오스템 임플란트 시술교육을 받았다. 오스템 임플란트를 직접 홍보하는 2만 5,000명의 중국 치과의사들이 있다는 것이다.

　오스템의 세 가지 페인 포인트 접근 전략과 성공은 결코 하루아침에 이루어진 것이 아니다. 오랜 기간의 시장조사, 과감한 투자, 중국 시장에서 성공할 수 있다는 CEO의 강력한 믿음이 있었기 때문에 가능했다. 중국의 페인 포인트를 지속적으로 탐색하고 발굴해야 한다.

8
차이나 '진실의 순간'을 잡아라

중국 시장의 방대함과 향후 성장성은 우리만이 느끼는 것이 아니다. 중국 시장은 세계 시장의 축소판으로 전 세계 기업들이 선점하기 위해 경쟁을 벌이고 있다. 세상에 존재하는 모든 공산품은 중국에 있다고 한다. 중국 시장은 말처럼 쉽게 사업을 할 수 없는 곳이다. 특히 우리 중소기업이 중국 시장에서 자리잡기는 더욱 어렵다.

"저희 회사 화장품은 보습효과와 안티에이징 효능을 가진 우수한 제품입니다." 국내 화장품 기업들이 중국 유통상과 바이어에게 회사소개를 하면서 가장 많이 하는 멘트다. "세상에 화장품 팔면서 보습효과와 안티에이징 얘기 안 하는 회사가 있나요? 요즘 중국 로컬 화장품들도 얘기합니다." 중국 화동지역의 우수 바이어가 필자한테 한 말이다. 우리 중소기업이 중국 시장에 들어갈 때마다 매번 범하는 실수 중 하나가 바로 '최고의 제품, 최고의 기술'이라는 표현이다. 대부분의 중국 수입 바이어 혹은 유통상은 어느 나라 어느 기업의 제품과 기술이 최고인지 이미 알고 있다. 그렇다면 그들이 왜 한국 제품 혹은 한국 기술을 원하는 것일까? 바로 우수한 가성비, 틈새시장에 맞는 특화된 기술과 제품, 그리고 진실의 순간이 있기 때문이다. 우리 중소기업의 제품을 수입하는 대부분의 중국 바이어의 공통된 의견이다. 그들이 무엇을 원하는지를 알고 있어야 그에 맞는 제품과 '차이나 진실의 순간'을 발굴할 수 있다는 얘기다.

먼저 차이나 진실의 순간Moment of Truth이 무엇인지에 대해 이해해야 한다. 진실의 순간은 투우사가 소의 급소를 찌르는 '바로 그 순간'을 말하는데 '피하려 해도 피할 수 없는 순간' 또는 '실패가 허용되지 않는 매우 중요한 순간'을 의미한다. 스웨덴의 마케팅 학자인 리처드 노만R. Norman이 서비스품질관리에 처음 사용했지만 지금은 비즈니스 마케팅 전반에 걸쳐 광범위하게 사용되고 있는 용어다. 소비자가 제품 혹은 기술을 받아들이는 바로 '결정적 순간'을 의미한다. 핵심은 기업의 제품이나 서비스가 고객과 만나는 그 진실의 순간을 중요시하는 것이다.

예를 들어 중국 10억 명의 모바일 소비자를 3초 동안 멈추게 할 수 있는 진실의 순간이 필요하다. 의료용 주사기 디자인을 활용해 중국에서 선풍적인 인기를 얻은 메디힐의 마스크팩도 차이나 진실의 순간을 활용한 대표적인 사례다. 나아가 정제된 순수 비타민 분말을 내장한 주사기로 사용자가 직접 마스크팩에 앰플을 주입한 후 사용할 수 있도록 하는 것도 차이나 진실의 순간에 해당한다.

귀여운 동물 모양이 그려진 '동물 마스크팩' 시리즈를 활용해 중

차이나 진실의 순간을 활용한 광고

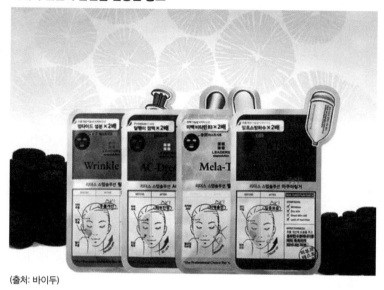

(출처: 바이두)

국에서 인기를 얻은 사례도 마찬가지다. 호랑이, 수달, 용, 판다가 그려진 마스크팩은 평범한 것을 거부하는 중국 소비자의 니즈를 충족시키며 SNS상에서 '동물팩 셀카'가 유행될 만큼 중국 젊은 여성들에게 큰 인기를 얻었다.

(사례 35 중국 특유의 스토리를 넣어서 성공한 사례)

차이나 진실의 순간이 중국 특유의 스토리와 합쳐지면 금상첨화다. 가장 대표적인 성공 사례가 월 500만 개 이상 중국에 수출될 만큼 큰 인기를 누렸던 '바다제비집 앰플 마스크팩' 제품이다. 금사연金絲燕이라 불리는 바다제비의 스토리가 가미되어 마스크팩으로 재탄생된 것이다. 금사연은 해안 절벽 위에 타액으로 만든 둥지를 의미한다. 금사연 둥지에는 건강과 피부의 필수 요소인 다량의 단백질과 콜라겐을 구성하는 아미노산이 풍부해 중국에서는 이것을 활용한 궁중요리가 역사적으로 매우 유명하다. 연와탕燕窩湯이라고 불리는 제비집 수프인데 광둥요리의 진미로서 매우 비싼 요리 중 하나로 꼽힌다.

차이나 진실의 순간의 다양한 유형을 파악하라

또한 서로 다른 제품이나 서비스 혹은 아이디어를 연결해 중국 지역시장에 맞게 새로운 제품으로 재구성하는 것도 차이나 진실의 순간MOT의 확대된 개념이다. 차이나 진실의 순간 구축을 통한 중국 소비자의 가치를 어떻게 증대해나갈 것인가에 대한 고민이 필요한 것이다. 그것이 우리의 소프트웨어 경쟁력이다. 차이나 진실의 순간을 통한 소비자의 가치증대는 제품의 디자인뿐만 아니라 서비스를 통해서도 확대 재생산된다. 중국 소비자에게 감동을 주는 서비스 접점을 찾는 노력이 필요하다. 산업 간 영역, 온라인과 오프라인 간 영역이 붕괴되고 있는 중국 시장에서 생산자, 유통상, 소비자가 연결되는 차이나 진실의 순간을 어떻게 구축하고 기업의 로열티를 올릴 것이냐가 최근 중국에서 가장 큰 화두로 떠오르고 있다.

차이나 진실의 순간을 가장 잘 활용하고 있는 기업이 바로 '대륙의 실수'라고 하는 샤오미일 것이다. 샤오미 제품은 약 200여 개의 우수 제조 협력사와 자체 디자인팀의 공동 합작으로 탄생된다. 샤오미 본사는 차이나 진실의 순간 구축을 위한 디자인에 모든 역량을 투입한다. 또한 고객을 팬으로 만드는 샤오미만의 문화가치를 창출한다. 샤오미의 모토는 '저스트 포 펀Just for Fun'으로 고객을 단순히 제품을 사는 사람이 아니라 기업과 함께 성장하는 사람으로 보는 것이다. 즉 고객이 바로 회사의 직원이 되는 셈이다. 이들의 문화를 '미 팬 컬처Mi Fan Culture'라고 한다. 샤오미는 거의 매주 고객의 의견과 시장의 변화를 파악하고 반영하는 사용자 참여형 상품 기획과 개발을 진행한다. 기존 사용자의 만족도를 높여 재구매를 유도하는 이른바 '고객 여정Consumer Journey' 관점의 AS 강화와 새로운 기능 업데이트를 통해 샤오미 사용자에게 가치를 제공한다. 즉 고객과의 적극적인 커뮤니케이션에 기반한 고객참여형 마케팅Engagement Marketing이다. 차이나 진실의 순간의 또 다른 형태의 마케팅인 셈이다.

패키지를 소비자에 맞게 소량화하라

중국 소비자의 특성상 검증되지 않은 외국 제품에 대한 불신을 없애기 위해서는 처음 제품을 중국 시장에 출시할 때 패키지의 소형화 작업이 필요하다. 특히 식품, 화장품 등 소비재의 경우 브랜드가 없는 제품은 더욱 그렇다.

(사례 36 천하장사 소시지의 성공 사례)

예를 들어 진주햄의 천하장사 소시지는 중국에서 처음 판매됐을 때는 전혀 반응이 없었다. 20개, 50개, 100개 들이 대량으로 대형 마트에서 팔았는데 전혀 팔리지 않았다. 당연히 처음 보는 한국산

진주햄의 천하장사 소시지

(출처: 바이두)

소시지를 부모들이 대량으로 구매하려고 하지 않았기 때문이다.

중국 수입과 마케팅을 담당하는 대행업체는 고민 끝에 대형 포장을 뜯고 낱개로 개당 1위안(약 180원)씩 팔았다. 결과는 성공적이었다. 가격 부담이 없으니 자녀에게 한 개 사주게 되고 그것을 먹어본 아이가 "맛있어好吃!"를 외치며 더 사달라고 부모한테 조르게 되면서 자연스럽게 대형 번들 제품도 판매되기 시작했다. 따라서 외국산 식품의 경우 중국에서 판매되기 위해서는 반드시 패키지의 다양화와 소형화 작업의 타당성 검토가 선행되어야 한다.

제품 디자인을 작명하라

이번에는 우리 화장품 기업 혹은 뷰티 기업의 중국 시장 진출을 위한 제품 디자인 작명의 필요성과 방법에 관해 얘기하고자 한다. 우리 기업의 화장품 전체 수출의 약 60%를 차지하는 중국 시장(홍콩 포함)은 그 어느 시장보다 가장 중요한 시장이다. 2021년 3월 말 기준 식품의약품안전처 통계에 의하면, 국내 화장품 관련 기업은 총 2만 4,857개사(제조사 4,191개, 판매 기업 2만 535개, 맞춤형 화장품 기업 131개사)로 이들 대부분이 직간접적으로 중국 시장과 연관성을 가지고 있다고 볼 수 있다. 최근 K-뷰티가 중국 시장 진출에 어려움을 겪고 있다. 하지만 중국 시장은 우리 기업에게 있어 결코 포기할 수 없는 핵심 시장이다. 글로벌 뷰티 기업들이 어떻게 차이나 진실의 순간을 활용하는지 살펴보자.

글로벌 뷰티 기업들은 강력한 브랜드 파워를 기반으로 귀엽고 깜찍한 중문 별칭을 전파함으로써 중국 소비계층을 넓혀가고 있다. 에센스, 스킨로션을 기본으로 하는 화장품의 경우 대부분은 우아하고 고급스러운 멋진 중문 브랜드명으로 작명하는 게 일반적이라고 생각한다. 문제는 프랑스와 이탈리아 등 명품 브랜드가 아닌 우리 기업의 경우는 이러한 일반적인 중문 브랜드 네이밍 전략은 도움이 되지 않는다. 따라서 좀 더 전파력이 강한 중문 브랜드 별칭이 필요하다. 일반 중국 소비자가 쉽게 이해하고 기억할 수 있는 전파력이 강한 트리거 포인트Trigger point 작명 전략이 필요하다. 발음하기 편하고 웃음 요소를 가미한 제품의 특성 혹은 디자인을 형상화한 별명을 만들 때 Z세대를 중심으로 빠르게 전파가 되는 바이럴 마케팅 효과가 있다.

(사례 37 화장품 제품 디자인 별명 성공 사례)

중국 시장에서 제품 디자인 작명을 가장 잘하는 기업이 바로 일

일본 SK-II의 전 남친 마스크팩, 꼬마전등, 신선수

(출처: 바이두)

본의 SK-II다. 예를 들어보자. SK-II 피테라 마스크팩은 '전 남친 마스크팩前男友面膜'이라는 깜찍하고 생뚱맞은 별명으로 중국에서 유명하다. 제놉틱스 아우라 극광 에센스肌因光蘊环来钻白精华露의 공식 중문 브랜드명은 우아하고 직접적인 전달 효과는 있지만 어휘가 너무 길고 복잡하게 구성되어 있다. 실제 중국 소비자들 사이에는 '꼬마전등小灯泡'이라는 별명으로 알려져 있다. SK-II의 페이셜 트리트먼트 에센스护肤精华露도 공식 중문 브랜드명보다 '신선수神仙水'라는 별명으로 알려져 있다. 신비로운 발효 성분의 브랜드 스토리와 바르면 매끈해지는 놀라운 효과를 신선이 쓰는 물과 같다는 스토리텔링 때문에 '신선수'라고 부른다. SK-II는 우아한 브랜드 이미지, 스토리텔링, 제품 디자인 작명으로 중국 시장 내 K-뷰티 열풍을 제치고 J-뷰티 시대를 만든 대표적인 일본 기업이라고 볼 수 있다.

그렇다면 제품 디자인의 작명은 어떻게 만들어지는가? 제품 디자인의 작명에도 나름의 규칙이 존재한다. 첫째 유형1은 화장품 용기 디자인의 특징을 활용한 별명 만들기다. 화장품 용기와 패키

유형1 사례: 붉은 허리, 골드바, 작은 형광등

(출처: 바이두)

지 디자인 모양을 가지고 재미있고 기억하기 좋은 별명을 만드는 방법이다. 우리나라와 중국 시장에서 인기를 얻고 있는 일본 시세이도의 대표적인 에센스 브랜드인 얼티뮨 파워 인퓨징 컨센트레이트의 중문 브랜드는 '건방진 에센스傲娇精华'인데 진출 초기 중국 시장에서 큰 호응을 받지 못했다. 그러나 중국 유통상(경소상과 대리상)들 사이에서 제품 디자인을 비유한 '붉은 허리红腰子'라는 별명으로 불리면서 입소문을 타고 빠르게 전파되기 시작하여 매출이 급상승했다. 프랑스 이브생로랑의 립스틱은 제품 디자인과 색상을 비유한 '골드바小金条'라는 별명으로 널리 알려져 있다. 또한 미국 로레알 계열 화장품 브랜드인 메이블린의 립스틱은 용기 디자인 모양을 본뜬 '작은 형광등小灯管'이란 별명으로 유명하다. 제품 디자인과 모양을 재미있고 기억하기 쉽게 잘 만든 성공적인 중문 별명 사례라고 볼 수 있다.

둘째 유형2는 화장품 용기와 디자인 색상을 활용해서 작명하는 방법이다. 예를 들어보자. 명품 화장품 브랜드인 헬레나 루빈스타

유형2 사례: 흑백붕대, 분홍수, 작은 금색펜

(출처: 바이두)

인의 대표 제품으로 피부노화 방지 크림인 리플라스티Re-Plasty는
제품 용기가 화이트와 블랙으로 구성되어 있어 중국 소비자들 사
이에는 '흑백 붕대黑白绷带'라는 재미있는 별명으로 더 알려져 있다.
랑콤의 콩포르 토너 제품은 국내에서는 '핑크 토너'로 알려져 있는
데 중국에서는 '분홍수粉水'라는 별명으로 유명하다. 과거 국내 면
세점에서 중국 관광객과 보따리상들이 가장 많이 구매했다고 소문
난 제품 중 하나다. 미국 메이블린의 뉴욕 하이퍼 샤프 아이라이너
极细防水易画眼线笔는 복잡한 공식 중문명 대신 '작은 금색펜小金笔'이
라는 기억하기 쉬운 별칭으로 유명하다.

　이러한 제품 디자인 작명은 우리 뷰티 기업이 적극적으로 벤치
마킹해야 한다. 과거와 같이 한국 브랜드 네이밍을 그대로 중국어
로 번역해서 사용하는 방식으로는 성공하기 힘들다. 중국 시장과
소비자의 변화에 따라서 우리 기업도 함께 변해야 하는 것은 당연
하다. 좀 더 유연한 접근 전략이 필요한 시점이다. 디자인은 차이나
MOT를 구축하는 중요한 요소가 된다. 제품 디자인을 작명하는 것
은 언어가 다른 해외 시장에 접근하는 가장 쉬운 지름길이다.

9
중문 네이밍이 중요하다

"소장님, 저희 회사의 중문 브랜드 네이밍 좀 부탁드려도 될까요?"

중국 소비시장 진출을 준비 중인 화장품, 건강기능식품 등 국내 중소기업의 중문 브랜드 네이밍에 대한 문의가 조금씩 늘고 있다. 필자는 네이미스트namist는 아니지만 예전 베이징 주중한국대사관 중소벤처지원센터 소장 시절부터 현재 사단법인 중국경영연구소 소장을 지내는 동안 수없이 많은 기업을 만났고 현장에서 경험하다 보니 자연스럽게 중문 브랜드 네이밍의 성공과 실패를 많이 연구하게 되었다.

우리 중소기업들은 회사 이미지와 제품의 특성을 중국 소비자에게 잘 전달할 수 있는 브랜드 네이밍이 매우 중요한 요소임에도 불구하고 이를 간과하는 경우가 많다. 중국 사업의 첫 출발은 기업 명칭과 제품명의 중국어 이름을 짓는 것부터 시작된다고 해도 과언이 아니다. 중문 브랜드 네이밍은 중국 마케팅 효과를 높이는 첫 단추다. 중국인에게 사랑받는 중문 브랜드 네이밍의 성공 여부는 중국 소비자에게 친근한 이미지와 긍정적인 힘을 줄 수 있는 브랜드 아이덴티티와 포지셔닝을 어떻게 구축하느냐에 달렸다.

중문 브랜드 네이밍은 성공의 필수 요소다

중문 브랜드 네이밍을 하기 위해서는 먼저 중국의 역사, 문화, 사회의 특징과 변화를 이해해야 하고 이를 기반으로 중국어의 특징과 발음구조 등을 학습해야 한다. 중국어는 일반적으로 영어 발음으로 표기하기가 어렵고 영어는 중국어로 발음하기 어려운 발음이 많은 편이다. 또한 중국인들에게 중국어로 된 브랜드명을 제시하지 않으면 대단히 혼란스러워한다. 그렇다 보니 14억 중국인마다 모두 다르게 발음하는 경우가 허다하다. 또한 중국에서 법인을 설립할 때 반드시 중국어 상호명을 기입해야 하는 등 중문 브랜드 네이밍의 성공적인 작성은 중국 사업의 필수 요소다.

중문 브랜드 네이밍의 작성법은 크게 네 가지로 구분할 수 있다.

첫째, 음차식 번역Phonetic Tranlation 방식이다. 브랜드의 원래 발음을 가지고 좋은 의미의 한자를 선정해서 네이밍을 작성하는 방식이다. 예를 들어 모토롤라는 모퉈뤄라摩托罗拉, 구글은 구거谷歌라고 부른다. 구글은 원래 구골googol(10의 100승)에서 유래한 말로 '우주의 모든 원자의 수보다 많다'는 뜻을 가진 의미이지만 중국어로는 단순히 구글의 영문 발음을 음차해서 만들었다. 구찌, 샤넬 등 글로벌 명품 브랜드도 대부분 음차식 번역 방식을 선택하고 있다.

둘째, 의차식 번역Semantic Tranlation 방식이다. 브랜드의 원래 의미와 뜻을 그대로 중국어로 번역해서 네이밍을 작성하는 방식이다. 예를 들어 애플은 사과라는 뜻의 중국어인 핑궈苹果를 그대로 차용했다. 그만큼 구전효과가 높은 장점이 있다. 메타로 개명되기 전 페이스북은 페이스Face와 북Book이란 단어 각각의 뜻을 그대로 사용하여 롄푸왕脸谱网 혹은 롄슈脸书라고 부른다.

셋째, 음과 뜻을 모두 반영한 번역Phone-semantic Tranlation 방식이다. 일반적으로 중문 브랜드 네이밍 작업의 가장 이상적인 방식이라고 얘기한다. 브랜드의 원래 발음과 비슷한 발음이 나야 하고 중국어 한자도 좋은 뜻과 의미를 부여한다. 예를 들어 벤츠는 번츠奔驰로 발음되면서 '질주하다.'라는 자동차의 본원적인 좋은 의미도 담고 있다. 코카콜라의 중문 브랜드 네이밍인 '커커우커러可口可乐'는 중국어 발음이 코카콜라 발음과 비슷하다. 한자의 뜻은 커커우可口는 '맛있다'이고 커러可乐는 '즐겁다'로 제품의 이미지와 느낌을 잘 반영함으로써 성공적인 브랜드 네이밍이라고 볼 수 있다.

넷째, 음차와 의차를 절충하는 작명법이다. 브랜드의 원래 발음 일부는 음차하고 일부는 의차해서 발음하기 쉽고 고급스러운 이미지를 전달하기 위한 방식이다. 가장 대표적인 경우가 스타벅스다. 중국어로 싱바커星巴克라고 부르는데 싱星은 별Star이란 뜻을 의차하고 바커巴克는 벅스bucks의 발음을 음차한 것이다.

그 밖에 극히 일부지만 중국 지역시장을 배경으로 기업이 성장했다면 해당 지역의 방언을 가지고 브랜드 네이밍을 작성할 수도

중문 브랜드 네이밍 네 가지 작성 방법

작성방식	대표 사례	특징
음차식	-모토로라: 모퉈뤄라(摩托罗拉) -구글: 구거(谷歌)	외국 브랜드 강조효과로 고급스러운 이미지 부각
의차식	-애플: 핑궈(苹果) -페이스북: 롄푸왕(脸谱网)	기억하기 쉽고, 구전효과가 높음
음과 뜻을 모두 반영한 방식	-벤츠: 번츠(奔驰) -코카콜라: 커커우커러(可口可乐)	가장 이상적인 방법으로 고급 브랜드 이미지의 현지화
뜻+소리의 절충방식	-스타벅스: 싱바커(星+巴克) -버거킹: 한바오다왕(汉堡+大王)	친숙한 이미지와 고급스러움의 융합

(출처: 중국경영연구소)

있다. 가장 대표적인 사례가 피자헛은 비성커必胜客, H&B스토어인 왓슨스는 취천스屈臣氏로 광동식 발음을 활용해 브랜드 네이밍을 작성했다. 우리 기업은 상기 네 가지 작성법 중 업종과 제품의 특성에 맞는 방식을 선택하면 되지만 그중에서 가장 좋은 방법은 음과 뜻을 모두 반영한 방식일 것이다. 외국 브랜드의 이미지를 살리면서 중국적인 해석이 가미되어 중국 소비자에게 매우 친숙한 느낌을 주기 때문이다.

단계별 프로세스에 따라 네이밍하라

중문 브랜드 네이밍 작업은 결코 쉬운 작업이 아니다. 중문 브랜드 네이밍 작성에 성공하기 위해서는 철저히 단계별 프로세스에 따라 네이밍 작업이 선행되어야 하고 그에 따른 최종 후보 네이밍을 가지고 중국 소비자를 대상으로 설문조사도 진행해야 하는 힘든 과정이다. 그럼 본격적으로 중문 브랜드 네이밍 작성에 성공하기 위한 방법법에 대해 살펴보자. 중문 네이밍 작업은 크게 4단계 작성 원칙에 근거해 진행되는 것이 일반적이다.

1단계: 발음하기 쉽게 네이밍한다.
2단계: 기억하기 쉽게 네이밍한다.
3단계: 제품과 연관성을 가지도록 네이밍한다.
4단계: 부정적인 이미지가 연상되지 않도록 네이밍한다.

단계별로 그 의미와 활용 방법에 대한 사례를 들어 설명해보겠다. 먼저 1단계는 작명하고자 하는 중문 네이밍이 발음하기 쉬워야 한다는 원칙이다.

(사례 38 파리바게트 vs 뚜레쥬르 사례)

필자는 2012년 베이징의 소비자 100명을 대상으로 중국 시장에 진출한 우리의 대표적인 베이커리 브랜드인 파리바게트와 뚜레쥬르 두 브랜드에 대한 중국 소비자의 비주얼 아이덴티티VI, Visual Identity 선호도 조사를 진행해 논문으로 발표한 적이 있다. 비주얼 아이덴티티는 크게 시각적인 브랜드 네이밍, 심볼마크, 로고타입, 슬로건, 캐릭터, 색상체계 등으로 구성되어 기업 이미지를 전달하는 역할을 한다. 시각화 작업을 바탕으로 만들어진 시각 이미지를 통해서 소비자에게 기업 이미지를 인지시키고 호감을 주게 되어 자연스럽게 기업 이윤이 증가하게 되는 것이다. 비주얼 아이덴티티에서 브랜드 네이밍의 역할은 매우 중요하다.

파리바게트와 뚜레쥬르 모두 가장 이상적인 음과 뜻을 반영하거나 절충한 번역 방식으로 작명했다. 우선 파리바게트의 중문 브랜드 네이밍은 '바리베이텐巴黎贝甜'이다. 파리를 뜻하는 '바리巴黎'와 바게트의 발음과 유사한 '베이텐贝甜'으로 뜻과 소리를 절충하여 작명함으로써 프랑스 전통 베이커리를 지향하는 고급 베이커리 브랜드임을 나타냈다. 한편 뚜레쥬르의 중문 네이밍은 '둬러즈르多乐之日'로 '즐거움이 많은 날'이라는 뜻을 가지고 있으며 중국어 발음으로 보았을 때도 뚜레쥬르 발음이 연상된다. 뚜레쥬르는 '매일매일Tous les jour'이라는 프랑스어를 차용한 브랜드 네이밍으로 프랑스의 빵집들처럼 '매일매일 신선한 빵을 판다'는 이미지를 강조하고 있다. 과연 베이징의 소비자는 어떤 브랜드 네이밍을 더 선호하였을까? 소비자 설문조사 결과 70%가 넘는 72명이 바리베이텐이 중문 네이밍으로 더 좋다는 의견을 주었다. 여러 가지 이유 중 가장 많은 의견이 바리베이텐이 둬러즈르보다 '발음하기 쉽다'는 것이었다. 특히 둬러즈르에서 즈와 르의 권설음捲舌音이 연속으로 나와 발음하기 힘들다고 답했다.

권설음 중복을 피하라

권설음은 우리 발음에는 없는 발음으로 혀를 말아서 내는 중국식 발음이다. 모국어이지만 중국인도 권설음이 연속해서 나오는 것을 절대 좋아하지 않는다. 권설음은 원래 북방지역의 몽골족과 만주족에게 영향을 받아 형성된 발음이다. 칭기즈 칸의 몽골족은

중국 영유아 브랜드의 중문 브랜드 네이밍 사례

(출처: 바이두)

몽고 고원을 중심으로 만주와 중국 북부지역에 걸쳐 거주하던 유목민족으로 원나라를 세웠다. 만주족은 중국 북동지역인 만주 지역에 거주하던 퉁구스계 민족으로 누르하치가 중국 최후의 통일 왕조인 청나라를 세우며 중국을 지배했다. 그렇다 보니 지금의 중국어 발음은 원래 중국어 자체 발음의 변화와 함께 몽골족과 만주족 등의 영향을 받아 지금까지 이어져 내려오게 된 것이다.

그런 이유로 상하이와 광둥성 등 남방지역 사람들에게는 권설음 발음이 절대 쉽지 않다는 것을 알아야 한다. 중국 남방지역의 경우 권설음(chi, shi, zhi, ri)과 설치음(ci, si, zi)을 잘 구분하지 못하는 사람들도 적지 않다. 따라서 중문 브랜드 네이밍 작성 시 가능한 권설음이 중복되지 않도록 작성하는 것이 중요하다. 만약 중국 남방지역시장 진출을 준비 중인 기업은 더욱 그렇다. 괜히 어려운 한자를 쓰거나 음과 뜻을 혼용한다는 기본 원칙에 사로잡혀 나쁜 결과를 가져올 수 있다. 복잡한 것보다 단순하게 작명하는 게 좋다는 것을 기억하자. 무엇보다 기업명이나 제품명의 중문 네이밍의 경우 2~4음절이 가장 무난하고 어휘의 반복 기법을 활용하면 소비자가 더 쉽고 재미있게 상기할 수 있다.

업종마다 약간의 차이가 있겠지만 영유아 제품은 특히 중요하다. 중국의 대표적인 음료 브랜드 와하하娃哈哈, 아동복 전문 브랜드 어우챠챠欧恰恰, 스낵 브랜드 왕왕旺旺이 좋은 사례다. 영유아 제품을 취급하는 기업이라면 의미도 좋으면서 발음하기 쉬워야 한다는 1단계 원칙을 꼭 기억해야 한다.

전파력이 강한 별명을 지어라

2단계는 기억하기 쉽게 네이밍하는 원칙이다. 중국 소비자가 쉽게 기억할 수 있는 이름이 가장 좋은 네이밍이다. 중국어는 발음은 같지만 뜻이 전혀 다른 표의문자의 특성이 있어서 사람들이 충분히 상상할 수 있는 좋은 의미의 브랜드 네이밍 작성법이 중요하다. 예를 들어 중국의 여성 속옷 브랜드인 아이니艾妮의 경우 '당신을 사랑합니다'의 뜻을 가진 아이니爱你와 발음이 똑같다. 중국인이라면 거의 90% 이상은 아이니爱你의 뜻을 연상하게 된다. 따라서 한자는 다르더라도 똑같은 발음의 좋은 뜻을 가진 중국어 표현이 있는지 반드시 체크해보는 게 좋다.

2단계에서 또 하나 기억해야 할 중요한 네이밍 꿀팁이 있다. 중국 소비자가 기억하기 좋은 전파력이 강한 브랜드의 중문 별명을 하위 개념으로 만드는 것이다. 외국 브랜드임을 강조하기 위해서 멋있고 우아한 중문 브랜드 네이밍은 공식 상표등록에 사용하고 대신 실제 유통과 판매를 확대하기 위한 바이럴 마케팅 차원에서 전파력이 강한 귀엽고 예쁜 비공식 별명을 하나 만들 필요가 있다. 예전 중국 무협소설의 거장인 고룡古龙 선생은 "한 사람의 이름은 틀릴 수 있어도 별명은 절대 틀리지 않는다."라고 얘기한 바 있다. 고룡 선생의 무협소설을 보면 등장인물의 특징에 따라 그에 맞는 별명을 가지고 있다. 많은 독자가 실제 본명보다 별명을 더 잘 기억하고 있다는 것이다.

중국 시장에서 인기 있는 제품의 공통된 특징 중 하나가 바로 재미있고 친근하고 전파력이 강한 별명을 가지고 있다는 것이다.

(사례 39 전파력이 강한 별명의 성공 사례)

예를 들어보자. 초창기 공유자전거의 선두주자인 오포의 별명은 '작은 노란 자동차'라는 뜻의 샤오황처小黃车로 잘 알려져 있다. 바이럴 마케팅을 통해 급속히 전파되면서 그 이후 네이밍을 아예 오포 공유자전거에서 샤오황처로 바꾸었다. 아우디 자동차도 중국에서는 덩창灯厂으로 더 알려져 있다. 덩창은 라이트 공장, 조명 공장이라는 뜻이다. 아우디의 차량용 LED 조명은 세계 최첨단 기술이라고 불릴 정도로 유명하다. 아우디 차량을 구매하는 중국 소비자를 대상으로 설문조사를 진행한 결과 'LED 조명 때문에 아우디 차량을 구입한다.'라고 응답한 사람이 절반을 차지했다. 가시도가 뛰어난 LED 후미등을 탑재한 아우디 A4, A6 자동차의 경우는 중국 시장에서 큰 성공을 거두었다. 덩창이라는 전파력이 강한 회사 브랜드가 일반 소비자에게 더욱 친근감 있게 다가갔기 때문이다.

차량 모델마다 다른 디자인의 조명을 장착해 어두운 밤거리에서

아우디의 덩창(좌)과 폭스바겐의 라만터우(우)

(출처: 바이두)

조명만 봐도 아우디 차량인지 알 수 있다고 한다. 중국인은 아우디의 LED 조명을 보고 "야, 덩창이다."라고 한 번에 알아볼 정도로 파급력이 확대되었다. 아우디 차량을 구매한 중국 소비자의 SNS 댓글에는 'LED 조명을 사면 차를 준다'라는 우스운 얘기를 쉽게 찾아볼 수 있다.

다른 해외 자동차의 사례가 더 있다. 폭스바겐이 2016년 출시한 라만도Lamando 차량은 중국에서 '매운 만두'라고 불린다. 라만도의 영문 발음이 매운 만두라는 뜻의 라만터우辣馒头와 흡사하기 때문이다. 출시 이후 중국 젊은이들 사이에서 라만터우라고 불리며 큰 인기를 얻었다.

BMW의 중문 네이밍은 '바오마宝马'다. 그러나 중국인에게 더 친근하게 알려진 별명은 비에모워別摸我다. '나를 만지지 마세요.'라는 뜻으로 BMW의 럭셔리한 이미지를 강조하면서도 소비자에게 매우 친근감을 주는 별명이다. 또한 BMW의 푸른색과 흰색 로고 색상을 비유해 푸른 하늘과 하얀 구름이라는 뜻의 란톈바이윈蓝天白云으로 불리기도 한다.

BMW의 비에모워와 SMZDM의 서모장다마

(출처: 바이두)

한편 2019년 선전증시에 상장한 중국의 대표적인 할인가격 비교 플랫폼인 SMZDM도 재미있고 친근한 별명으로 소비자들에게 사랑받고 있다. SMZDM은 선머즈더마이(什么值得买)'의 중문 한어병음식 발음의 첫 글자를 따온 것이다. 선머즈더마이는 '무엇이 구매할 만한 가치가 있는가?'라는 중국식 표현이다. 그러나 SMZDM의 한어병음의 첫 글자를 모방해서 만든 서모장다마(色魔张大妈, 색마 장 아줌마)라는 뜻의 별명으로 더 유명하다. 여기서 색마는 우리가 아는 부정적인 의미가 아니라 인터넷 쇼핑 중독에 빠진 소비자를 비유한 것으로 SMZDM 할인가격 비교 플랫폼의 경쟁력을 간접적으로 표현한 것이다. 그 밖에 롤렉스의 방수시계는 중국에서 물귀신이라는 뜻의 수귀(水鬼)라는 별명으로 알려져 있고 DJI가 출시한 드론 팬텀 시리즈는 날아다니는 카메라(会飞的照相机)라는 별명으로 소비자들에게 알려져 있다.

결국 전파력이 강한 브랜드 별명의 효과는 크게 세 가지로 정리할 수 있다. 첫째는 복잡한 브랜드 네이밍의 기억 난이도를 낮출

롤렉스의 수귀와 DJI의 날아다니는 카메라

(출처: 바이두)

수 있는 효과가 있다. 둘째는 제품이나 기업 로고의 색상을 부각할 수 있는 효과가 있다. 셋째는 중국 소비자와의 감정 교감을 더욱 강화하는 효과가 있다.

전파력이 강한 중문 브랜드 네이밍을 만드는 것도 업종별로 각기 다를 수 있다. 특히 시각적인 유인 효과가 필요한 화장품과 같은 뷰티 업종은 색상을 활용한 중문 브랜드 네이밍이 매우 효과적이다. 그렇다고 단순히 색상 이미지로 작명해서도 안 된다. 여기에도 나름의 원칙과 방식이 존재한다. 예를 들어 '小(작은)+색상+사물' 형태로 조합한 별명이 중국 소비자가 더욱더 오래 기억할 수 있다는 것이다. 중국에서 작을 소小는 기본적으로 '작다'는 의미도 있지만 귀엽고 친근감을 주는 이미지의 접두어로도 많이 사용되는 단어다.

예를 들어 미국 클리니크의 모이스처라이징 제품은 중국 시장에서 작은 버터小黃油 혹은 버터로션黃油乳液이라는 별명으로 더 유명하다. 황유黃油는 중국어에서 버터라는 의미이다. 용기 디자인과 제품 색상이 버터와 비슷하다는 직접적인 전파 효과와 버터처럼 보습 효과가 뛰어나다는 간접적인 홍보 효과가 있는 잘 만든 제품 별명이라고 볼 수 있다. 최근 외모에 관심이 많은 직장 남성들도 버터로션을 많이 사용하는 추세로 별명의 효과를 톡톡히 보고 있는 셈이다.

또한 미국 유명 화장품 브랜드인 에이본Avon은 '작은 검은 드레스小黑裙' 브랜드로 잘 알려져 있다. 중국 위챗을 기반으로 성장한 웨이상[25]들이 자체적으로 만든 로컬 브랜드인 LERFM도 별명을 통해 많이 알려진 대표적인 사례 중 하나다. LERFM은 보건 제품, 뷰티 제품, 일용품 등을 판매하는 회사로 여러 히트 제품 중 하나가 바로 여성용 아이크림이다. 이 제품은 '작은 홍색관小红管'이라는 별명으로 알려져 있다. '小(작은)+색상+사물' 형태로 조합한 별명은 화장품뿐만 아니라 다른 제품군에서도 충분히 활용할 수 있다는 장점이 있다.

이미 많은 글로벌 기업이 기본적인 색상을 이미지화해서 중문 별명을 활용하고 있다. 우리 기업도 색상을 이미지화한 별명은 기본이고 더 나아가 색상 단어와 용기 디자인을 형상화한 한 단어를 조합하여 별명을 만드는 게 가장 좋다.

같은 맥락에서 그보다 더 간편하고 쉽게 화장품·뷰티 제품의 중문 별명을 만드는 방식이 있다. 일종의 공식처럼 기억하고 활용하면 좋다. 바로 '小(작은)+색상+瓶(병)' 방식에 맞춰 별명을 짓는 것이다.

작은 버터, 작은 검은 드레스, 작은 홍색관

(출처: 바이두)

(사례 40 용기 모양을 활용한 별명 작성법 사례)

예를 들어 작은 흰색 병, 작은 검은 병, 작은 파란 병, 작은 황색 병 등 매우 다양하게 만들 수 있다. 이미 미국, 프랑스, 일본 등 해외 명품 브랜드는 이를 통해 적극적으로 홍보하면서 중국 소비자에게 빠르게 전파되고 있다. 기억해야 할 것은 우아하고 고급스러운 공식 중문명은 반드시 있어야 한다. 다만, 제품의 전파력을 높이기 위해 중문 별명을 별도로 만들어야 한다는 것이다. 당연히 중국 로컬 브랜드도 이런 작명법을 활용해 간접 마케팅 효과를 보고 있다. 안타깝게도 색상이 들어간 중문 별명이 있는 우리 브랜드는 그다지 많지 않다. 우리 중소 브랜드의 경우 중국 시장에 소개할 때 대부분 '한국 ○○회사의 ○○브랜드'라고만 얘기한다. 당연히 제품 흡인력과 파급력이 떨어질 수밖에 없다. 특히 우리 화장품을 수입해서 중국 시장에서 유통해야 하는 대리상과 경소상 입장에서는 마케팅의 셀링포인트가 없거나 미흡하게 마련이다. 우리 물건을 판매하는 왕훙이나 인플루언서의 경우도 중문 별명이 있으면 소개하고 판매하기 훨씬 수월할 수 있다. 기본적인 요소를 준비하지도 않고 왕훙만 있으면 판매 대박이 될 것이라는 환상을 버려야

'小(작은)＋색상＋瓶(병)'으로 지어진 화장품 중문 별명

국가/브랜드	중문 별명	중국 내 제품 홍보 이미지
일본의 올레이 중국의 이브샴	작은 흰색 병 (小+白+瓶)	
프랑스의 랑콤과 로레알	작은 검은 병 (小+黑+瓶)	
미국의 에스티로더	작은 검은 병 (小+黑+瓶)	
프랑스의 시델, 일본의 다카미, 중국의 화디위	작은 파란 병 (小+蓝+瓶)	
일본의 올레이와 SK-II	작은 붉은 병 (小+红+瓶)	

(출처: 중국경영연구소)

한다. 마케팅 요소가 없는 제품은 A급 왕훙도 방송하기를 꺼려 한다는 것을 명심해야 한다.

일본의 올레이 스킨도 흰색 용기를 본떠 중국 소비자들 사이에서 '작은 흰색 병小白瓶'으로 알려져 있다. 이 점을 활용해 중국 브랜드도 간접적인 마케팅 효과를 보고 있다. 중국 브랜드 이브샴도 '작은 흰색 병'이란 별명으로 알려지며 후광효과를 보고 있다. 미국 에스티로더의 화장품도 국내와 마찬가지로 중국에서도 '작은 갈색 병'으로 더 알려져 있다. '작은 갈색 병' 하면 에스티로더가 바로 연상될 만큼 이미 분명한 마케팅 이미지를 형성하고 있다. 중국인은 색상에 따른 이미지를 형상화하는 특징이 있다. 따라서 우리 화장품 기업도 '小(작은)+색상+瓶(병)'의 별명 공식을 적극적으로 활용할 필요가 있다. 화장품 등 제품 개발 단계에서부터 용기의 색상과 제품 특성을 반영해 중문 별명을 구상하되 중국 시장에 비슷한 제품의 별명이 있는지를 철저히 사전 조사한 뒤 중국향 제품을 만들어야 한다. 그리고 빨주노초파남보의 일곱 가지 색상을 기본으로 더욱 다양한 색상을 활용해서 별명을 지어야 한다.

파급력 있는 브랜드의 중문 별명 작성은 향후 중국 시장 개척에 여러 가지로 도움이 된다. 우아함과 고귀함을 나타내는 공식 명칭과 마케팅 차원의 중문 별명은 바늘과 실처럼 항상 함께 따라다녀야 한다. 중국어가 발음하기 어렵고 복잡하기 때문에 그것을 간소화하고 명료화하는 작업이 선행되어야 함을 기억하자.

업종 카테고리별로 핵심 한자를 찾아라

3단계는 기업과 제품이 연관성을 가지도록 네이밍하는 것이다. 우리 기업 제품의 특성과 업종이 연상되는 중국어 단어를 활용해서 네이밍하라는 뜻이다. BMW의 중문 네이밍은 바오바宝马다. '진귀하고 귀중한 말'이라는 뜻으로 자연스럽게 운송 수단인 자동차를 연상하게 된다. 프랑스 명품인 샤넬의 중문 네이밍은 샹나이얼 香奈儿인데 향기로울 향香 자를 사용함으로써 향수 혹은 화장품이 자연스럽게 연상된다.

이처럼 중문 네이밍 작성 시 우리 제품과 업종에 어울리는 한자를 알아두면 도움이 된다. 제품 카테고리별로 중국인에게 연상 효과와 좋은 이미지를 주는 한자가 있다. 우선 자동차 산업을 살펴보자. 자동차 특성상 힘차고 강한 인상을 주는 한자가 중문 브랜드 네이밍으로 많이 활용된다. 예를 들어 马(말 마), 虎(범 호), 狮(사자 사), 鹰(매 응), 宝(보배 보), 捷(빠를 첩), 驰(달릴 치), 速(빠를 속), 豪(뛰어날 호), 雅(품위 아), 途(길 도), 威(위엄 위) 등이 있다. 특히 용맹하고 빠른 동물을 지칭하는 한자와 자동차의 특성상 속도와 품위, 위엄이 연상되는 한자를 많이 사용하는 편이다.

디지털 관련 기업이나 제품의 경우 기술과 네트워크를 연상하는 한자를 많이 사용한다. 예를 들어 科(과학 과), 光(빛 광), 电(번개 전), 通(통할 통), 网(그물 망), 软(부드러운 연), 数(셀 수), 微(작을 미), 硕(클 석), 神(비범할 신), 脑(뇌 뇌), 华(빛 화), 高(높을 고) 등이 있다. 이 한자들은 중국어의 과학기술, 디지털, 통신, 소프트웨어 등의 단어에 사용된다. 중국 내 IT 관련 회사명이나 관련 제품의 중문 네이밍으

업종별 중문명 핵심 한자와 성공 사례

주요 업종	중문명 핵심 한자	주요 기업 혹은 제품 네이밍 사례
자동차	马(말 마), 虎(범 호), 狮(사자 사), 鹰(매 응), 宝(보배 보), 捷(빠를 첩), 驰(달릴 치), 速(빠를 속), 豪(뛰어날 호), 雅(품위 아), 途(길 도), 威(위엄 위), 腾(도약할 등) 등	宝马(BMW), 奔驰(벤츠), 威麟汽车(중국 치루이자동차 계열사), 帝豪(중국 지리자동차 브랜드), 奔腾(중국 제일자동차 브랜드), 速腾(폭스바겐의 사지타), 捷达(폭스바겐의 제타), 大捷龙(크라이슬러의 그랜드보이저), 速派(체코 슈코다의 수퍼브) 등
ICT·전기·전자	腾(도약할 등), 光(빛 광), 电(번개 전), 通(통할 통), 网(그물 망), 软(부드러운 연), 数(셀 수), 微(작을 미), 硕(클 석), 神(비범할 신), 脑(뇌 뇌), 华(빛 화), 高(높을 고) 등	清华紫光(칭화유니그룹), 华为(화웨이), 神州数码(디지털 차이나), 微软(마이크로소프트), 网易(넷이즈), 腾讯(텐센트) 등
식품·음료	乐(즐거울 락), 喜(기쁠 희), 珍(보배 진), 口(입 구), 品(물건 품), 美(아름다울 미), 味(맛 미), 好(좋을 호), 雪(눈 설), 莲(연꽃 연), 奇(특이할 기) 등	好利友(오리온), 家乐氏(켈로그), 雪碧(코카콜라가 중국 시장에 출시한 사이다), 曲奇(비스킷 브랜드), 乐事薯片(레이스 감자칩), 大喜大(CJ의 다시다), 康美乐(식품/건강 브랜드) 등
화장품·뷰티	香(향기 향), 资(용모 자), 芳(향기로울 향), 兰(난초 란), 婷(예쁠 정), 伶(영리 영), 倩(예쁠 천), 黛(눈썹 먹), 美(아름다울 미), 舒(온화할 서), 蕾(꽃봉오리 뢰), 柔(부드러울 유), 雅(우아할 아), 芬(향기 분), 清(깨끗할 청), 洁(청결 결), 佳(아름다울 가), 蔻(육두구 구) 등	资生堂(시세이도), 兰芝(아모레퍼시픽의 라네즈), 雅诗兰黛(에스티로더), 倩碧(크리니크), 欧莱雅(로레알), 雅芳(에이본), 妮维雅(니베아), 婷美(중국 로컬 화장품 브랜드), 颜伶(중국 뷰티 브랜드), 兰蔻(랑콤) 등
유통·금융·기타 업종	富(풍부할 부), 丰(풍년 풍), 宝(보매 보), 万(일만 만), 友(벗 우), 荣(번영할 영), 福(복 복), 泰(클 태), 盛(번성할 성), 环(고리 환) 등	友利银行(우리은행), 高盛集团(골드만삭스), 汇丰集团(HSBC), 环盛(환성), 万盛(만성) 등

(출처: 중국경영연구소)

로도 가장 많이 사용된다. 물론 전기전자와 기계 업종에도 많이 활용되는 한자들이다.

요즘 중국에서 인기가 있는 K-푸드와 같은 식음료 업종에 자주 쓰이는 한자는 乐(즐거울 락), 喜(기쁠 희), 珍(보배 진), 口(입 구), 品(물건 품), 美(아름다울 미), 味(맛 미), 好(좋을 호), 雪(눈 설), 莲(연꽃 연), 奇(특이할 기) 등이 있다. 대부분 식품의 맛, 이미지, 품질을 암시하는 대표적인 한자들이다. 중국에서 인기 있는 식음료 중문 브랜드를 보면 이런 한자들이 대부분 들어 있는 것을 확인할 수 있다.

화장품·뷰티 업종에 자주 사용되는 한자로는 香(향기 향), 资(용모 자), 芳(향기로울 향), 兰(난초 란), 婷(예쁠 정), 伶(영리 영), 倩(예쁠 천), 丝(실 사), 黛(눈썹 먹), 美(아름다울 미), 舒(온화할 서), 蕾(꽃봉오리 뢰), 柔(부드러울 유), 雅(우아할 아), 芬(향기 분), 清(깨끗할 청), 洁(청결 결), 佳(아름다울 가) 등 매우 다양하다. 물론 다른 업종도 앞에서 언급한 핵심 한자를 활용할 수 있다. 기업의 제품과 업종 특징을 고려해 잘 취사선택한다면 분명 훌륭한 중문 네이밍을 만들 수 있을 것이다.

마지막으로 성공적인 중문 네이밍 작성을 위한 4단계는 부정적인 이미지가 연상되지 않도록 네이밍하는 것이다. 중문 네이밍은 중국 소비자에게 기업과 제품을 인지시키는 첫 출발이다. 중문 네이밍을 통해 중국인이 어떠한 상상의 나래를 펼칠지는 아무도 모른다. 부정적 해음 문화의 함정에 빠지지 않도록 좀 더 세심한 작업과 사전조사가 중요하다는 것을 기억해야 한다. 앞서 1장에서 해음 문화를 소개하며 그 중요성을 강조한 바 있으므로 참고하기 바란다.

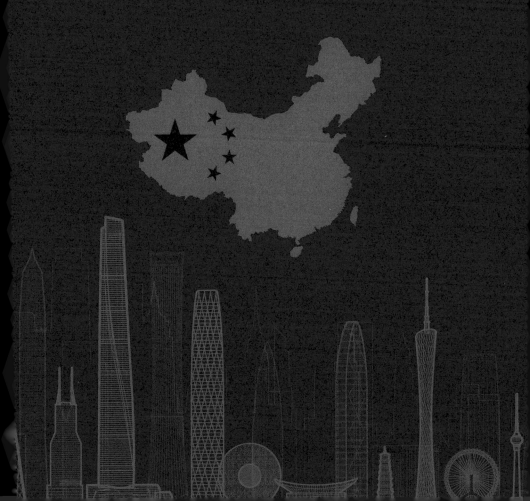

딥 차이나 4

중국의 정책을 읽고
경영 현지화 전략을 짜라

1
전문 기업사냥꾼을 조심하라

"교수님, 저는 중국 사업할 때 「광고법」이 제일 무서운 것 같습니다. 작년 저희 회사가 중국 시장을 타깃팅해서 출시한 기능성 화장품이 있는데 중국 「광고법」 위반으로 15만 위안(약 2,800만 원)의 벌금을 부과당했습니다."

국내에서 나름 지명도가 있는 화장품 회사의 글로벌사업팀장이 필자한테 한 말이다. 도대체 이 회사에 무슨 일이 일어난 것일까? '당신은 미백, 주름 개선의 최상의 효과를 경험하게 될 것입니다.' 중국 온라인 매출 확대를 위해 온라인 마케팅을 진행하면서 만든 광고문구다. 바로 이 한 문장으로 인해 엄청난 벌금을 문 것이다.

'최고' '최대' 등의 최상급 표현은 안 돼요

중국 「광고법」(2015년 9월 시행) 규정에 따르면 소비자를 오도할 수 있는 세계급, 국가급, 최고의, 유일한, 최상의, 가장, 더 등과 같이 자극적이거나 최상의 표현을 쓰지 못하도록 제한하고 있다. 중국에서 한국 식품을 전문적으로 유통하는 모 기업도 회사 중국어 홈페이지에 '가장 안전한 먹거리 식품'이라는 문구가 있었는데 그로 인해 벌금이 부과되는 등 많은 어려움을 경험한 바 있다. 특히 신선가공식품은 흔히 사용하게 되는 가장 안전한, 최고의 품질, 더 쫄깃쫄깃한, 저염 등의 표현이 중국에서 모두 법적으로 문제가 될 수 있기 때문에 과대광고와 표현에 특히 조심해야 한다. 중국 「광고법」에 의하면 만약 규정을 위반했을 경우 '광고요금의 3배 이상 5배 이하에 상당하는 금액의 벌금을 부과하고, 광고요금의 산정이 불가능하거나 금액이 불합리하게 낮은 경우에는 20만 위안(3,700만 원)이상 100만 위안(1억 8,000만 원) 이하의 벌금을 부과한다.'라고 규정하고 있다. 국내에는 잘 알려지지 않았지만 실제 중국에서 식품, 영유아 제품, 화장품, 패션 등 소비재를 유통하고 판매하는 우리 기업이 반드시 숙지해야 할 중국에서 가장 무서운 법 중 하나일 것이다.

중국 「광고법」과 함께 반드시 알아야 할 규정이 하나 더 있다. 2016년 9월 1일부터 시행하고 있는 「인터넷광고 잠정관리방법」이다. 중국 「광고법」이 상위법이라면 「인터넷광고 잠정관리방법」은 하위법의 개념으로 허위 혹은 과장된 온라인광고에 대해 더욱 엄격한 잣대를 대고 있어 우리 기업이 반드시 주의해야 한다. 중국 공상관리 및 시장감독관리 부서가 발표한 자료에 의하면 2020년 기준 인터넷광고 위반 사례가 이미 1만 건을 넘으며 매년 늘어나는 추세다. 중국의 인터넷과 모바일 경제의 급속한 성장으로 인해 온라인 거래가 활성화되면서 인터넷광고 위반 사례가 급증하고 있다는 것이다. 문제는 중국의 「광고법」과 「인터넷광고 잠정관리방법」뿐만 아니라 우리 기업을 잠재적으로 괴롭히는 존재가 하나가 더 있다. 바로 이러한 법을 악용하여 외국계 소비재 유통기업을 위협하는 소비자 투서를 전문적으로 하는 파파라치 기업企业打假人들이다. 인터넷광고 위반 사례의 50% 이상이 바로 파파라치 기업들에 의해 제보 신고된다는 것이다.

파파라치 기업들은 중국 「광고법」 「인터넷광고 잠정관리방법」 「제품 레이블 표시 규정」 「식품안전법」 「화장품 기술안전관리규범」 등 관련 규정을 잘 모르는 외국계 소비재 기업을 대상으로 문제점을 찾아내 중국 시장감독관리국에 투서하여 정부로부터 보상금을 받아내거나 해당 외국계 기업을 협박하여 합의금을 받아내고 있다. 과거에는 개인적인 소비자 투서 형태로 진행되었다면 몇 년 전부터 점차 조직화되고 기업화되고 있다. 최근에는 세부 업종별로 특화된 파파라치 기업들이 생겨나고 있다. 예를 들어 외국산 화장품 기업을 대상으로 하는 '화化파라치 기업', 외국산 신선가공식품만 골라 문제점을 찾아 10배 이상의 보상금을 받아내는 '식食파라치 기업' 등 점차 세분화되고 있다.

중국의 전문 식파라치 기업들은 중국 국가표준에 의한 성분 명칭 표기, 한중 양국 간 성분 사용 가능 확인, 포장지 표기성분 개수와 실질 번역된 중문 표기성분 개수 비교 등 문제점을 찾아내서 신고 보상금을 받아내거나 해당 외국계 기업을 찾아가 합의금을 요구한다. 외국계 식품 기업의 경우 브랜드 이미지 추락을 염려해 울며 겨자 먹기로 어쩔 수 없이 비용을 주고 합의를 보는 경우가 많다는 것이다. 국내 대표적인 라면 브랜드도 중국 편의점에서 판매되고 있는 라면 표기성분 개수 문제로 중국 전문 파파라치 기업들의 투서에 의해 10배를 보상한 적이 있다. 예를 들어 우리나라에서는 라면에 솔빈산칼륨이라는 일종의 나트륨 성분이 들어가는데 중국 라면에는 이 성분을 사용할 수가 없다. 중국에 수출하기 위해서는 반드시 중문 레이블을 부착해야 한다. 그 중문 레이블을 제거하고 솔빈산칼륨 성분이 포함되어 있는지를 직접 확인한다는 것이다.

이처럼 한국어로 성분 표기된 부분과 중문 레이블의 차이점을 찾아내서 해당 기업에 보상을 요구하는 사례가 점차 증가하고 있다. 심지어는 고의로 식품 생산일자를 삭제한 후 배상을 요구하거나 중문 레이블을 제거한 후 미부착했다고 신고하는 경우도 종종 발생하고 있다. 관련 기업들의 주의가 필요하다. 또한 법적 테두리 안에서 교묘하게 편법적인 수단과 방법을 활용하는 사례도 증가하는 추세다. 중국식 경영의 함정에 빠지지 않기 위해서는 끌려가는 것이 아니라 끌고 가는 비즈니스를 해야 한다. 우리 기업이 변화하는 중국 시장을 부단히 공부해야 하는 이유가 바로 여기에 있다.

중국 모조품 불법 유통 유형을 이해하자

"한국 화장품을 저가에 공급해 드릴게요. 정품과 모조품(일명 짝퉁) 모두 종류별로 가능합니다. 혹시 한국 화장품을 유통하고 싶으면 언제든지 위챗으로 연락하세요."

중국 광둥성 선전 동문东门 뷰티·미용 도매시장에서 만난 현지 도매업자에게 들은 말이다. 이곳 화장품 도매시장의 3분의 1 이상은 중국에서 제작된 짝퉁 한국 제품을 팔고 있었다. 중국 일부 내륙시장의 경우 이미 원조가 짝퉁이 되어가고 있었는데 상황은 더욱 심각해지고 있다. 이렇다 보니 중국 소비자조차도 짝퉁 제품에 대해 매우 민감하게 반응한다.

필자는 틈나는 대로 중국 전역으로 짝퉁 한국 뷰티·미용 제품을 판매하는 현지 도매시장을 찾아다니며 시장조사를 한다. 대표적인 뷰티·미용 오프라인 도매시장은 크게 3개 도시 지역권으로 구분된다. 광둥성 광저우 싱파兴发 도매시장과 메이보청美博城 뷰티·미용 도매시장, 선전 동문 뷰티·미용 도매시장과 화창베이华强北 화장품 시장, 그리고 허난성 정저우에 있는 중원제일성中原第一城이다. 광저우와 선전의 경우 정식으로 홍콩으로 수출된 제품이 보따리상(일명 다이궁)에 의해 중국 본토에 유입되어 모조품과 혼합되어 유통되고 있다. 내륙도시인 정저우는 모조품이 진품으로 팔리고 있는 중국 여러 도시 중 규모가 가장 큰 지역 중 하나다.

허난성 정저우는 지리적으로 중국의 허리이자 내수 물류의 거점 역할을 하는 중부 내륙의 주요 핵심 시장이다. 또한 정저우는 중국 최초로 지정된 국경 간 전자상거래跨境电商 시범지역으로 수천 개에 달하는 중소형 온라인 유통 플랫폼이 활동하고 있다. 우리 소비재(B2C) 기업들이 반드시 활용해야 하는 주요 도시 중 하나로 손꼽힌다. 바로 이곳에 중국 내륙 최대 화장품과 생활용품 도매시장인 중원제일성이 있다. 중원제일성은 2014년 설립된 이래로 2,800개가 넘는 도매 유통점포들이 성업 중이다. 이 중 약 400~500여 개 점포가 뷰티·미용 관련 도매유통업에 종사하고 있다. 이들 점포 중 대부분이 한국 뷰티·미용 제품을 취급하고 있다. 그런데 문제는 거의 대부분이 정품이 아니라 이른바 산자이山寨라고 하는 모조품을 판매하고 있다는 것이다. 황설화수를 설화수의 후속 제품이라고 하며 설화수 모조품을 팔고 있었고 정품 메디힐 마스크팩과 거의 구분이 가지 않는 모조품을 팔고 있었다.

중국 현지에서 중국기업이 생산한, 한국과는 전혀 무관한 제품인데 버젓이 한국어로 표기하여 한국산 화장품으로 둔갑되어 판매되고 있었다. 어떤 화장품들은 비록 한국어로 표기되어 있지만 맞춤법이 전혀 맞지 않는 경우도 허다하다. 과거 중국에서 한국 마유크림이 인기가 있을 때 정품 유통을 했던 중국 유통상이 이렇게 말했다. "한국 마유크림의 중국 매출액 규모가 지난 5~6년간 대략 2조 원 이상 되는데 그중 70% 이상이 모조품이 차지할 겁니다." 더욱 심각한 것은 이러한 모조품을 만드는 공장이 중국뿐만 아니라 우리나라에도 적지 않다는 것이다.

중국에서 조금만 인기를 끌면 바로 짝퉁 시장에서 유통되는 것은 사실 어제오늘의 일이 아니다. 화장품에서 시작된 모조품이 이제 가공식품과 영유아 제품 등 기타 소비재군으로 더욱 확산되는 분위기다. 이러한 짝퉁 시장을 막지 못하면 단순히 기업매출뿐만 아니라 우리 산업과 경제 전반에도 영향을 미칠 것은 매우 자명하다. 짝퉁 한국 제품이 중국에서 불법 유통 판매되는 형태는 대략 일곱 가지로 나눌 수 있다.

1. 정품 화장품과 똑같이 제조한 브랜드 위조상품을 유통하는 형태
2. 정품과 혼동될 수 있도록 비슷한 디자인 혹은 브랜드명으로 만든 산자이 제품을 유통하는 형태
3. 광둥, 광저우 지역을 중심으로 저가 위조상품을 생산 유통하는 형태
4. 중국 내 매출 확대를 위해서 수입산 정품 화장품을 모조품을 섞어서 혼합 유통하는 형태
5. 유통기한이 지난 수입 화장품을 중간 도매상들이 저가 판매하는 형태로 유통기한을 불법적으로 수정하여 재유통하는 형태
6. 짝퉁 화장품 판매 리스크를 회피하기 위해 가격도 저렴하고 발각되기 어려운 짝퉁 샘플을 유통하고 판매하는 형태
7. 한국에서 제조한 모조품을 밀수로 반입하여 중국에서 유통하는 형태

유통 방식과 채널도 점차 다양해졌다. 중국에서 유통되는 모조품 채널의 경우 이제 온라인과 오프라인을 넘나들고 있다. 비록 과거 오프라인 형태의 짝퉁 시장과 타오바오를 중심으로 한 온라인 모조품 시장은 점차 해소되고 있지만 여전히 심각한 수준이라고

볼 수 있다. 일반적으로 온라인상에서 유통되는 모조품 단속 방법은 오프라인보다 수월하다. 문제는 오프라인 유통채널 단속이다. 따라서 단순히 모조품을 유통하는 현지 도매상을 단속하는 것에서 그치지 말고 그들을 우리의 새로운 유통채널로 흡수하는 일종의 '역발상 중국식 경영'이 필요하다.

이는 중국 모조품 판매 기업에 경고장을 발송해 우선 모조품 취급을 못 하게 한 다음 정품 유통을 하게 만드는 방법이다. 다시 말해 자사의 모조품을 팔고 있는 유통상을 정품 판매를 하도록 유도하여 새로운 중국 유통상으로 만드는 것이다. 최근 국내 몇 개 화장품 브랜드가 이러한 역발상 비즈니스를 통해 새로운 온라인 대리상과 경소상을 흡수하고 있다. 화장품을 중심으로 시작된 한국 소비재의 중국 수출은 이제 가공식품, 영유아 제품 등으로 다양화되고 있다. 단기매출에 집중해 더 큰 시장을 잃어버리는 우를 범해선 안 된다.

중국 시장에서 모조품 유통을 막는 것은 거의 불가능할 수 있다. 그것은 중국 정부가 짝퉁 도매시장을 방관해서가 아니라 그만큼 짝퉁 유통시장이 너무 방대하고 점조직화되어 있기 때문에 하루아침에 해결할 수 없는 구조적인 문제이기 때문이다. 중국 정부의 다양한 정책적 해결도구를 활용함과 동시에 우리 기업 차원에서 짝퉁 시장을 활용한 새로운 유통채널을 확보하는 등 사고를 전환한 다양한 접근이 필요하다.

2

왕하이 신드롬을 아시나요

(사례 41 기업사냥꾼 왕하이 사례)

1990년대 중반부터 2010년대까지 '왕하이王海 신드롬'이 중국 사회를 강타한 적이 있었다. 검은 선글라스를 쓰고 검은 가죽 재킷을 입은 사람이 쇼핑상가나 백화점에 들어오면 정문 경비실로부터 다급한 무전기 소리가 들려온다. "조심하라, 왕하이가 떴다!" 왕하이가 도대체 누구기에 이런 신드롬이 일어났을까? 왕하이는 중국에서 제1의 짝퉁 사냥꾼 혹은 모조품 퇴치의 선봉장으로 알려진 인물이다. 1993년 제정된 중국 「소비자 권익보호법」이 왕하이 신드롬이 생겨난 결정적인 계기가 되었다.

왕하이는 이 법이 모조품이 만연한 중국 사회의 구조적 문제를 해결하고 돈도 벌 수 있는 일거양득의 기회로 본 대표적인 인물이다. 왕하이의 사업 방식은 매우 간단했다. 검은 선글라스과 검은 가죽 재킷으로 무장하고 모조품을 판매하는 상점이나 쇼핑센터를

중국 가짜단속 전문가 왕하이

(출처: 바이두)

방문한다. 그리고 문제가 있는 제품(불량품과 모조품)임을 알면서도 우선 가격을 지불하고 해당 물품을 구매한다. 그리고 관련 법규의 '가짜·불량 물품을 팔 경우 환불 및 배상한다'는 규정을 이용해 해당 기업에게 높은 배상금을 요구하는 방식이다.

제조, 유통 기업 입장에서는 불량품과 모조품 소식이 알려지면 회사 이미지에 영향을 미치니 '울며 겨자 먹기'로 법적 배상금보다 더 많이 주는 경우도 허다했다. 그러다 보니 왕하이는 1995년 22세의 어린 나이에 유명세를 탔고 일반 소비자를 대신해 선행한 것이라는 명목으로 1996년에는 중국 소비자보호기금회의 '가짜단속 打假 소비자상'을 수상하기도 했다.

2011년에는 똑같은 운동화를 미국에서는 780위안(약 14만 5,000원) 정도에 팔고 있고 중국에서는 1,200위안(약 22만 원)에 판매한다고 나이키를 상대로 소송을 제기했다. 그 결과 중국 법원은 나이키에 487만 위안(약 9억 원)의 벌금을 부과한 적도 있다. 또한 왕하이는 2010년 모조품 단속 담당부서인 지방 기술감독국과 공조하여 대규모 가짜 담배 제조공장을 단속했고 2011년 시가 2,000만 위안(약 37억 원)이 넘는 가짜 바이주白酒 제조공장을 급습하여 공장을 폐쇄하는 등 수없이 많은 가짜 단속 활동을 펼친 바 있다. 이런 왕성한 활동으로 왕하이는 단숨에 중국 내 가장 핫한 인물로 등극했고 그에 대한 긍정적인 평가가 주를 이루었다. 그러나 가짜 단속 활동으로 왕하이가 엄청난 부를 축적했다는 소식이 알려지자 개인 사욕을 채우기 위해 소비자권익보호법을 악용하고 있다는 부정적인 평가가 대두되기 시작했다. 선량한 시민을 대표하는 영웅인가 아니면 그냥 장사꾼인가. 왕하이 신드롬을 두고 지금까지도 논쟁이 뜨겁다. 그도 그럴 것이 왕하이가 이런 가짜단속활동을 통해 매년 버는 금액이 평균 100만 위안(약 1억 8,000만 원) 이상으로 지난 25년 간 벌어들인 금액이 수천만 위안에 이를 것으로 알려져 있다. 불량품과 모조품 단속활동을 하다 보니 당연히 그와 그의 가족을 시해하려는 사람들도 많아졌다. 수없이 많은 협박 전화를 받고 있다. 왕하이는 현재 50여 명의 보디가드를 고용하고 있다고 한다.

왕하이 신드롬이 급속히 중국 사회에 퍼지자 제2, 제3의 왕하이가 생겨났다. 현재 중국에는 모조품을 적발하고 침해 구제를 대행하는 전문 사설 기업과 기관이 2만 개가 넘는다. 왕하이처럼 개인 사업자부터 전문 인력과 인프라 등 규모를 갖추고 모조품을 적발하는 통합 서비스를 제공하는 전문기업까지 매우 다양하다. 왕하이 신드롬을 그냥 중국 내 하나의 재미있는 사회 현상으로 볼 것이 아니라 우리 기업도 활용할 가치가 있다. 우리 기업 제품의 중국 내 모조품 침해 사례는 일일이 나열할 수 없을 만큼 매우 많다 규모가 있는 중견기업과 대기업을 제외하고 대부분의 중소기업은 이런 모조품 침해에 제대로 대응하지도 못하고 속수무책으로 당하고 있다. 특히 중국 시장에 진출한 적도 없고 단지 미국 등 기타 선진국에만 수출하는 기업이 이런 일을 당할 때는 더욱 난감할 수밖에 없다.

어떻게 중국산 모조품의 전세계 수출을 막을 것인가

중국산 모조품이 전 세계로 수출되는 것을 사전에 방지하기 위한 전략적 접근이 필요하다. 이미 중국산 모조품이 전 세계로 수출되는데 어떻게 대응할 수 있을까? 이 경우 모조품 단속의 핵심은 바로 짝퉁 제품을 만드는 공장을 적발해 현장을 급습하고 바로 그 자리에서 모조품을 소각하는 것이 가장 핵심이다. 미국 등 제3국에서 모조품을 단속해봐야 중국 내 제조공장을 폐쇄하지 않으면 의미가 없기 때문이다.

(사례 42 벨금속의 손톱깎이 실패 사례)

대표적인 사례 하나를 들어보자. 한중일 3국만 만들 수 있는 제품이 있는데 요즘 매체에 자주 언급되는 반도체나 디스플레이 등 첨단부품 소재가 아니다. 바로 손톱깎이다.

사실 손톱깎이는 1980~1990년대를 거치며 우리나라의 효자 수출 품목 중 하나였고 그 중심에 벨금속공업, 대성공업(쓰리세븐), 로얄금속공업 등 대표 중소 제조기업이 있었다. 3개 회사의 손톱깎이가 1990년대 초반까지 전 세계 시장점유율의 80% 이상을 차지

벨금속의 손톱깎이 진품과 모조품

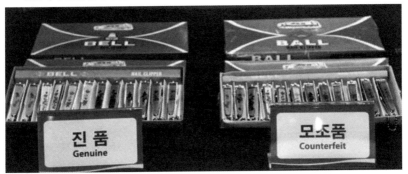

(출처: 코트라)

한 적도 있었다. 이 회사들은 우리나라를 수출 강국으로 만든 자랑스러운 중소 수출기업들이다. 그중 가장 먼저 손톱깎이를 생산한 기업인 벨금속의 손톱깎이 침해 사례에 대해 알아보자. 벨금속은 '벨Bell'이라는 자체 브랜드로 1980~1990년대 세계 손톱깎이 시장의 60%를 차지하고 있었다. 그 당시에는 중국에 수출도 하지 않았고 미국과 유럽 등 선진국 시장에 집중하는 시기였다. 그런데 갑자기 해외 수출 주문량이 급격히 감소하기 시작했다. 중국에서 벨금속의 브랜드와 손톱깎이 디자인을 그대로 도용해 생산한 값싼 모조품이 미국 시장에서 판매되기 시작한 것이다.

중국에서 만들어져 수출된 모조품을 미국 시장에서 잡을 방법이 없었다. 그 넓은 중국 시장에서 모조품 생산공장을 찾는 것은 마치 '백사장에서 바늘을 찾는 격'이었다. 그렇게 애를 태우고 있던 도중 왕하이와 같은 짝퉁 사냥꾼인 중국 전문 사설 기관이 있다는 것을 알게 되었다.

미국에 유통되는 중국산 모조품과 기타 관련 증거를 수집해 해당 전문 사설 기관에 제공했고 얼마 지나지 않아 중국 내 불법 제조공장을 찾을 수 있었다. 벨금속은 어렵게 사설 조사기관을 통해 손톱깎이 모조품 생산규모와 유통경로 등 관련 정보를 제공받게 되었으나 그다음이 문제였다. 모조품을 만드는 중국 현지 공장에 직접 연락해서 '짝퉁 손톱깎이 세트 생산을 지금 당장 중지하지 않으면 바로 법적 대응을 하겠다.'라고 경고했다. 그런데 중국 모조품 공장의 반응이 가관이었다. '마음대로 하세요. 저희는 짝퉁 손톱깎이를 만든 적이 없어요.' 정말 난감한 상황이었다.

당시 중국기업과 법적 소송을 진행할 경우 배보다 배꼽이 더 컸다. 중국에서 이 소송을 진행할 때 일반적으로 소송 기간이 2년 이상 걸리고 비용이 커져서 상황이 녹록지 않았기 때문이다. 지금 당장 모조품 공장을 폐쇄하지 않으면 지속적으로 짝퉁 손톱깎이가 외국으로 수출될 상황이었다. 다행히 행정단속을 할 수 있는 지방기관의 도움을 받을 수 있다는 소식을 듣고 당시 모조품 단속 정부기관인 국가질량기술감독국(현 국가시장감독관리총국) 모조품단속반을 찾아갔다. 결국 현지 지방정부 단속반과 공조하여 현장을 급습해 해당 모조품을 소각하고 공장 문을 닫게 할 수 있었다. 그러나 가성비를 앞세운 중국산 손톱깎이의 품질 향상으로 인해 벨금속의 시장점유율은 예전 같지 않다. 다행히 중국이 모방할 수 없는 노인용, 유아용, 기형발톱용 제품과 은나노 항균 처리 제품 등 다양화와 고급화 전략으로 지금까지 한국의 대표적인 손톱깎이 브랜드로 잘 버텨오고 있다.

벨금속의 사례에서 보았듯이 중소기업의 경우 모조품 제조의 뿌리를 없애야 하는데 그게 쉽지 않다는 것이다. 그 넓은 중국에서 어떻게 모조품 생산공장을 찾아낼 수 있을까? 중국어도 모르고 지인도 없는 중소기업의 입장에서는 막막하기 그지없다. 왕하이와 같은 전문 짝퉁 사냥꾼 혹은 짝퉁 제조공장을 잡는 중국 내 사설 조사기관을 활용해야 한다. 다시 말해 '왕서방을 통해 왕서방을 잡아야 한다.'라는 얘기다.

중국 모조품 단속 절차는 5단계로 진행된다

일반적으로 사설 조사기관을 통해 모조품 공장을 찾아내고 함께 현장을 급습해 폐기하는 절차는 크게 5단계로 진행되는데 간단히 소개하면 다음과 같다.

중국 모조품 단속 5단계 절차

1단계: 모조품 적발 현지 사설 조사기관 활용

▼

2단계: 침해 현장, 규모, 내용 등 파악 모조품 생산 공장의 위치, 생산규모, 유통경로 등 파악

▼

3단계: 사설 조사기관과의 사전 협의 정식 서류 절차 생략, 구두 협의 (단속 정보 기밀 유지)

▼

4단계: 현장 급습 증거 보존, 모조품 등 압수

▼

5단계: 행정 처벌, 모조품 등 몰수, 폐기 확인

(출처: 중국경영연구소)

1단계는 상하이, 광저우, 베이징 등 현지 사설 조사기관을 활용해 모조품을 적발한다. 이들은 체계화된 조직과 시스템으로 짧은 시간 내 의뢰한 모조품 적발 작업을 진행한다. 2단계는 적발한 모조품 생산공장의 위치, 생산규모, 국내외 유통경로 등을 파악한다. 결국 1, 2단계의 핵심은 전문 모조품 조사기관의 도움을 받아야 한다는 것이다. 현재 중국 내 모조품 단속 조사기관은 약 2만여 개인데 그중에서 경쟁력 있는 조사기관 선정이 중요하다. 전문성과 조사 속도가 중요한 만큼 주변 전문가의 도움을 받아 해당 지역과 업종 특성을 고려한 조사기관을 선정해야 한다.

중국 내 전문 모조품 조사기관
- 中国中联知识产权调查中心(www.cuippc.com)
- 北京中誉威圣商务调查事务所(www.genuineways.com)
- 罗思(上海)咨询有限公司(http://1294777.71ab.com)
- 上海博邦知识产权服务有限公司(www.bob.org.cn)
- 上海净信知识产权服务公司(www.sunfaith.com)
- 广州市精锐咨询有限公司(www.jingrui.com)
- 홍콩 恒旭国际商务安全顾问有限公司 외 다수

3단계는 조사된 침해 자료와 현장 사진을 통해 어떻게 대응할지에 관해 논의한다. 여기서 중요한 것은 하루라도 빨리 생산공장을 폐쇄해야 하기 때문에 그 속도가 매우 중요하다. 관련 정보가 유출되지 않도록 사설 조사기관과 논의하여 해당 지역 국가시장감독관리총국 모조품단속반과 협의를 진행해야 한다. 대부분 경험 있는 사설 조사기관은 이미 그 지역 정부 단속반과 네트워킹이 되어 있기 때문에 정식 서류 절차를 생략하고 현장 급습을 위한 D데이를 선정하게 된다. 4단계는 바로 단속반, 사설 조사기관, 피해 기업이 공조하여 현장을 급습한다. 이때 현장을 급습하여 사전 조사된 침해 사실이 확인되면 현장에서 바로 관련 모조품을 소각하거나 압수하고, 모조품 생산설비와 기계를 몰수하게 된다. 마지막 5단계는 침해 중국기업에 대한 벌금부과 등 행정 처벌을 위해 관련 절차 작업을 진행한다. 법적 구속과 손해배상 청구는 법적 소송을 통해 진행되기 때문에 단속 위주로 진행되는 행정소송에서는 권한이 없다. 위에서 언급했다시피 법적 소송은 시간과 비용이 많이 든다. 따라서 우리 중소기업 입장에서는 모조품 단속을 통해 진행하는 행정소송을 우선 진행하는 것이 가장 현실적인 대안이라고 볼 수 있다. 지적재산권 침해 단속에 대한 중국 정부의 의지도 매우 강력해지고 있다. 우리가 이러한 제도와 방법을 알고 활용하는 것이 중요하다. 중국 시장과 해외에 유통되고 있는 중국산 모조품을 좀 더 과학적이고 현실적인 대안으로 접근하고 해결해야 한다.

3
광동제약이 비타1500도 만드나요

"이 립스틱은 한국과 일본에서 매우 인기 있는 제품입니다."

몇 년 전 베트남 하노이 출장 때 일본 다이소를 모방한 미니소 Miniso 매장에서 현지 점원이 필자한테 한 말이다. 일본 브랜드로 위장하기 위해 매장 입구부터 제품 하나하나까지 모두 일본어로 표기되어 있었다. 미니소는 일본과는 전혀 무관한 짝퉁 중국 브랜드로 현재 매월 약 50~60개 점포가 새로 생겨나고 있으며 중국을 기점으로 동남아, 호주, 유럽을 넘어 전 세계로 확대되고 있다. 한편 한류 열풍을 이용해 짝퉁 한국 제품을 파는 중국계 매장도 베트남을 중심으로 동남아시아 전 지역으로 확산되고 있다.

한류를 활용한 짝퉁 마케팅을 막아라

최근 베트남 당국에서 대대적인 짝퉁 단속을 벌이고 있다. 하지만 절대 하루아침에 해결될 문제가 아니다. 뉴스 매체를 통해 중국 기업이 만든 짝퉁 한국 제품이 동남아 국가에서 인기를 얻고 있다는 소식은 알려진 바 있으나, 사실 현장에서 보는 '짝퉁 한류'는 상황이 더욱 심각하다.

(사례 43 한류 짝퉁 브랜드 무무소 사례)

가장 대표적인 사례가 바로 상하이 소재 중국기업이 만든 짝퉁 한국 생활용품 유통 브랜드 무무소MUMUSO다. '무궁생활'이라는 한글 상표로 한국산 제품을 파는 매장인 것처럼 꾸며 동남아시아는 물론 러시아, 중동, 남미 등지에서도 버젓이 영업하고 있다. 한국을 뜻하는 영문 KOREA나 Kr을 함께 쓰는 무무소는 하노이, 호찌민, 다낭 등 베트남 주요 도시에만 30여 개 매장이 있다.

무무소 매장에서 판매되는 2,500여 개 제품의 90% 이상은 중국에서 수입된 것이다. 한국과는 전혀 관계가 없다. 베트남 사회 전반에 밴 반중국 감정을 피하고 한류를 활용해 돈을 버는 전형적인 짝퉁 마케팅 사례라고 볼 수 있다. 더욱 심각한 것은 현재 짝퉁 한류를 활용해 제삼국 시장에서 돈을 벌고 있는 중국계 브랜드가 무무소뿐만 아니라는 점이다. 일라후이ilahui, 미니굿Mini Good 등 매우 다양해지고 있다. 우리가 중국 내수용 짝퉁 시장 단속에 초점이 맞춰져 있는 사이 중국산 짝퉁 한국 제품이 전 세계적으로 수출 유통되는 점을 간과하고 있었다. 이는 단순히 경제적 손실뿐만 아니라 기업 이미지는 물론이고 더 나아가 국가 이미지에도 큰 타격을 줄 수 있기 때문에 철저한 대응이 필요하다고 볼 수 있다.

이미 짝퉁 제품이 중국 해관(海关, 세관)을 넘어 제3국으로 수출되어 유통되었다면 아무리 현지 정부가 단속하더라도 그 결과는 제한적일 수밖에 없다. 수출되어 해외시장에서 유통되기 전에 기업 차원에서 적극적으로 사전 대응을 해야 한다. 문제는 대부분의 우리 기업이 그 방법과 절차를 잘 모른다는 것이다. 이미 미국, 유럽, 일본 등 해외 기업은 자사 브랜드의 중국산 짝퉁이 국제적으로 유통되는 것을 막기 위해 중국의 '지식재산권 해관등록제도'를 활용하고 있다. 해관은 짝퉁 물품이 국내외로 유통되는 주요 통로이다. 따라서 수출입 단계에서 해관을 이용하면 매우 효과적으로 중국산 짝퉁 제품의 해외 유통을 초기에 차단할 수 있다.

중국 해관을 이용해 글로벌 짝퉁 유통을 막아라

지재권 침해 제품의 국제 유통을 막고 지재권 권리인의 권익을 보호하기 위해 만든 법률이 「중화인민공화국 지식재산권 해관보호조례中和人民共和國 知識産權海關保護條例」다. 본 조례의 핵심은 중국에 등록된 상표, 특허, 저작권 등 지재권을 중국 해관 시스템에 등록하면 중국 해관에서 수출입을 관리 감독하여 침해 제품의 수출입을 사전에 막을 수 있다는 것이다. 중국 해관을 통한 지재권 보호는 크게 '직권에 의한 보호'와 '신청에 의한 보호'로 나뉜다. '직권에 의한 보호'는 중국 해관이 수출입 화물을 감독하는 과정에서 발견한, 사전 등록된 모조품으로 보이는 수출입 화물에 대해 자체적으로 억류 또는 조사하는 조치를 의미한다. '신청에 의한 보호'는

중국해관의 직권에 의한 지재권 보호 절차

지적재산권 사전 등록	해관에서 화물의 통관 중지	권리인의 화물 억류 신청 및 담보 제출	해관의 화물 억류	해관의 조사 및 인증	해관의 처벌 결정	해관의 침권 화물 처리	비용 결산 및 담보금 환급

지재권 권리인이 침해 혐의가 있는 화물이 수출입을 할 직전에 중국 해관에 신청서를 제출하면 해관이 당해 신청에 의해 침해 혐의가 있는 화물을 억류하는 조치다. 당연히 우리 기업의 입장에서는 모조품이 언제 수출되는지 알 수 없다. 따라서 반드시 '직권에 의한 보호' 방법을 선택해야 한다.

우리 기업은 최근 미국 등 북미 시장과 베트남 등 동남아 시장에서 큰 피해를 보고 있음에도 불구하고 중국 해관의 지식재산권 보호 업무, 사전등록제도의 절차와 방법을 몰라서 무방비 상태로 당하고 있다. 중국 해관이 발표한 자료에 의하면, 2018년 기준 중국 해관의 지식재산권 보호시스템에 등록된 총 5만여 건 중 중국 본토 기업이 58%로 가장 많고 그다음이 미국(16%), 일본(6%), 독일(4%) 순이다. 한국은 2%도 안 되니 상황이 심각할 수밖에 없다. 한국산 기계부품설비 등 중간재뿐만 아니라 휴대폰, 화장품, 패션, 기타 생활용품 등 소비재 침해 제품의 국제적인 유통을 저렴한 가격으로 막을 수 있는 좋은 방법임에도 불구하고 활용도가 매우 낮다. 점차 중국 해관의 지식재산권 보호시스템을 활용하는 국내 기업이 조금씩 늘어나고 있지만 다른 국가 대비 여전히 미흡하다. 중국 해관에 따르면 2020년 한 해에 모조품으로 의심되어 해관에 억류된 수출입 화물만 5,620여 건으로 전년 대비 20% 이상 증가하는 등 중국에서 생산된 유사품과 모조품의 수출이 심각하다고 볼 수 있다.

그렇다면 어떻게 이러한 제도를 활용할 수 있을까? 우선 중국 내 상표, 특허, 저작권 등 관련 출원이 우선되어야 한다. 그런 뒤 중국 해관의 지적재산권 보호 등록 사이트(www.haiguanbeian.com)에서 등록을 신청하면 된다. 신청 구비서류도 매우 간단하다. 첫째, 상표권 해관보호 신청서로 중국 해관의 지적재산권 보호 등록 사이트에서 다운로드받아 작성하면 된다. 둘째, 신청 주체가 자연인의 경우 개인 신분증 사본, 기업법인의 경우 기업영업집조 복사본 혹은 기타 등록문서 복사본이면 된다. 셋째, 상표등록 증빙문서로 중국상표 출원증 복사본이나 상표국에서 발급한 등록증명 복사본이면 된다. 넷째, 등록 신청비 납입증명서 복사본으로 특허, 상표, 저작권 등 항목당 약 800위안(약 15만 원)의 비용을 내면 발급받을 수 있다. 만약 중국에 법인이 없을 때는 대리업체를 통해 신청할 수 있다. 대리인을 통해 신청할 경우는 대리업체의 영업집조 복사본(자연인의 경우는 신분증 사본)과 위에서 언급한 지적재산권 보호 등록 사이트에서 대리 위탁서 양식을 다운로드받아 작성하면 된다.

수출주도형 국가인 우리나라는 글로벌 시장에서 모조품으로 인한 피해에 매우 치명적일 수밖에 없다. 중국 내수시장의 모조품 단속도 중요하지만 중국에서 만들어진 짝퉁 제품이 제3국으로 수출되는 것을 막아야 한다. 중국 정부도 지적재산권의 중요성을 인식하면서 보호와 강화에 힘을 쏟고 있다. 그러나 분명 한계가 있다. 우리 기업 스스로 보호하고 대응하는 노력 없이는 절대 해결되지 않는다. 결국 아는 만큼 위안화를 벌고 성공할 수 있다는 것을 기억하자.

타오바오를 통해 내 상표를 지켜라

"소장님, 저희 회사가 이미 출원한 중국상표를 다른 중국인이 '불사용 취소신청'을 했다고 국제우편물이 왔는데 어떻게 해야 합니까?"

(사례 44 타오바오가 내 상표를 살린 사례)

국내 화장품 제조 유통 중소기업인 B사의 CEO에게 연락이 왔다. 이제 겨우 중국 수출을 위한 위생허가증NMPA을 받고 온라인 마케팅을 통해 본격적으로 사업을 준비하는 B사에는 청천벽력 같은 소리였다. 힘들게 브랜드를 키웠고 다양한 마케팅 채널을 통해 이제 좀 중국 시장에서 알려지려는 순간 뜻하지 않은 변수가 생긴 것이다. 우선 '불사용 취소신청'이 무엇인지부터 이해해야 한다. 불사용 취소신청은 상표권자(우리 기업)가 출원한 상표를 중국 지식산권국(상표국) 직권 또는 개인(중국인 혹은 기업)의 신청에 의해 해당 상표를 취소하는 행정처분이다. 중국 「상표법」 제49조 규정에 따라 '등록상표가 정당한 사유 없이 3년간 연속해서 중국에서 사용되지 않았을 경우 제3자는 상표국에 해당 등록상표의 취소신청을 제기할 수 있다'라고 규정하고 있다. 다시 말해 B사는 중국상

등록상표 사용 증거 제공 통지문

(출처: 바이두)

표만 출원하고 3년 동안 중국에서 B사 상표가 표시된 제품을 정식 유통 판매하지 않았다는 것이다. 한국 내 유통 판매는 인정되지 않는다. 취소신청을 한 중국인의 의도는 크게 두 가지로 정리된다. 첫째, B사 상표가 나름 알려졌는데 시장조사 결과 중국 내에서 정식 유통된 제품이 없는 것을 알고 상표를 자기가 직접 활용하기 위한 목적일 가능성이다. 둘째는 고의적으로 B사를 곤혹스럽게 만들어 높은 금액을 받고 상표를 양도할 목적일 가능성이다. 어떤 목적이었든 중국인이 제기한 불사용 취소신청에 대해 긴급히 대응해야 하는 상황이었다.

중국 「상표법 실시조례」 제66조 규정에 따르면 상표국은 취소신청 서류를 접수한 후, 상표 출원자에게 취소신청 사항을 통지하며 상표 출원자는 통지를 받은 일로부터 2개월 이내 등록상표가 중국 내 유통되고 판매되고 있다는 증빙자료 또는 사용하지 아니한 정당한 이유를 제출하는 불사용 취소 답변서를 작성해서 대리기구를 통해 상표국에 제출해야 한다. 만약 2개월 이내 지난 3년간 상표 사용 증거자료를 제출하지 않거나 증거자료가 무효하며 정당한 이유가 없을 시 중국 상표국은 해당 등록상표를 취소하게 된다. 힘들게 상표를 출원하고 어처구니없이 중국상표를 빼길 수도 있다는 얘기다. 사실 이런 사례는 과거에는 그다지 많지 않았다. 반대로 중국인(기업)이 악의적으로 한국상표를 선출원해서 높은 비용을 받고 상표 양도를 하는 경우가 대부분이었다.

우리에게 많이 알려진 브랜드 중 설빙, 삼다수, 동인비, 원할머니 보쌈 등 수없이 많은 브랜드가 중국인에게 상표를 도용당했고 시간과 비용을 들여 힘들게 상표를 양도받은 아픈 기억이 있다. 지금도 많은 기업이 어려움을 겪고 있다. 그런데 최근 들어 한국 제품에 대한 중국 내 인지도가 상승하면서 이미 출원한 상표 중 3년 동안 중국 내 유통 판매하지 않은 한국 브랜드를 선별하여 불사용 취소신청을 악의적으로 제기하는 사례가 급증하는 추세다. 무엇보다 우리 중소기업이 바로 그 사각지대에 놓여 있다는 것이다. 중국상표 출원의 중요성은 매체와 여러 형태의 강연을 통해 이제 국내 중소기업들도 어느 정도 알고 있어 정부와 지자체의 지원을 받아 중국 내 상표출원을 했거나 출원 중인 기업이 눈에 띄게 많아졌다. 그러나 대부분의 중소 브랜드는 인지도가 아직 낮아 중국 유통대리상을 통한 판매 혹은 정식 수출이 되지 않은 상태에서 '연속 3년간 상표 불사용' 이슈라는 함정에 빠지기 쉽기 때문에 주의가 필요하다.

불행하게도 우리 중소기업이 이런 함정에 빠졌다면 우선 침착히 믿을 만한 상표대리 사무소를 찾아 불사용 취소 답변서를 작성하는 등 적극적으로 대응해야 한다. 중요한 것은 주어진 기한 내 증거자료 답변서를 제출해야 한다. 만약 기한이 넘어갈 경우 어쩔 수 없이 행정소송으로 진행해야 한다. 행정소송으로 들어가게 되면 시간과 비용이 훨씬 많이 소요된다. 예를 들어 취소 심판 대리비용의 경우 대략 8,000~9,000위안(약 140~150만 원) 정도이지만 행정소송으로 넘어가게 되면 수백만 원에 이를 수도 있고 관련 증빙자료가 부족하면 내 상표를 뺏길 수도 있다는 것을 명심해야 한다. 따라서 반드시 기한 내 등록상표 사용 증거자료를 제출해야 한다.

대부분의 중소기업은 중국 내 법인이나 사무소가 없다 보니 국제우편으로 한국 주소지로 등록상표 사용 증거 제공 통지문을 받게 된다. 통지문을 받은 날로부터 2달 내 중국 사업 증거자료를 제출해야 한다. 만약 늦게 공지문을 받았다면 국제우편 봉투 직인이 찍힌 날로부터 2달 내 제출해도 가능하다. 핵심은 최근 3년간 중국에서 사업을 했다는 증빙자료, 예를 들어 중문으로 된 브랜드 홍보자료, 제품판매기록, 수출계약서, 수권서, 대리계약서, 세관통관증, 물품수령증, 제품판매영수증 등 다양한 증거자료를 제출하는 것이 중요하다. 문제는 이러한 제품판매실적과 수출계약서 등의 증빙자료가 없다면 내 상표를 방어하기가 쉽지 않다는 것이다. 이럴 때 유용하게 활용할 수 있는 팁이 바로 규모가 크지 않더라도 '타오바오 입점'을 통한 중국 사업 증거자료를 미리 수집해두어야 한다는 것이다.

타오바오는 C2C(Customer to Customer) 오픈마켓으로 개인명의

중국 타오바오 판매자센터 화면

(출처: 바이두)

와 기업명의로 모두 입점이 가능하기 때문에 우리 기업이 손쉽게 상점을 개설할 수 있다. 과거 타오바오는 짝퉁 제품 판매 플랫폼의 대명사였지만 지금은 엄격하게 짝퉁 제품에 대응하고 있기 때문에 중국상표가 출원된 기업이라면 반드시 타오바오 입점을 통해 브랜드 홍보와 초기 영업활동을 할 필요가 있다. 따라서 소비재의 중국 수출을 준비 중인 기업이라면 타오바오 입점과 동시에 타오바오 입점기록, 거래내역서, 중국 경내책임인과 체결한 협의서, 상품과 함께 해당 일자가 나와 있는 타오바오 화면 캡처 자료 등 자료를 수시로 저장하고 보관해두는 습관을 길러야 한다. 나아가 향후 상표 사용허가 계약, 짝퉁 제품 단속 등 상표권 행사 시 제약이 있을 수도 있기 때문에 3년 불사용 취소 심판 답변서 작성과 함께 동일한 상표를 신규출원하는 작업이 동시 진행되어야 한다. 상표는 기업과 제품의 얼굴이다. 내 중국상표를 지키는 노력을 기울여야 한다.

상표와 디지인을 침해한 롯디리아와 비타1500 제품

(출처: 중국경영연구소)

타오바오 입점을 통해 브랜드 홍보를 하라

과거 타오바오는 짝퉁 제품 판매 플랫폼의 대명사였지만 지금은 엄격하게 짝퉁 제품에 대응하기 때문에 중국상표가 출원된 기업이라면 반드시 타오바오 입점을 통해 브랜드 홍보와 초기 영업활동을 할 필요가 있다. 따라서 소비재의 중국 수출을 준비 중인 기업이라면 타오바오 입점과 동시에 타오바오 입점기록, 거래내역서, 중국 경내책임인과 체결한 협의서, 상품과 함께 해당 일자가 나와 있는 타오바오 화면 캡처자료 등 자료를 수시로 저장하고 보관해두는 습관을 길러야 한다. 나아가 향후 상표 사용허가 계약, 짝퉁 제품 단속 등 상표권 행사 시 제약이 있을 수도 있기 때문에 3년 불사용 취소 심판 답변서 작성과 함께 동일한 상표를 신규출원하는 작업을 동시 진행해야 한다. 무심코 있다가 내 상표를 뺏기는 우를 범해서는 안 된다. 한편 중국상표 출원과 함께 우리 기업이 챙겨야 할 게 하나 더 있다. 바로 중국 의장특허(디자인권) 출원이다. 의장특허를 중국에서는 '외관설계전리권外观设计专利权'이라는 용어를 사용한다. 중국은 특허를 전리专利라고 부른다.

그에 따라 발명특허를 발명전리发明专利, 실용신안을 실용신형전리实用新型专利, 디자인 의장특허를 외관설계전리라고 부른다. 중국에서 실용신안과 의장특허는 무심사 제도이기 때문에 우리 기업이 반드시 상표 출원과 함께 동시에 출원해야 한다고 강조한 바 있다. 우리 기업의 중국 내 상표와 디자인 침해 사례는 일일이 나열하기조차 힘들 정도로 많다. 상표와 디자인 침해와 관련한 사례 몇 가지를 예로 들어보자.

상품 판매 전 디자인전리 출원을 하라

(사례 45 롯데리아의 실패 사례)

롯데리아의 초기 중국 진출 시 이른바 '롯디리아' 상표가 버젓이 중국에서 영업한 적이 있다. 그 당시 롯데리아는 중국 내 브랜드 지명도가 높지 않다 보니 소비자 입장에서 혼동할 수밖에 없었던 상황이다. 롯데리아는 1994년 중국 시장에 진출해 24개 매장까지 운영했으나 경쟁사 분석 미흡과 차별화 실패 그리고 브랜드 확장성 한계에 부딪혀 결국 사업 부진으로 2004년에 철수했다. 특히 롯디리아라는 중국상표와 디자인 침해에 제대로 대응하지 못한 측면도 있다.

(사례 46 광동제약 비타500 상표 디자인 침해 사례)

또 다른 사례를 들면 국내에서도 인기가 있는 광동제약 비타500의 상표와 디자인을 침해한 '비타1500'의 공습이었다. 비타500은 2001년 국내 출시 이후 2004년 3월 미국 수출을 기반으로 중국과 동남아 국가 등에 수출을 확대하고 있다. 건강을 챙기는 중국 소비자가 늘어남에 따라 비타500과 쌍화탕 등이 인기를 얻었다. 광동제약은 현지 생산을 통한 가격경쟁력 확보와 자체 영업망 확충을 위해 2017년 6월 20만 달러를 출자해 지린성 투먼시에 유통판매법인인 광동실업연변유한공사를 설립했다. 그 결과 한때 중국인이 사랑하는 한국 명품 42종에 비타500이 포함되는 등 지속적인 성장세를 보였다. 그러나 중국 일부 지역에서 비타500의 상표와 디지안을 침해한 비타1500이 유통되어 어려움을 겪은 적이 있다.

(사례 47 뚜레쥬르 디자인 침해 사례)

디자인권 침해와 관련해 필자가 경험한 다른 사례를 살펴보자. 국내 대표적인 베이커리 브랜드인 뚜레쥬르의 중국 진출 초창기 때 일이다. 중국 장쑤성 현지 지역시장 조사를 진행할 때 우연히 뚜레쥬르와 비슷한 로고 디자인의 현지 브랜드 '수천당(水天堂, Water Paradise)' 서양요리 전문 식당을 방문한 적이 있다. 너무도 비슷해 처음에는 뚜레쥬르가 투자한 식당으로 착각할 정도였다. 수천당은 장쑤성 쑤저우에 본사가 있는 중국 요식업 프랜차이즈 기업으로 연인 식사, 가족 회식, 비즈니스 연회 등으로 현지인들이 즐겨 찾는 식당으로 유명하다. 다행히 얼마 지나지 않아 로고

뚜레쥬르와 흡사한 수천당의 초기 디자인과 현재 디자인

By Using The Superior Quality Of Natural Ingredients
We Gurantee The Best Oven Fresh Bread

뚜레쥬르

(출처: 바이두, 중국경영연구소)

디자인을 바꾸고 지금은 자체적인 새로운 브랜드 디자인을 사용하고 있다. 이뿐만이 아니다. 락앤락 물병 디자인 침해, 쿠쿠전자 전기압력밥솥 CRP-HT10 모델 디자인 침해 등 지속적으로 분쟁 사건이 일어나고 있다. 쿠쿠전자는 디자인을 침해한 중국 가전 기업을 대상으로 약 7년간 중국에서 디자인 소송을 진행해 어렵게 승소했다. 문제는 락앤락이나 쿠쿠전자와 같은 중견기업이 아니라 일반 중소기업의 경우 긴 시간 진행되는 소송을 감내하기가 절대 쉽지가 않다는 것이다. 따라서 우리 기업은 중국 디자인전리에 대한 관심을 높여야 한다. 무심사 제도의 특징을 알고 중국기업의 디자인 출원이 급증하는 추세다. 2020년 중국 국가지식산권국 통계에 의하면 디자인전리는 총 77만 건으로 직무 디자인이 전체의 약 60%인 46만 2,000여 건이었으며 비직무 디자인은 약 40%인 30만 8,000여 건을 차지하고 있다. 이 중 중국 디자인전리의 경우 상표, 실용신안, 발명전리 대비 중국인에 의한 출원이 95%로 다수를 차지하고 있다.

따라서 좀 더 적극적으로 중국 디자인전리를 활용해야 한다. 최근 들어 우리 화장품과 건강기능식품 등 소비재 제품의 중국 수출이 확대되는 시점에서 제품의 포장디자인도 반드시 등록해야 한다. 특히 상품을 판매하기 전에 반드시 디자인전리 출원을 진행해야 한다. 또한 디자인전리 출원이 되지 않은 상태에서 중국 박람회나 전시회 참가를 주의해야 한다. 일단 상품을 중국에 판매하고 난 뒤 디자인전리 출원은 어려울 수 있기 때문이다. 만약 이미 상품이 판매되었다면 상품의 포장디자인을 전체로 상표등록을 다시 하는 방안도 있을 수 있으니 이에 대한 검토가 필요하다. 향후 중국 내 동일한 모방 침해를 방어하기 위한 수단으로도 활용할 수 있는 장점이 있다.

4
빅데이터를 활용해 모조품을 찾아라

"교수님 저희 회사 동의도 없이 중국 타오바오에 저희 제품 사진과 모델 사진을 그대로 사용하고 있는데 해결 방법이 없을까요?" 국내 중견 화장품 기업의 해외영업 이사가 필자한테 한 말이다. 중국의 대표적인 온라인 쇼핑몰인 티몰(B2C)과 타오바오(C2C) 사이트에서 한국 저작권자의 동의 없이 무차별적으로 한국 제품의 이미지와 동영상을 사용하고 있다는 것이다. 최근에는 중국 모바일 게임이 한국 게임사의 이미지를 표절해 모바일 광고로 사용하는 등 중국 온라인과 모바일에서 불법 콘텐츠가 매우 성행하고 있다. 사실 중국 온라인 불법 콘텐츠 이슈는 어제오늘의 얘기가 아니다. 지난 2008년 미국무역대표부USTR가 발표한 「악명 높은 시장리스트notorious-markets list」에 타오바오가 포함된 적이 있었는데 알리바바의 노력으로 2012년 명단에서 삭제되었다. 하지만 여전히 불법 거래가 진행되자 2015년 12월 미국무역대표부는 다시 명단에 올릴 수 있다고 경고했다. 또한 2016년 5월에는 구찌, 이브생로랑 등 세계 명품 브랜드를 보유한 프랑스 패션기업 케링Kering이 모조품이 온라인에 유통되도록 방조했다는 이유로 알리바바를 뉴욕 맨해튼 연방법원에 제소했다. 루이비통도 알리바바를 상대로 베이징 고등법원에 손해배상 청구소송을 제기했다.

중국 온라인 불법 콘텐츠의 상시 대응 시스템을 활용하라

사실 알리바바도 여러 가지 방법을 동원해 온라인 불법 콘텐츠와 모조품에 대응하고 있지만 쉽지 않을 것이다. 흔히들 "세상에 존재하는 모든 물건은 타오바오에 다 있다."라고 한다. 타오바오 사이트에 10억 개가 훨씬 넘는 온라인 상품 중 진위 여부를 판단하기가 쉽지 않기 때문이다. 알리바바 타오바오에 입점해 있는 점포 수만 거의 1,000만 개가 넘는다.

타오바오에서 '한국 화장품'으로 검색하면 1만 개 이상의 점포 수가 검색된다. 사실 이 통계도 몇 년 전 대비 많이 줄어든 것이다. 필자가 예전에 검색했을 당시 많을 때는 10만 건이 넘는 점포가 한국 화장품을 판매하고 있었다. 이 중 70% 이상이 모조품이거나 불법적으로 한국 화장품의 이미지를 사용하고 있었다. 2015년부터 알리바바가 자사 쇼핑몰에서 모조품을 파는 유통사를 퇴출하는 '삼진아웃Internet Strike-out' 제도를 하면서 많이 줄어들었다. 삼진아웃제도는 동일한 상품에 대해 동일한 권리자의 고발을 세 번 받게 되거나 각기 다른 권리를 네 번 누적해 위반할 경우 계정을 폐쇄하는 제도다.

이는 알리바바가 자체 작성한 벌점 체계와 연동되어 작동된다. 입점 점포가 규칙 위반을 하면 위반 행위에 상응하는 벌점을 부여하고 누적된 벌점에 근거하여 처벌하게 된다. 누적 벌점에 따라 각기 다른 제한을 받게 되는데 판매자 계정 권한 제한, 상품 업로드 제한, 판매활동 제한, 검색 노출 순위 하락, 알리페이 계정 제한, 계정 폐쇄 등 다양하다.

특히 알리바바가 운영하는 '미스터리 쇼퍼Mystery Shopper'는 몰래 구매 감정 평가단을 활용해 모조품을 파는 상점을 퇴출하는 제도다. 약 5,000명 이상 익명의 상품평가단을 구성하여 권리인이나 제3의 검사기관을 통해 해당 상품의 진위와 품질을 검사한다.

문제는 온라인 불법 콘텐츠 단속을 하더라도 바로 회사 명칭(계정)을 바꾸어 또다시 불법 콘텐츠를 올리기 때문에 대응하기 쉽지 않다는 것이다. 그렇다고 앉아서 그냥 지켜볼 수만은 없는 실정이다. 우리 기업 차원에서 최대한 방어하고 대응해야 한다. 중국 내 온라인 불법 콘텐츠 유통을 막기 위해서 2단계 대응 전략이 필요하다.

1단계는 중국에 물건을 팔기 위한 가장 기본적인 내용이지만 아직 많은 기업이 챙기지 못하고 있는 중국 지적재산권 제도를 최대한 활용하는 것이다. 상표권뿐만 아니라 의장특허(디자인)와 실용신안도 반드시 체크해야 한다. 의장특허와 실용신안의 경우 중국은 우리나라와 달리 무심사 제도여서 먼저 출원한 사람이 법적 권리를 가진다. 특히 중요한 것은 디자인권作品登记权과 온라인 이미지 판권网站图片版权 등 저작권 출원을 통해 자사의 동의 없이 무단으로 제품 사진이나 이미지가 온라인상에서 유통되는 것에 적극적으로 대응해야 한다. 저작권 출원증이 있어야만 온라인 플랫폼에서 유통되는 불법 이미지와 모조품을 단속할 수 있기 때문이다.

그렇다면 중국 내 저작권 신청은 어떻게 해야 할까? 기업이 중국 저작권 보호 기관인 중국판권보호센터(www.copyright.com.cn)에 직접 신청을 할 수도 있고, 한국저작권위원회 베이징 대표처를 통해 위탁대리 신청을 할 수도 있다. 베이징 대표처는 중국 중앙정부와 지방정부로부터 중국 내 저작권 확인을 위한 인증기구로 지정받았기 때문에 우리 기업이 적극적으로 활용해야 한다. 중국판권보호센터에 직접 신청할 경우, 우리 기업은 센터 홈페이지를 통해 다운받은 신청서, 신분증명(개인: 여권사본, 기업: 사업자등록증), 저작권리 보증서, 제품 샘플 등 관련 서류를 제출하면 된다. 만약 한국저작권위원회 베이징 사무소를 통해 대리 신청할 경우, 직접 신청 제출 서류, 대리인 위탁서(개인 또는 법인), 대리인 신분증명서를 베이징 사무소로 보내면 된다. 일반적으로 등록 신청일로부터 30일 내 출원증이 나오며 비용도 제품 디자인의 경우 1건당 500위안(9만 원) 정도로 매우 저렴한 편이다.

2단계는 알리바바와 유관기관의 상시 대응 시스템을 적극적으로 활용하는 것이다. 만약 이미 제품 사진과 회사 로고, 모조품 등이 타오바오, 샤오훙수 등 중국 온라인 쇼핑몰에서 불법적으로 유통되고 있다면, 유관기관에서 지원하는 온라인 위조상품 대응 지원 시스템을 활용해야 한다. 중국판권보호센터는 중국 오픈마켓 내 한국 제품의 위조상품 유통 실태조사와 신청기업에 대한 위조상품 유통 정보 제공을 하고 있다. 한국저작권위원회는 중국판권 보호센터와 협조하여 개인 또는 기업이 제작한 콘텐츠 보호를 위해 2015년부터 중국 온라인 유통 플랫폼과 불법 콘텐츠 삭제를 위한 핫라인을 구축하여 지원하고 있다.

중국 온라인 사이트 내 불법 콘텐츠 유통 시 국내 관련 기업이 직접 삭제를 요청하면 24시간 내 처리될 수 있도록 운영하고 있다. 지난 2015년부터 2020년까지 핫라인을 통해 해당 불법 콘텐츠가 삭제된 중국 온라인 사이트가 15만 건이 넘는다. 이처럼 중국 내 온라인 불법 콘텐츠 사이트에 대해 경고장 발송을 통한 상시 삭제 시스템을 활용하기 위해서는 불법 콘텐츠를 증명할 수 있는 사진, 이미지, 로고 등과 다음과 같이 저작물에 대한 권리를 가지고 있다는 권리증명 자료가 필요하다.

1. 상시대응위탁서로 중국판권보호센터에 위탁한다는 서류
2. 불법 저작물 사이트 주소(불법 사이트 url 주소 엑셀 자료)
3. 권리귀속증명서로 저작권등록증 또는 기타 증명 자료(수권서, 계약서 등), 사업자등록증 사본(개인 권리자인 경우 신분증 사본)
4. 중국 내 권한 수권 여부를 표기한 수권현황확인서

위의 네 가지 서류를 한국저작권위원회 베이징 사무소를 통해 신청하면 불법적으로 유통하고 있는 모조품과 이미지 해당 사이트

에 경고장을 발송하여 온라인 불법 콘텐츠를 삭제하도록 조치할 수 있다. 알리바바도 수년간의 빅데이터 축적을 통해 10억 개가 훨씬 넘는 판매 상품 중에서 위조상품을 원활하게 적발하는 시스템을 구축하였다. 하루에 1,000만 개 이상의 상품 목록을 검색할 수 있으며 초당 1억 개의 데이터를 처리할 능력을 갖추고 있다. 또한 제품마다 고유한 QR코드를 부착하는 '블루스타Blue Star 프로그램'도 운영하고 있어 우리 기업이 적극 활용할 필요가 있다.

인공지능과 빅데이터를 활용해 모조품을 단속하라

최근 가장 핫하게 활용되는 인공지능과 빅데이터를 통해 모조품을 사전에 차단하고 단속하는 방법이 부각되고 있다. 기존에는 중국과 동남아 시장에 이미 유통된 자사 모조품 침해 상황을 뒤늦게 알게 되어 부랴부랴 대응하는, 이른바 '사후약 방식'이 대부분이었다. 그럴 경우 수출 하락 등 경제적 손실과 브랜드 이미지 훼손 등 비경제적 손실이 이미 발생한 상태이다. 또한 모조품 단속을 위한 법적 소송과 행정소송을 위한 시간과 비용이 많이 투입된다. 따라서 중국과 동남아 시장에 진출하기 전에 빅데이터 분석 알고리즘을 통해 정품과 구분이 어려운 모조품이 유통되는지 찾아내고 실질적인 단속을 진행하는 것이 중요하다.

현재 중국경영연구소가 IP 협력사 리팡아거스와 함께 연구개발해 회원 기업들에게 제공하는 '데이터분석 기술을 활용한 모조품 모니터링' 서비스는 오랫동안 축적된 빅데이터와 경험을 기반으로

포엘리에와 하이로닉의 중국 내 홍보 이미지

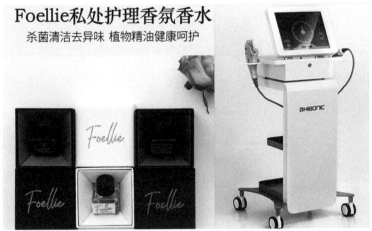

(출처: 중국경영연구소, 리팡아거스)

만들어진 솔루션이다. 그동안 빅데이터 분석 알고리즘으로 중국과 동남아의 대표적인 플랫폼인 알리바바, 1688, 타오바오, 핀둬둬, 라자다, 쇼피 등에서 데이터를 수집하고 분석하여 모조품을 찾아낸 성공 사례가 매우 많다.

(사례 48 빅데이터를 활용한 모조품 단속 사례)

그중에서 가장 대표적인 사례가 뷰티 브랜드 포엘리에Foellie와 피부·미용 의료기기 전문 브랜드 하이로닉Hironic이다.

국내에서 건강한 아름다움을 선물하는 브랜드로 널리 알려진 이 너퍼품 포엘리에 브랜드사의 위탁을 받아 본격적으로 빅데이터 솔루션을 활용한 모조품 색출 작업에 나섰다. 그 결과는 매우 충격적이었다. 중국에서 제조된 포엘리에 제품이 중국 온라인 시장뿐만 아니라 동남아 시장에서도 판매되고 있었다. 정확한 증거를 잡기 위해 모조품으로 의심되는 제품을 추출하고 확실한 물증 확보를 위해 실제 구매를 진행했다. 그리고 최종적으로 포엘리에의 모조품으로 확인되자마자 바로 단속 작업에 들어갔다. 예를 들어, 알리바바 IP보호센터에 침해 제품이 판매되는 사이트 차단 신고를 진행하고 모조품 도매공급상에 대해 행정단속을 진행했다.

빅데이터와 인공지능을 활용한 모조품 단속은 필수다

국내외 빅데이터를 활용해 중국과 동남아 시장에서 유통되는 모조품을 모니터링하고 단속하는 전문기관은 아직 손에 꼽을 정도다. 그러다 보니 많은 중소 브랜드사들이 이러한 획기적인 최첨단 활용기법을 잘 이해하지 못한다. 중국과 동남아 시장에 진출하고자 하는 기업이라면 급변하는 빅데이터와 인공지능 기술을 접목한 모조품 단속은 이제 선택이 아니라 필수가 되었다. 그렇다면 어떠한 방식과 알고리즘으로 방대한 중국과 동남아 시장에서 모조품을 색출해낼 수 있을까? 포엘리에 사례에서 알 수 있듯 중국과 동남아의 대표적인 6개 이커머스 플랫폼을 대상으로 빅데이터 모니터링 및 단속 프로세스를 작동하는 것이다.

중국경영연구소와 IP 협력사 리팡아거스가 함께 운영하는 빅데이터를 활용한 모조품 모니터링과 단속 프로세스는 크게 5단계로 진행된다.

1단계는 자체 구축한 데이터 모니터링 시스템을 통해 데이터를 수집한다. 관련 제품을 구입한 고객의 인터넷 소비 행위, 이커머스

빅데이터를 활용한 모조품 단속 프로세스

1단계	2단계	3단계	4단계	5단계
데이터 수집	빅데이터 분석	의심제품 추출	검증	단속 및 사후 처리
위조상품 특성에 따른 데이터 수집	빅데이터 분석 알고리즘, 이미지 분석 알고리즘에 따라 수집 데이터 분석	데이터 분석 결과에 기초한 위조상품, 의심제품 추출	추출된 위조상품, 의심제품에 대한 검증 진행	검증 과정을 통해 최종 확인된 위조상품에 대한 보고서 제출, URL 삭제, 오프라인 조사, (행정)단속

(출처: 중국경영연구소, 리팡아거스)

거래, 판매상 거래 등 다양한 데이터를 탐색하고 수집하는 단계라고 볼 수 있다.

2단계는 수집된 데이터를 근거로 자체 알고리즘을 통해 세부적으로 분석한다. 알고리즘은 상품 데이터(이미지, 가격, 소비자 후기, 판매량 등), 이커머스 통계 데이터(거래량, 판매가격 추이, 판매량, 판매상별 거래량 등), 판매상 데이터(판매 상품, 판매가격, 판매 이력 등)의 세 가지 유형으로 구분되어 알고리즘이 작동하는 방식이다. 예를 들어 화장품 모조품의 경우 외관상 정품과 구별이 불가능하여 제품 성분을 분석한 후에 가품으로 확인되면 각종 판매 데이터를 분석하여 모조품 후보군을 색출한다. 또한 정식 수권서를 받은 중국 대리상이 한국에서 정식으로 수입한 정품과 위조상품을 섞어서 판매하는 경우도 많기 때문에 2단계 작업이 매우 중요하다고 볼 수 있다.

3단계는 의심제품 추출 단계로서 데이터 분석결과에 기반해 모조품이 의심되는 제품을 추출하는 과정이라고 이해하면 된다.

4단계는 3단계 과정에서 추출된 제품이 모조품이라는 최종 확정을 짓고 증거자료를 수집하기 위해 직접 구매를 진행하는 단계다. 1~4단계는 빅데이터를 활용해 모조품을 찾아내는 세부 과정이라고 볼 수 있다.

5단계는 침해제품을 판매하는 사이트에 대한 차단과 침해업체에 대한 행정단속을 진행하는 등 조사된 위조상품 제조업체(또는 판매업체)에 대한 실질적인 단속을 진행한다. 알리바바, 핀둬둬, 쇼피 등 이커머스 플랫폼에서 유통되는 위조상품 판매사이트를 차단하기 위해서는 대상 제품이 위조상품임을 증명할 수 있는 관련 자료를 작성한 후, 플랫폼별 IP보호센터에 해당 위조상품이 판매되고 있는 사이트 차단 신고를 진행한다. 그리고 위조상품 제조업체 또는 도매공급상에 대해서는 관할 행정부서(시장감독관리국)를 통해서 오프라인 단속을 위한 행정단속을 진행한다.

날로 진화되는 중국 모조품 침해 사례에 대응하기 위해서는 좀 더 체계적이고 효율적인 접근 전략이 필요하다. 최근에는 중국에서 제조된 모조품이 베트남, 말레이시아 등 동남아시아 국가로 더 많이 수출되고 있다. 그 이유는 한류로 인해 K-제품의 인기가 높은 것도 있지만 중국에서 점차 강화되고 있는 지적재산권 침해 단속과 처벌을 피하기 위해서 동남아 시장으로 옮겨가기 때문이다. 그에 따라 쇼피와 라자다 등 동남아 이커머스 플랫폼 내 모조품들이 증가하고 있다. 따라서 우리 브랜드사 입장에서는 14억 명의 중국 시장뿐만 아니라 6억 명의 동남아 시장 진출 확대를 위해서 사전에 빅데이터를 통한 모조품 모니터링과 단속을 강화할 필요가 있다. 현재 인공지능 딥러닝 기반의 이미지 분석 알고리즘을 활용한 중국과 동남아 시장의 모조품 탐색이 더욱 진화되고 있으므로 적극적으로 활용해야 한다.

5
중국 시장은 우리 기업의 무덤일까

중국 시장은 우리에게 과연 무덤인가? 사드 사태 이후 여론은 중국 시장을 그렇게 몰아가고 있다. 기업들도 중국에 가면 모두 실패할 것처럼 얘기한다. 심지어 여전히 중국에서 돈을 벌면 한국으로 못 가지고 온다고 얘기한다. 우리는 아직도 중국에 대한 많은 편견과 선입관이 있다. 물론 중국은 특유의 사회주의 시장경제의 국가로 우리와 다른 규제들이 존재하고 공산당에 의해 부분적으로 정보가 통제되는 것도 사실이다. 그렇다 보니 정책의 불확실성과 비즈니스 환경의 불투명성으로 인해 중국 사업에 어려움을 겪는 것도 틀린 말은 아니다. 가장 대표적인 것이 바로 사드 사태로 인한 롯데마트의 중국 사업 철수일 것이다. 그러나 현대자동차, 기아자동차, 삼성 스마트폰의 중국 시장점유율 하락도 모두 사드 원인으로 몰고 가는 것은 적절하지 않다.

외부 요인인 사드 원인도 일부 있겠지만 그것보다 중국 시장 변화와 소비자에 대한 접근방법의 문제점이라고 할 수 있는 내부 요인이 더 크게 작용했을 것이다. 중국 소비자는 현대자동차의 중국 내 시장 포지셔닝이 매우 모호하다고 얘기한다. 다시 말해 브랜드 아이덴티티가 중국 소비자 입장에서 불명확하다는 얘기다. 또한 현대자동차를 구매하더라도 신차가 출시되고 6개월 정도 지나면 가격이 내려간다는 것을 학습효과를 통해 대부분의 중국 소비자가 알고 있다. 따라서 6개월이 지나고 가격이 내려간 후에 구매하는 경향이 있다는 것이다. 중국 시장에서 가격 포지셔닝 전략도 실패했다는 것이다. 한국 자동차의 중국 내 점유율은 고스란히 일본과 중국 로컬 기업이 가져갔다. 한때 한류의 영향으로 중국 시장에서 호황을 누렸던 화장품도 상황은 마찬가지다. 1, 2년 전만 해도 중국 최대 온라인 쇼핑몰인 타오바오 화장품 판매순위에서 1~5위까지가 한국 화장품이었다. 하지만 지금은 일본과 중국 로컬 기업이 그 자리를 대신 차지하고 있다. 상황이 이렇다 보니 중국 시장은 한국기업의 무덤이라는 말이 생긴 듯하다. 왜 그렇게 되었을까? 그 결과를 가져온 과정과 원인 분석이 우선되어야 대응방안을 모색할 수 있다.

이제 중국 산업의 굴기가 시작된다

중국 시장은 단지 '무덤'이라는 프레임으로 우리 스스로 옭아매고 포기하기에는 너무나 큰 시장이고 앞으로도 더욱 커질 시장이기 때문에 결코 포기해서는 안 된다. 우리가 과거 가전, 디스플레이, 반도체, 자동차, 조선 등 일본 기술과 산업을 배워 성공적으로 산업의 고도화를 했던 것처럼 중국도 그런 방식으로 자국 산업을 고도화하고 있다. 중요한 것은 정부의 막강한 육성정책과 자금지원 아래에서 그 존재감이 우리가 생각한 것보다 훨씬 빨라지고 있다는 것이다.

가장 대표적인 사례가 바로 '중국 모바일 게임 산업 굴기'일 것이다. 과거 "한국 온라인 게임은 중국에서 무조건 성공한다."라는 말이 나돌 정도로 중국 시장에서 한국 게임은 최고 인기였고 중국 기업이 경쟁적으로 한국산 게임을 퍼블리싱하려고 했다. 그러나 지금 상황은 완전히 역전된 것으로 보인다. 온라인에서 모바일로 넘어가면서 중국 게임 업체의 성장이 매우 눈부시다. 중국의 전체 게임 수출액은 2020년 기준 154억 5,000만 달러(전년 대비 33.4% 증가)로 우리나라의 두 배 규모다. 더 나아가 이제 중국산 게임이 우리나라 시장에서 퍼블리싱되고 있다. "요즘 중국 모바일 게임은 줄거리와 제작기술뿐만 아니라 운영 능력에서도 우리나라를 능가할 정도입니다." 국내 모바일 게임업체 대표님이 필자한테 한 말이다. 만약 현재 막혀 있는 한국산 게임 판호版號[26]를 중국 정부가 허가해준다고 하더라도 과거와 같은 호황은 없을 것으로 보인다. 중국 기술과 기업의 성장과 시장의 변화를 인정해야 한다. 그래야 중국 시장이 보인다. 무조건 공산당 체제에 의한 시장의 불확실성과 사드라는 프레임으로 중국 시장을 몰고 가면 결코 우리에게 도움이 되지 않는다.

최근 세계은행이 발표한 「2020년 기업환경평가 보고서」를 보면 기업환경 개선 폭이 가장 큰 나라 순위에서 중국은 세계 31위로 한국(5위), 미국(6위), 독일(22위)보다 낮지만 일본(29위)과 비슷한 위치에 있다. 또한 세계지식재산권기구WIPO가 발표한 「2021년 글로벌 혁신지수 보고서」를 보면 중국은 세계 12위(홍콩 14위)로 전년 대비 2단계 올라서며 매년 상승하는 추세다. 인정할 것은 인정해야 한다. 중국은 지난 2020년 1월 1일부터 중국 비즈니스 환경 개선을 위한 법률인 「비즈니스 환경 최적화 조례」를 시행하고 있다. 외국 기업을 포함해 중국 내 경영활동을 하는 기업과 개인을 평등하게 대우한다는 내용이다. 지적재산권 보호를 위해 새로운 배상제도 도입과 지방정부가 법적 근거 없이 기업으로부터 받는, 이른바 준조세 성격의 경비를 징수하거나 계약을 일방적으로 변경하는 것을 금지하도록 규정하고 있다.

이를 두고 대부분의 매체에서는 미중 무역전쟁의 영향으로 중국 정부가 어쩔 수 없이 제정한 것이라고 평가하지만 다르게 해석하면 이제 공정하고 투명한 경쟁을 해도 중국 기업이 해볼 만하다는 자신감의 표현일 것이다. 중국 시장은 우리의 무덤이 아니라 반드시 들어가야 할 핵심 시장이다. 우리와 다름을 인정하고 중국 시장을 정확히 보고 이해할 수 있는 혜안이 무엇보다 필요한 시기다.

중국 외상투자 핵심 신 규정을 공략하라

미중 간 무역전쟁으로 인해 기존의 중국 경영과 비즈니스 제도가 2020년을 기점으로 빠르게 변화되고 있다. 미국의 강한 압박

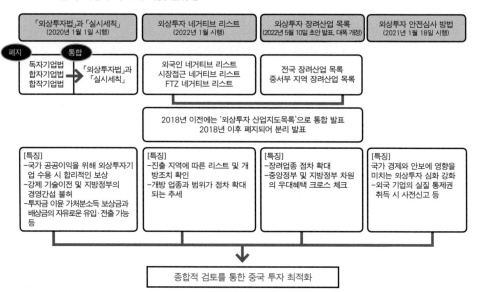

중국 외상투자 4대 핵심 신규정

| 「외상투자법」과 「실시세칙」 (2020년 1월 1일 시행) | 외상투자 네거티브 리스트 (2022년 1월 시행) | 외상투자 장려산업 목록 (2022년 5월 10일 초안 발표, 대폭 개정) | 외상투자 안전심사 방법 (2021년 1월 18일 시행) |

폐지 독자기업법 합자기업법 합작기업법

통합 「외상투자법」과 「실시세칙」

외국인 네거티브 리스트 시장접근 네거티브 리스트 FTZ 네거티브 리스트

전국 장려산업 목록 중서부 지역 장려산업 목록

2018년 이전에는 '외상투자 산업지도목록'으로 통합 발표
2018년 이후 폐지되어 분리 발표

[특징]
-국가 공공이익을 위해 외상투자기업 수용 시 합리적인 보상
-강제 기술이전 및 지방정부의 경영간섭 불허
-투자금 이윤 가처분소득 보상금과 배상금의 자유로운 유입·전출 가능 등

[특징]
-진출 지역에 따른 리스트 및 개방조치 확인
-개방 업종과 범위가 점차 확대되는 추세

[특징]
-장려업종 점차 확대
-중앙정부 및 지방정부 차원의 우대혜택 크로스 체크

[특징]
국가 경제와 안보에 영향을 미치는 외상투자 심화 강화
-외국 기업의 실질 통제권 취득 시 사전신고 등

종합적 검토를 통한 중국 투자 최적화

(출처: 중국경영연구소)

에 의해 어쩔 수 없이 시장개방을 하는 것처럼 보이지만 실업률 제고와 경제 부양 등을 위한 자구책이기도 하고 개방을 확대해도 그만큼 해볼 만하다는 자신감의 방증이기도 하다. 중국은 미중 패권 경쟁의 폭탄이 투하되는 상황에서 마오쩌둥의 유명한 어록을 자주 소환하곤 한다. "준비 없는 싸움은 하지 않고 자신 없는 싸움은 하지 않는다不打无准备之仗, 不打无把握之仗." 자의든 타의든 우리 기업의 입장에서 보면 중국 시장의 개방 속도와 투명성 제고가 확연히 좋아지고 있는 것은 분명하다. '외국 기업의 탈중국' '중국 투자 급감' 등 언론보도를 통해 알려진 상황과는 다르게 중국 투자금액은 점차 늘어나고 있다. 코로나19 확산의 어려움 속에서도 2021년 1~11월 외국인 투자 유입액은 약 1조 422억 위안(약 195조 원)으

로 전년 동기 대비 15.9% 증가했고 2021년 상반기에만 1만 5,600여 개의 외상투자기업이 생겨났다. 그만큼 14억 4,000만 명의 중국 시장은 여전히 매력적일 수밖에 없고 향후 성장 가능성도 크다는 것이다. 우리도 좀 더 현명하고 전략적인 차원에서 최근 변화된 외상투자 4대 핵심 규정을 이해할 필요가 있다.

첫째, 외상투자기업에 대한 기본법의 변화다. 가장 큰 제도변화로 내국민 대우 원칙과 강제 기술이전 금지 등을 담은 기본적인 「외상투자법」(2019년 3월 15일 공포)과 세부적인 내용을 담은 「외상투자법 실시세칙」(2019년 12월 12일 공포)가 2020년 1월 1일부터 정식 시행되었다. 세간에서 우려하는 중국 지방정부의 약속이행과 정부조달 참여 시 평등한 대우에 관한 조항 등 기존 「외자기업법」(독자, 합자, 합작 관련) 대비 보상과 안정성 측면에서 강화된 규정이다. 따라서 2020년부터 중국에 투자하는 기업은 새로운 「외상투자법」 규정에 의해 회사를 설립해야 한다. 기존에 투자한 기업은 2024년까지 기업조직구조 변경 수속을 해야 하는 것을 원칙으로 하나 기존 조직구조를 보류할 수 있다.

둘째, 2022년 1월부터 시행되는 「외상투자 네거티브 리스트外商投資准入特別管理措施(負面清单)」 정책이다. 중국 투자 시 업종별 장려, 제한, 금지 등 가이드라인을 제공하는 역할을 한다. 1995년부터 장려, 제한, 금지 업종이 모두 포함된 「외상투자산업 지도목록外商投資産業指導目錄」이라는 이름으로 1, 2년 주기로 수정본이 발표되는 형태였으나, 미중 무역전쟁이 본격화되기 시작한 2018년부터 네거티트 리스트와 장려업종을 구분하여 발표하기 시작했다.

현재 2022년 1월부터 시행 중인 「외상투자 네거티브 리스트」와 2022년 하반기 부터 시행되는 외상투자산업장려목록鼓励外商投资产业目录은 그 내용이 대폭 개정되었다. 해당 장려목록은 1995년 시행 이후 2022년까지 11차례 수정되어 왔다. 향후 중국의 대외개방 속도가 점차 가속화됨에 따라 만약 중국 투자에 관심 있는 기업이라면 그 시점에서 가장 최신 버전의 규정을 반드시 체크해야 한다. 예를 들어 「외상투자 네거티브 리스트」 규정에는 기존 제한 업종(지분 제한 등 일정 조건 충족)에 해당되는 증권, 투자기금, 선물, 생명보험과 같은 금융 서비스 분야와 상용차 제조 기업의 경우 모두 지분 제한 없이 100% 독자가 가능해졌다. 또한 네거티브 리스트는 크게 외국인투자, 시장접근, 자유무역시험구(FTZ, Free Trade Zone) 등 세 가지로 구분된다. 우리 기업 입장에서 세 가지 리스트를 활용하는 방식은 자유무역시험구〉외국인투자〉시장접근 순으로 이해하면 된다. 자유무역시험구 네거티브 리스트는 중국 정부가 지정한 상하이와 광둥 등 전국 18개 자유무역시험구 해당 지역에서 우대혜택을 받는 것으로 전국을 대상으로 하는 외국인투자 리스트보다 개방의 폭이 크고 혜택도 더 많다고 이해하면 된다. 시장접근은 중국기업과 외상투자기업을 포함한 모든 시장주체에 적용되는 개념이다.

셋째, 「외상투자산업장려목록」의 경우 기존에는 전국적 범위에서 적용되는 「외상투자산업지도목록」과 중국 중서부 지역의 균형발전을 위해 해당 지역 중심의 「중서부지역 외상투자우대산업목록」이 별도로 사용되었다. 그러나 2019년부터 상기 2개 목록이 통합되어

「외상투자산업장려목록」이라는 이름으로 그 안에서 '전국'과 '중서부 지역' 외상투자장려산업목록으로 나뉘는 형태다. 따라서 진출하고자 하는 지역이 있다면 우선 해당 지역의 산업장려목록을 이해하고 그에 맞는 최신 버전의 규정을 파악하는 게 중요하다.

넷째, 최근 미국과 유럽연합EU이 외국인 투자 심사제도를 강화함에 따라 중국도 이와 비슷한 「외상투자 안전심사 방법」(2021년 1월 18일 시행)이라는 규정을 도입했다. 이 규정은 첫째, 외국인 투자자가 독자 기업이나 조인트벤처 기업을 설립하거나 새로운 프로젝트에 투자하는 행위, 둘째, 외국인 투자자가 인수합병M&A을 통해 중국기업의 주식(자산)을 취득하는 행위에서 국가 경제에 영향을 미치는 투자심사를 강화하는 제도의 성격이 있다. 이 규정은 향후 중국기업이 미국과 유럽연합 투자 시 받게 될 압박에 대비한 보복 수단의 역할도 할 수 있을 것으로 보인다. 만약 외국 투자기업이 장비 제조, 기초설비, 문화서비스, 금융서비스, 핵심 기술 등 주요 영역에서 실제 통제권을 취득하는 투자를 할 경우 사전에 정부에 신고해야 하는 의무를 진다. 미중 간 전략경쟁은 외국인 투자 관련 제도를 포함한 시장 전반에 다양한 변화를 가져오고 있다. 전체적인 구조는 대외개방을 확대하고 중국의 정책기조에 맞춰 첨단제조업과 서비스업에 대한 외자 유치를 강화하면서 자국 산업과 안보에 미치는 외국인 투자에 대한 심사를 강화한다는 방침이다. 따라서 우리 기업은 중국 투자의 새로운 방향과 진행에 매우 세심한 관찰과 접근 전략이 요구된다는 것을 기억해야 한다.

6
중국기업의 숨은 특성을 해부하라

"교수님, 중국 법인 설립 형태 중 합자와 합작의 차이점이 무엇인가요?"

필자가 중국 사업 강의 시 가장 많이 들었던 질문 중 하나다. 중국은 경영관리방식이나 투자방식 등에 따라 다른 조인트벤처 형태가 있기 때문이다. 물론 앞으로는 좀 더 명확하고 통일화된 조인트벤처 형태로 전환될 것이다. 기존 독자, 합자, 합작(이른바 3자기업) 형태의 외상투자기업이 하나로 통일된 「외상투자법外商投資法」이 2020년부터 시행되고 있다. 비록 외상투자기업의 지식재산권 보호, 기술이전 강요 금지, 내국민 대우, 외상투자기업 허용 분야 확대 등 미국의 요구가 대폭 반영된 결과지만 시장에서 현실화되기 위해서는 어느 정도의 시행착오와 혼동은 불가피해 보인다.

2020년 상반기 기준 중국 내 외상투자기업이 이미 100만 개를 넘었으며 투자금액도 2조 3,000억 달러가 넘는 등 수출, 고용, 세

수에 중국 경제성장의 중요한 축으로 자리잡았다.

다양한 중국기업 형태를 알자

중국은 기업 형태가 매우 다양하다. 아무래도 체제 특성상 다양하고 기업 형태가 복잡하다. 크게 소유제 형식에 따라 국유기업, 집단소유제기업, 사영기업, 외상투자기업, 개체호 등이 있고 법률 형식에 따라 유한책임회사, 국유독자회사, 주식회사, 조합제기업, 개인독자기업이 있다. 이렇게 다양한 기업 형태를 이해하기란 쉽지 않다. 반드시 중국기업의 숨어 있는 특성을 이해해야 한다.

소유제 형식에 따른 중국의 기업 형태

기업방식	구성방식
국유기업 (國有企業)	• 1988년 제정된 「전민소유제 공업기업법」에 근거해 설립된 기업 • 자산 소유권은 국가에 속하며 법정절차에 따라 설립 • 자주적으로 경영하고 이익과 손실을 자신이 부담하며 독립채산제를 실시하는 법인
집단소유제기업 (향진기업 鄕鎭企業)	• 1990년 제정된 「농촌집단소유제 기업조례」와 1991년 제정된 「도시집단소유제 기업조례」에 근거해 설립된 기업 • 생산수단이 노동대중 집체 또는 집체 성격의 경제조직에 속함 • 공동 노동하고 노동에 따라 분배(일부 기업은 자본에 의한 분배방식 병행)하며, 자주적으로 경영하고 이익과 손실은 분담함 • 독립채산제를 실시하는 법인·영업 자격을 구비한 경제조직
사영기업 (私營企業)	• 1988년 제정된 「사영기업 잠정조례」에 근거해 설립된 기업 • 개인이 투자하고 기업자산은 개인이 소유하며, 근로자를 고용하여 경영함. 고용 인원수가 8명 이상인 영리성 경제조직 • 법에 따라 독자기업, 조합기업, 유한회사의 세 가지 법적 형태를 취할 수 있음
외상투자기업 (外商投資企業)	• 과거 외국인투자기업은 「중외합자기업법」, 「중외합작기업법」, 「외자기업법」에 근거해 설립된 외국인투자기업을 모두 포함 • 새로운 「외상투자법」이 시행(2020년 1월 1일)되면서 기존 기업의 경우 2024년까지 기업조직구조 변경수속을 해야 함
개체호 (個體戶)	• 일반적으로 점포를 내고 장사하는 곳은 대부분 개체호임 • 중국 도시 내 소상공인

(출처: 중국경영연구소)

법률 형식에 따른 중국의 기업 형태

기업방식	구성방식
유한책임회사	• 회사법에 근거해 설립되며 2~50인 이하의 직원으로 구성됨 • 출자액을 한도로 대외로 유한책임을 부담하는 법인
국유독자회사	• 국가가 투자한 기구 혹은 국가가 수권한 부문이 단독으로 투자하여 설립된 유한책임회사
주식회사	• 다수의 주주로 구성됨 • 주주는 자신이 소유한 주식을 한도로 대외 유한책임을 분담함 • 최저 등록자본금 500만 위안(약 8억 8,000만 원)
조합제기업	• 「조합제 기업법」에 근거해 설립되며 각 조합원이 조합계약을 체결하고 공동출자하여 합동으로 경영, 이익, 리스크를 공동분담 • 기업의 채무에 대해 무한연대책임을 지는 영리성 경제조직
개인독자기업	• 「독자기업법」에 근거해 설립되며 개인이 투자함 • 대외로 무한책임을 부담하는 영리성 경제조직 • 우리나라의 개인사업자 개념

(출처: 중국경영연구소)

중국 조인트벤처 모르면 당한다

외상투자기업인 3자 기업 형태 중 독자기업이 약 60% 정도를 차지하고 나머지 약 40%가 합자기업과 합작기업이다. 현재 새로운 「외상투자법」이 시행되지만 합자기업과 합작기업 형태를 이해하는 것은 매우 중요하다. 합자기업과 합작기업 모두 영어로 조인트벤처Joint Venture라고 부르기 때문에 국내에서 오역하는 경우도 허다하다. 또한 과거 합자 조인트벤처와 합작 조인트벤처 특징과 비즈니스 방법론을 몰라 실패한 사례도 많았다.

(사례 49 H사 G봉고차 조인트벤처 실패 사례)

예전 중국 후베이성 우한에 우리의 대표적인 자동차 회사가 봉고차 조립공장을 설립한 적이 있다. 현지 로컬 자동차 기업과 조인트벤처 형태로 회사를 설립한 것이다. 우리나라에서는 이미 단종된 봉고차 모델이지만 중국에는 아직 시장이 있을 거라고 믿었고 국내 생산라인을 그대로 옮겨 중국에 투자했다. 중국 시장의 반응은 냉담했다. 한국에선 단종된 모델, 비싼 가격, 로컬 기업과의 치열한 경쟁 등의 이유로 적자만 쌓였고 결국 얼마 되지 않아 사업을 접고 철수해야 했다. 이 사례를 두고 국내 신문 매체에서는 '한국기업이 투자금액 한 푼도 못 받고 중국에서 쫓겨났다.' '중국기업에게 사기당했다.' 등의 보도가 줄을 이었다. 과연 그럴까? 그 문제의 해답은 후베이성 우한에 설립한 조인트벤처가 합자기업인지, 합작기업인지에 따라 해석이 달라진다. 따라서 전혀 다른 조인트벤처인 합자와 합작의 특징과 사업방식을 잘 살펴봐야 한다.

우선 합자기업은 영어로 '에쿼티 조인트벤처Equity Joint Venture'이라고 한다. 이른바 '출자형 조인트벤처'다. 한국기업과 중국기업이 출자한 지분비율에 따라 모든 권리와 의무를 나누어 가진다. 경영권, 이익배분, 위험과 손실 분담, 잔여 재산 배분 등 양측이 출자한 지분비율에 따라 모든 것이 결정되는 기업 형태다. 여기서 출자한 지분은 현금, 토지, 공장, 설비, 기술(무형자산) 등 모두 가능하다. 합자기업은 주주총회가 없으며 지분비율에 따라 이사가 임명된다. 이사회가 최고권력기구이기 때문에 일반적으로 중국기업은 가능하면 더 많은 지분을 확보하고자 한다.

그리고 합작기업은 영어로 '컨트랙추얼 조인트벤처Contractual Joint venture'로 표현한다. 영어 표현에서 알 수 있듯이 '계약형 조인트벤처'라고 보면 된다. 예를 들어 한국기업이 현금, 설비, 기술 등

출자 지분을 중국기업보다 많이 가지고 있다 하더라도 만약 계약서에 수익이 발생할 때 중국기업 60%, 한국기업 40%로 분배한다고 적혀 있으면 그대로 따라야 한다. 반대로 손실이 발생할 때는 중국기업 40%, 한국기업 60%로 분담한다고 적혀 있으면 그대로 따라야 한다. 말도 안 되는 것처럼 보이지만 이것이 합작기업의 특징이다. 다시 말해 지분비율에 따라 결정되는 것이 아니라 계약에 의해 경영권, 위험과 손실 부담, 이익배분 등을 약정하는 것이다.

사실 합작기업은 중국의 개혁개방 초기에 외국의 자본과 기술을 적극적으로 유치할 목적으로 만들어진 특유한 형태의 조인트벤처다. 일반적으로 한국기업은 주요 설비와 기술을 제공하는 반면 중국기업은 공장과 토지, 인력을 제공해서 합작기업을 설립한다. 만약 합작 기간이 만료되거나 한국기업이 먼저 사업을 포기할 때 기존 투자한 공장설비와 기계 등 모든 고정자산설비의 권리는 중국기업에 귀속된다. 따라서 합작기업은 분쟁의 소지가 많아 2000년 중반부터 점차 감소하는 추세다. 위에서 언급한 후베이성 우한의 G 봉고차 투자 사례가 바로 여기에 해당한다고 볼 수 있다.

얼핏 보기에 합작기업은 무조건 안 좋은 기업 형태로 보일 수 있는데 꼭 그렇지는 않다. 합자기업은 반드시 이윤이 발생한 후 이익금을 회수할 수 있지만, 합작기업은 이윤 발생 여부와 관계없이 외국기업은 조기에 투자금을 회수할 수 있는 장점도 있다. 또한 반드시 기업을 법인 형태가 아니라 비법인 합작 형태로도 조직을 만들 수 있다. 한중 공동운영 형태로 유연성 있게 기업을 경영할 수도 있다. 새로운 「외상투자법」이 시행되더라도 몇 년간의 과도기가 필요해 보인다. 기존 설립된 100만 개의 외상투자기업들은 중국 「회사법」 규정에 따라 향후 5년 내 기존 3자 기업을 통합하는 개정 작업을 진행하겠지만, 조인트벤처 설립에 대한 논란과 혼란은 여전히 존재한다. 특히 주주총회 권한이 커지면서 지분비율을 늘리기 위한 치열한 협상이 진행될 것이다. 조인트벤처 설립에 대한 좀 더 정확한 이해와 사업 방향 설정이 매우 중요하다.

분공사 vs 자공사의 차이를 파악하라

평소 잘 알고 지내는 중소기업 대표님이 중국어 명함 한 장을 보내오며 "교수님, 중국은 기업 형태가 다양해서 이해하기가 어렵습니다. 명함에 적혀 있는 분공사는 어떤 형태의 기업인지요?"라고 물어본 적이 있다. 그도 그럴 것이 체제의 특성상 다양하고 복잡한 기업 형태를 가지고 있기 때문이다. 또한 최근 들어 중국 대도시에 설립한 법인을 기반으로 청두, 충칭, 시안, 정저우 등 중국 중서부 내수시장 확대를 위해 분공사를 설립하는 외국계 기업이 점차 늘어나고 있다. 특히 베이징, 상하이 등 대도시 지역에 법인을 설립하고 다른 지역에 상업매장을 얻어 중국 소비자에게 직접 제품을 판매하는 B2C 개념의 분공사 설립이 많아지고 있다.

중국에 진출한 기업들은 왜 분공사를 설립하는 것일까? 비슷한 용어로 자공사는 또 무엇일까? 당연히 혼동하기 쉽다. 우선 공사公司는 우리의 '회사'라는 개념이다. '기업'이라는 단어는 중국어로도 똑같이 '企業(기업)'이라는 한자를 쓴다. 그렇다면 분공사分公司와 자공사子公司는 어떤 차이가 있는 것일까?

우선 분공사의 개념부터 살펴보자. 분공사는 우리 개념으로 지사Branch, 지점의 성격으로 보면 된다. 중국 본사(총공사总公司 개념)의 산하기구로 직접 경영활동에 종사하는 분할기구 혹은 부속기구다. 독립적인 법률 지위를 가지고 있지 않고 독립적으로 민사책임을 지지도 않는다. 따라서 분공사의 경영 범위는 중국 본사의 취급 품목, 경영활동 범위 내에서만 허가를 받을 수 있다. 만약 중국 본사 영업집조에 소매판매가 없다면 당연히 분공사에서도 소매업을 할 수가 없다. 우리가 흔히 얘기하는 '판매법인'은 중국 본사가 경영 범위에 상품 판매를 허가해 다른 지역에 설립한 분공사라고 생각하면 된다. '제조법인'도 경영 범위에 중국 본사에서 생산한 제품의 판매를 허가해 다른 지역에 설립한 분공사다. 분공사의 주요 특징을 간략하게 정리하면 다음과 같다.

1. 자산이 없으며, 사무실과 사무기기 등 실제 점유하거나 사용하고 있는 모든 재산은 중국 본사의 일부분이다.
2. 기존 회사 설립절차에 따라 복잡하게 새로 설립할 필요가 없이 간단한 등기와 영업수속을 밟으면 가능하다. 자체 정관이 없고 이사회 등과 같은 업무집행기관이 없다.
3. 분공사 명의로는 수출입과 외환거래가 허가되지 않는다.
4. 분공사의 명칭 사용은 중국 본사 명칭 뒤에 '분공사'를 붙이기만 하면 된다.
5. 중국 「노동법」 규정에 의하면 분공사 명의로 노동계약을

체결할 수 있는 권리는 존재하나 만약 노동쟁의가 발생하면 중국 본사에 연대 배상책임이 부과된다.

6. 분공사는 법인자격이 아니라 중국 본사 소속의 개념이기 때문에 중국 본사의 규칙제도를 그대로 사용하는 게 일반적이다. 그러나 분공사가 설립된 소재지역의 지방성 노동법규에 따라 일부 조항의 경우 수정 적용이 가능하다.

그렇다면 자공사는 무엇일까? 아들 자子가 들어 있으니 충분히 추측이 가능하다. 말 그대로 중국 본사의 자회사 개념이다. 자공사는 중국 본사에 상응하는 법적 기업 형태이기 때문에 자체적으로 민사책임을 지게 된다. 쉽게 말해 베이징에 중국 본사가 있다면 다른 지역에 기업 법인을 새로 설립한다고 이해하면 된다. 자공사의 주요 특징을 간략하게 정리하면 다음과 같다.

1. 자공사 설립 시 등록자본금은 새로 외상투자기업을 설립할 때와 같이 진행되나, 중국 본사를 처음 설립할 때보다 상대적으로 허가가 쉽고 기간도 훨씬 짧다. 주의할 점은 자공사를 설립하려면 재투자를 하려는 중국 본사의 등록자본금이 반드시 전부 불입되어야 하고 회사가 경영을 하는 상태여야만 가능하다.

2. 중국 본사와 자공사는 각각 독립적인 법인 형태이다. 하지만 실질적으로 자공사는 중국 본사의 통제를 받게 된다. 중국 본사는 자공사의 모든 중대 사항에 대해 최종결

정권을 가지고 있다. 그러나 대부분 회사 내 주요 사항에 대해서는 자공사의 이사회 결정에 의해 진행되기도 한다.

3. 일반적으로 자공사는 최대주주인 중국 본사가 제어하는 형태이지만 특정 계약과 협의를 통해서 제3자 기업이 모회사 역할을 할 수도 있다.

4. 중국 「신新노동계약법」 제4조에 의하면 자공사가 중국 본사의 인사규칙 제도를 그대로 사용할 때는 자공사 차원의 민주적 참여와 평등한 협상 과정을 거쳐야 비로소 법적 효력이 발생한다.

이처럼 분공사와 자공사는 전혀 다른 특징을 가지고 있다. 중국 경영의 목적과 향후 사업방향에 따라 잘 활용해야 한다. 특히 세금과 재무·회계적 측면에서 장단점을 잘 파악해서 실전 경영에 응용할 필요성이 있다. 그렇다면 세금과 재무·회계적 측면에서 분공사와 자공사는 어떤 장단점을 가지고 있을까?

우선 분공사의 장단점을 살펴보자. 첫째, 독립된 법인이 아니기 때문에 손익은 중국 본사와 함께 계산하여 세금을 납부하는 것이 원칙이다. 회사 경영 초기에 손실이 예상되거나 손익분기점BEP 시기가 길어질 것으로 판단되면 가능한 분공사를 설립하는 것이 유리하다. 중국 본사의 납세 부담을 경감할 수 있기 때문이다. 둘째, 앞에서 설명했다시피 분공사 설립이 매우 용이하기 때문에 재무·회계 제도에 대한 중국 정부의 요구도 비교적 간단하다. 셋째, 분공사의 자본금 비용에 대한 부담은 자공사보다 훨씬 낮다는 장점이 있다. 넷째, 중국 본사와 분공사 간의 자본 이동은 모든 변동에 관계되어 있지 않기 때문에 납세 부담이 없다. 다섯째, 분공사는 독립법인이 아니어서 자금회전 세금은 설립 소재지(본사)에서 납부하는 것이 원칙이며 이윤에 대한 세금은 중국 본사와 함께 납부한다.

자공사의 장단점은 두 가지이다. 첫째, 자공사는 하나의 별도 독립법인이기 때문에 중국 본사와 자공사는 각각 별도로 납세를 해야 한다. 만약 사업 아이템이 좋거나 현지 수요가 있어 회사 설립 이후 바로 이윤창출이 가능하다고 판단될 때는 가능한 자공사를 설립하는 것이 좋다. 또한 별도 법인인 만큼 업종에 따라 현지 지방정부에서 제공하는 각종 세금혜택과 기타 경영 관리적 측면에서 우대혜택을 받을 수 있다. 둘째, 자공사는 완전한 납세인으로서 독립적으로 소득을 납부해야 하기 때문에 분공사보다는 세무상 리스크가 크다. 또한 적자가 발생해도 중국 본사의 이윤에서 공제할 수가 없다.

중국에서 돈 벌면 못 가져오나요

"교수님, 2020년부터 시행되고 있는 중국 「외상투자법」이 우리 기업 중국 시장에 진출할 기회가 될 듯합니다. 그런데 외상투자기업이 외국기업을 의미하는 것인지요? 외상이라고 하니 외상거래도 아니고 표현이 잘 이해되지 않습니다."

우스갯소리로 들리겠지만 사실 외상투자기업에 대해 제대로 이해하는 사람은 그다지 많지 않다. 우선 「외상투자법」에 대한 기본적인 이해가 필요하다. 중국은 1978년 개혁개방 이후 외국 자본과 기술을 받아들이기 위해 시작한 외국인투자 관련 기본 3법인 「외자기업법」「중외합자경영기업법」「중외합작경영기업법」을 통해 약 100만 개 외국 자본의 기업을 유치했고, 그로 인해 고용, 세수, 수출 등 중국경제성장에 큰 도움이 되었다. 그러나 글로벌 규범과의 적합성 문제, 미중 전략경쟁, 내수 확대, 개혁개방 심화 등 복합적인 요인으로 인해 외국인 투자 관련 새로운 기본법 제정의 필요성이 지속적으로 제기되어 왔다. 1979년 외국인 투자 관련 법규를 제정한 지 40년 만에 새로운 「외상투자법」이 시행되고 있다.

우리말로 번역할 때 오역하면 안 된다

여기서 외상外商이라는 용어는 '외국상인'을 줄인 중국어 표현이다. 따라서 외상투자기업은 '외국상인 투자기업' 혹은 '외국인 투자기업'인 셈이다. 문제는 외상을 우리말로 번역할 때 오역을 하는 경우가 종종 있다. 외상투자기업이란 표현이 듣기에 좀 어색해서인지 그냥 외국기업으로 번역하는 경우가 많다. 그러나 외상투자기업과 외국기업은 중국 법률 규정상 엄격히 다른 기업의 형태다. 중국 관련 법률조항을 보더라도 구분해서 사용하고 있다. 예를 들어 외상투자기업外商投资企业과 외국기업外国企业 형태로 분리해서 사용하고 있다. 중국에서 사업하는 외국인투자기업의 소득세 관련 법규도 「외상투자기업과 외국기업 소득세법」이라고 한다. 중국 사업의 목적, 전략, 진출방식에 따라 외상투자기업을 설립할 수도 있고 외국기업을 설립할 수도 있다는 얘기다. 그렇다면 도대체 외상투자기업과 외국기업은 어떻게 다를까?

외상투자기업 vs 외국기업의 차이를 제대로 알자

외상투자기업은 일반적으로 영업활동을 할 수 있는 정식 법인 형태로 외자기업(독사), 중외합자기업, 중외합작기업으로 구분되었다. 중국에서 공장 혹은 기업 법인을 운영하는 형태가 바로 외상투자기업이다. 좀 더 이해하기 쉽게 설명하면 영수증发票을 발급할 수 있는 법인 형태라고 보면 된다. 그렇다면 중국에서 말하는 외국기업의 법적 개념은 무엇일까? 외국기업은 우선 크게 기구와 장소가 있는 외국기업, 기구와 장소가 없는 외국기업으로 분류된다. 일반적으로 장소가 있는 외국기업을 의미하고 주재원 사무소, 외국은행 지점, 6개월 초과 건축 도급 공사 장소, 설계관리 도급 장소, 경영관리 도급 장소 등이 여기에 해당한다. 이 중에서 우리에게 가장 친숙하고 많이 활용하고 있는 것이 바로 주재원 사무소 형태의 외국기업이다.

우리 기업이 흔히 쓰는 표현 중에 "저희 회사는 중국에 지사(혹은 연락사무소, 대표처, 판사처)가 있습니다."라는 말을 자주 한다. 용어가 통일되지 않은 채 여러 가지 이름으로 불리고 있는 이 사업 형태가 바로 외국기업이다. 중국의 법적 공식 명칭은 '외국기업 상주대표기구常驻代表机构'다. 외국기업 상주대표기구는 중국에 직접 진출하는 최초 단계 형태로 중국 규정상 직접적인 영업활동은 금지되어 있으며 단순히 업무 연락, 시장조사, 제품소개, 기술교류와 각종 현지 사업의 관리 기능만 수행하는 사업방식이다. 중국에 외국기업 상주대표기구를 설립하고 한국에서 주재원을 파견하더라도 영업행위를 통한 이익을 낼 수 없기 때문에 현지 영업만 하고 계약주체는 한국 본사로 진행하는 경우가 대부분이다. 다시 말해 외국기업 상주대표기구는 한국 본사와 중국 사업을 중간에서 연결하는 매개체 역할을 하는 사업 형태라고 보면 된다. 외국기업 상주대표기구 설립은 외상투자기업 설립보다는 간편하지만 한국 본사 설립이 2년 이상 되어야 하고 중국의 한 도시에 한 개만 설립이 가능하다. 중국에서 외상투자기업 설립은 개인도 가능하지만 외국기업은 반드시 한국 본사가 있어야 한다는 얘기다. 그러나 활동과 사업 내용에 따라 영업세와 기업소득세를 납부할 의무를 지기도 한다.

외국기업의 또 다른 특징 중 하나가 현지 직원 채용에 있어 일반적으로 외국기업이 직접 채용할 수가 없다는 것이다. 외상투자기업의 경우는 회사 직종과 직능에 따라 자유롭게 구인활동을 할 수 있지만, 외국기업은 해당 지역 내 지정된 인력파견기관을 통해 현지 직원을 채용하는 게 일반적이다. 중국 지역별 「외국기업 상주대표기구관리규정」을 살펴보면, 사무실 임대와 직원 채용 등은 해당 지역의 지정된 서비스 대행기관을 통해 진행해야 한다는 규정이 있다. 예전 국내 모 중견기업이 베이징에 상주대표기구를 설립하고 평소 친분이 있는 현지 조선족 교포 직원을 채용했는데 관련 규정에 위배된다고 하여 2만 위안(약 370만 원)의 벌금이 부과된 적이 있다. 베이징 「외국기업 상주대표기구 중국직원 채용관리규정」 제11조에 의하면, 베이징시 지정 인력파견업체를 통해 직원 채용을 하지 않으면 1만~5만 위안(약 187-930만 원)의 벌금을 부과할 수 있다는 규정이 있었다. 이 점을 간과했기 때문이다. 벌금 부과 규정은 중국 지역별로 다르기 때문에 관련 규정을 반드시 확인해야 한다.

참고로 상주대표기구의 직원 채용은 크게 세 가지 형태로 진행된다. 첫째, 외국기업이 원하는 자격요건을 구비한 구직자 중 대행기관이 선발한 사람을 대상으로 외국 주재원이 면접을 통해 최종 선발한다. 둘째 외국기업이 추천한 사람(추천서와 사유서 제출) 중 대행기관이 자격심사를 통해 선발한다. 셋째 대행기관이 외국기업의 의뢰를 받아 공모하여 선발한다. 일반적으로 중국 내 외국기업 상주대표기구 설립은 지정된 대행기관을 통해 진행한다. 그런데 거의 대부분 대행 수수료 없이 진행하는 대신에 현지 직원 채용 고용계약은 대행기관과 체결함으로써 대행기관이 중개 수수료를 버는 구조다. 중국 시장 진출형태는 매우 다양하다. 따라서 어떤 목적과 향후 중국 사업과 경영 방향에 맞게 진출방식을 다양하게 설정하고 구성할 필요성이 있다.

중국에서 번 이익금을 한국으로 송금할 수 있는가

"교수님, 중국은 사회주의 국가로 공산당이 지배하니 돈을 벌어도 한국으로 송금하기 힘들다고 하던데 무슨 방법이 있을까요?"

필자가 우리 기업으로부터 가장 많이 듣는 질문 중 하나였다. 그럴 때마다 필자는 "대표님, 우선 중국에서 위안화부터 버십시오. 돈 벌고 고민하셔도 늦지 않습니다. 합법적으로 송금하는 방법은 나중에 제가 알려드리겠습니다."라고 대답한다. 대부분의 중소기업 대표님들은 중국 사업을 시작하기도 전에 이런 고민을 하고 계신다. 우리는 중국 사업에 대해 너무나 많은 편견과 오해를 하고 있다. 그 중에서 가장 잘못 이해하는 것 중 하나가 바로 '과실송금' 이슈다. 우선 과실송금 개념부터 살펴보자. 과실송금이란 한국기업이 중국에 투자해 얻은 이익(배당)금을 한국으로 송금하는 것을 의미한다. 왜 우리 기업이 중국의 과실송금 제도에 대해 잘못 이해하는 것일까? 그것은 중국이란 나라에 대한 막연한 불신감과 불안감이 있기 때문이다. 그도 그럴 것이 중국은 사회주의 국가로 우리와 전혀 다른 규제들이 존재하고 공산당에 의해 부분적으로 정보가 통제되기 때문이다. 바꿔 말해 중국 특유의 체제 특성을 이해하고 규제를 피해갈 수 있는 지식과 혜안이 있으면 된다는 얘기다. 만약 중국에서 돈을 벌어도 자국으로 송금을 못 하면 현재 중국에 있는 약 100만 개의 외국인 투자기업들은 아마도 존재하지 않았을 것이다.

그렇다면 중국에서 합법적으로 벌어들인 이익금을 어떻게 한국으로 송금할 수 있을까? 중국에서 발생한 이익금을 한국에 보내기 위해서는 기업 내부 조건에 부합되어야 한다. 우선 전년 회계연도 결손이 없어야 하고 미지급된 법정납부금, 위약금, 체납금 등이 없어야 한다. 그런 전제하에서 기업소득세 등 해당 세금을 납부하고 일반적으로 '3대 유보기금三项基金'이라고 하는 회사적립기금, 노동자 장려 및 복지기금, 기업발전기금을 일정 비율로 적립하고 남은 이익금은 이사회 동의를 거쳐 한국으로 과실송금할 수 있다. 조인트벤처의 경우는 투자비율 혹은 계약서 약정에 따라 분배하여 송금하면 된다. 여기서 핵심 포인트는 3대 유보기금도 강제 적립되는 회사적립기금을 제외하고 나머지 유보기금은 회사 정관과 지역에 따라 적립하지 않을 수도 있기 때문에 회사 정관과 해당 지역 규정을 반드시 확인해야 한다는 것이다.

과실송금 4단계 프로세스

이러한 기업 내부 조건이 부합된다면 과실송금 절차는 크게 4단계에 걸쳐 진행할 수 있다.

첫째, 회사 회계감사를 맡은 회계법인에 과실송금을 위해 회사의 이익발생연도에 대한 회계감사보고서 작성을 요구하고 회사의 이익 상황에 대한 회계감사보고서를 작성하도록 요구한다.

둘째, 회사가 있는 중국 지역 소재지 세무부서에 납세증명서와 세무신고서를 신청해서 발급받으면 된다. 여기서 주의해야 할 사항은 혹시 현지 기업소득세 감세 혹은 면세혜택을 받는 기업은 현지 세무부서에서 발생한 감세 혹은 면세 증명서류를 대신 제출하면 된다. 중국에 제조공장을 가진 기업은 '2면3감(첫 2년간은 세금을 면제해 주고, 그다음 3년은 소득세의 50%만 납부하는 제도)' 혜택을 받고 있는지를 체크해야 한다. 필자가 상담한 산둥성 옌타이에 투자한 모 자동차부품 제조기업의 경우 2면3감 우대혜택을 모두 누리고 이익금을 한국으로 지속적으로 송금하였다. 그러나 회사 상황이 점점 악화되기 시작했고 어쩔 수 없이 회사 청산을 신청했다. 현지 세무당국으로부터 '지난 5년간 혜택받은 기업소득세 금액을 다시 환수해야 한다'라는 연락을 받았다. 중국에서 회사를 지속적으로 하라는 의미에서 세제혜택을 주었는데 10년도 안 되어서 회사를 청산한다고 하니 다시 돌려받겠다는 것이다. 최근 들어 중국사업 청산절차가 어렵고 까다롭다는 것도 이러한 내용과 무관하지 않다. 우리 기업이 특히 주의해야 할 사항이다.

셋째, 이익배당금에 대한 세금을 납부하고 관련 증빙서류를 발급받는다. 여기서 많은 분이 혼동하는데 기업소득세와 이익배당금에 대한 세금은 별도의 개념으로 생각하면 된다. 기업소득세는 말 그대로 법인이 내는 세금이고, 이익배당금은 해당 주주가 내는 세금이다. 이익배당금 관련 세금은 중국 규정상 이익금의 10%로 규정하고 있으나, 한국과 중국이 체결한 「이중과세방지협정」(1994년 3월 체결, 2006년 동 협정의 제2의정서 체결)에 의해 지분투자비율이 25% 이상이면 이익배당금의 5%만 내면 된다. 만약 지분투자비율이 25% 미만일 경우는 규정대로 10% 세금을 납부하고 송금할 수 있다는 얘기다.

넷째, 상기 서류와 영업집조(사업자등기부등본)를 가지고 지정된 외환송금 은행(주거래 은행)에 제출하고 기업 외환등기증과 납세증명서에 은행도장을 날인받으면 송금이 완료된다.

과실송금을 위해 지정된 은행에 제출해야 할 서류

  1. 외국인투자기업 외환등기증
  2. 이사회의 이익 배당금 분배 결의서
  3. 험자보고서験資報告(자본금납입 감사보고서)
  4. 회사 이익 상황에 대한 회계감사보고서
  5. 납세증명서
  6. 세무신고서
  7. 영업집조(사업자등기부등본)

과실송금 방식과 절차는 중국 지역에 따라 약간 다를 수 있으나 대동소이하다. 한편 반대로 이익금을 한국으로 송금하지 않고 사업 확대를 위해 재투자할 때는 일반적으로 기존 납부한 기업소득세의 30~40%를 환급을 받을 수 있다.

　　최근 신문 매체를 보면 중국에서 외국으로 송금이 어렵다는 뉴스를 종종 접하곤 한다. 그것을 보는 대부분의 기업인들은 '역시나 중국에서 돈을 벌면 한국으로 가져오기 힘들구나.'라는 생각을 하게 될 것이다. 기사 내용을 잘 이해해야 한다. 내용의 핵심은 중국 정부가 국내 자금의 해외유출을 우려해 시행하는 정책으로 예를 들어 기업의 불법 자금의 해외유출이나 무분별한 해외기업 인수합병을 감독하기 위해서 송금을 제한한다는 것이다. 과실송금은 전혀 관련이 없다. 외국기업이 중국에서 합법적으로 벌어들인 돈은 합법적인 규정에 따라 자국으로 송금할 수 있다. 중국경영에 대한 편견과 선입관을 버려야 돈을 벌 수 있다.

8

복잡한 유통시장 함정에 주의하라

"교수님, 저희 회사는 3년 전부터 대리상을 통해 중국 영업을 진행하고 있습니다. 최근에 상하이 경소상이 연락 와서 자기한테 상하이를 중심으로 하는 화동지역 총판을 달라고 합니다. 어떻게 하는 것이 좋을까요?"

의료기기를 중국에 수출 유통하는 중소기업 대표가 질문한 내용이다. 사실 이 질문은 필자가 대한민국 주중국대사관 중소벤처기업센터 소장 시절부터 많이 들어온 것이다. 그만큼 중국 유통시장 구조가 매우 복잡하고, 특히 지역별로 유통시장 구조가 달라서 혼란스러울 수밖에 없다. 중국 시장은 방대해서 중소기업이 넓은 지역을 아우르는 내수 유통·판매망을 구축하기 어렵기 때문이다.

중국의 유통시장 진입형태는 크게 두 가지로 나뉜다. 제품을 중간유통을 거치지 않고 직접 중국 소비자에게 파는 직판·직영 형태가 있고 중간 유통업자distributor를 통해 간접적으로 중국 소비자에게 판매하는 형태가 있다.

직접 판매하는 직판·직영을 중국에서는 직소直銷라고 부른다. 일반적으로 패션, 화장품, 가전제품 등 소비재를 판매하는 대기업의 경우 중국 유통시장 진입 시 대부분 직소 형태로 진출한다. 아모레퍼시픽의 이니스프리, 이랜드의 패션브랜드의 백화점 내 매장 진입형태가 대부분 직소다. 하지만 최근 중국 인건비와 임대료 상승, 코로나 확산, 미중 전략경쟁 등 여러 리스크 요인으로 인해 직소 매장이 어려움을 겪고 있다. LG생활건강은 과거 중국 전역의 130여 개에 이르는 더페이스샵, 네이처컬렉션 등 직소 매장이 중국 시장에서 철수하는 사례가 늘어나고 있다. 자금력에 한계가 있는 중견·중소기업의 경우는 더욱 그러하다. 따라서 중간재든 소비재든 중소제조기업은 대부분 중간 유통상을 통해 중국 내수시장에 진출하는 것이 일반적이다.

유통시장은 대리상과 경소상으로 구분된다

중간 유통상을 통한 중국 유통시장 진입은 크게 대리상(代理商, agent)과 경소상(经销商, vendor)으로 구분된다. 대리상과 경소상은 중국 유통시장에서 매우 복잡하게 얽혀 있다. 대리상과 경소상의 개념과 실제 중국 유통시장구조에서 어떻게 생태계를 구축하고 있는지에 대한 사전 이해가 필요하다. 우선 대리상과 경소상의 차이점을 알아보자. 대리상은 일종의 '위탁판매자'로서 한국 제조상(공급상)과 계약된 판매대금의 일부를 커미션 형태로 돈을 버는 유

중국 대리상 형태와 특징 비교

대리상 형태	소유권 이전 가능 여부	수수료 (커미션)	판매조건 제약 여부	타사제품 취급 여부	비고
총대리상	O	O	O	O	지역 제한 (중국 대도시)
독점대리상	X	O	O	X	지역 제한 (중국 중소도시)
일반대리상	X	O	O	O	대소상(代销商)

통상이다. 반드시 독립적인 조직이나 경영방식이 있을 필요는 없고 상품의 소유권도 없다고 볼 수 있다. 참고로 계약 조건에 따라 총대리상과의 계약 시 소유권이 이전되는 경우도 있기 때문에 주의가 필요하다. 한국 제조상(공급상)의 제품이나 서비스를 대리위탁 판매하는 형태이기 때문에 한국 제조상과 수직적인 관계다. 중국 대리상은 크게 세 가지 형태가 있다. 중국 시장 전체 혹은 특정 지역을 책임지는 총대리상, 제조상의 제품만 대리판매하는 독점대리상sole agent과 비슷한 타사 제품군을 함께 대리위탁 판매하는 일반대리상이 있다. 일반적으로 대기업 제품을 제외하고는 대부분은 독점대리상 혹은 일반대리상 형태라고 볼 수 있다. 일반대리상은 대소상代销商이라고 부르기도 한다.

한편 중국 대리상 선정과 관리 시 몇 가지 주의해야 할 사항이 있다. 첫째, 대리상의 규모, 판매능력 등을 반드시 확인해야 한다. 전문 신용평가기관을 통해 중국 대리상의 회사 등기사항 여부, 자본금 규모, 기업 소유지배구조, 유사제품 판매 경험 등에 대해 다면적인 조사가 필요하다.

둘째, 대리상의 판매의지를 확인해야 한다. 시장개척 초기에는 지명도도 낮고 판매량이 적은 국내 중소기업 제품을 중국 대리상이 적극적으로 판매에 나서지 않을 가능성이 높기 때문이다. 특히 중점 판매 대상 제품이 아닐 경우 현지 마케팅 활동을 적극적으로 하지 않는 경향이 있어 단기간에 거래 관계가 단절되는 사례도 종종 발생하곤 한다. 또한 우리 제품 말고도 유사한 타사 제품의 비중이 얼마나 되는지에 대한 조사도 필수다.

셋째, 대리상의 도덕적 해이에 주의해야 한다. 고의로 결제 기간을 장기화하거나 미수금이 발생할 수도 있다. 또한 한국의 좋은 제품을 대리 판매하면서 수익성이 확보되면 더 큰 수익창출을 위해 얼마 되지 않아 한국 제조상(공급상) 몰래 모방제품을 만들거나 조달하여 한국 제품을 위해 개척한 기존 판매망을 통해 모조품을 판매하는 모럴해저드가 자주 발생한다. 그 때문에 반드시 유사제품 제조 또는 판매를 금지하는 내용을 대리상 계약서에 명시해야 한다.

지역 대리상 구축과 관리는 어떻게 할까

넷째, 대리상에 대한 관리시스템을 구축해야 한다. 대리상은 지역 규모에 따라 총대리상, 지역대리상, 1급 대리상, 2급 대리상 등으로 나누기도 하고 제품에 따라 특정 브랜드 대리상을 두기도 한다. 따라서 지역에 따른 형태별 대리상을 어떻게 구축 관리할 것인가를 고민해야 한다. 일반적으로 한국 제조상은 중국 총대리상과 1급 대리상 정도에만 신경을 쓰고 2급 대리상에는 신경을 거의 쓰지 않는 경향이 있다. 하지만 2급과 3급 대리상으로 넘어가면서 제품관리와

AS가 문제 되어 악성댓글이 인터넷상에 퍼지면 전체 기업 이미지에 타격을 줄 수 있기 때문에 철저한 관리시스템을 구축해야 한다. 2급 대리상부터는 일반적으로 중국에서는 분소(分销, 지역대리상)라고 한다. 과거 중국 지역대리상의 경우 상품과 대금을 챙겨 도주하거나, 파손 또는 도난 등을 핑계로 대리위탁제품을 무단 유출하거나, 고객과 공모하여 상품을 빼돌리는 사례가 종종 있었다. 그 때문에 철저한 관리시스템을 구축하거나 혹은 지방에 분공사를 설립하여 현지 대리상에 대한 영업·유통관리를 하는 것도 대안이 될 수 있다.

그렇다면 이러한 대리상 선정과 활용 시 발생하는 문제점에 대해 어떻게 대응하는 것이 바람직할까? 첫째, 가능한 대리상은 영업만 하고 계약은 한국 본사가 직접 맡는 것이 좋다. 만약 한국 본사 사정상 직접계약이 힘들다면 현금결제를 요구하여 미수금 발생을 최소화한다. 동시에 성과가 미약한 대리상은 점차 도태시키면서 3년 내 손익분기점BEP에 도달한다는 생각으로 경쟁과 마케팅 강화를 유도해야 한다. 둘째, 대리상도 한국 본사 조직이라는 생각을 갖고 광고비, 물류비, 차량 지원 등 밀착관리를 통해 대리상의 판매실적을 높이도록 적극적으로 지원해야 한다. 이를 통해 경쟁력 없는 대리상을 점차 도태시켜가야 한다. 대리상과 계약을 했다고 해서 매출실적이 바로 올라가는 경우는 거의 없다. 셋째, 중소 브랜드의 경우 대도시보다 중소도시 위주로 시장을 선점할 수 있는 지역대리상 발굴을 위해 노력해야 한다. 특히 우리 중소기업이 많이 직면하게 되는 문제가 바로 총대리상 선정이다. 많은 중국 유통상이 가능하면 총대리상을 요구한다. 하지만 총대리상 선정은 매우 조심스럽게 접근해야 한다.

권역별로 나누어서 총대리상을 선점하라

만약 총대리상으로 선정할 때, 즉 '총판권'을 줄 때 자칫 AS 문제와 소유권, 상표권, 저작권과 관련한 도덕적해이 현상 등 향후 중국 사업에서 매우 혼란스러운 상황이 일어날 수도 있다. 만약 총대리상을 희망하는 중국기업이 있다면, 우선 향후 총판권에 대한 사업계획서를 먼저 받아보는 것이 좋다. 중국 내 해당 제품의 시장, 경쟁 현황, 매출액 달성을 위한 구체적인 계획과 향후 방향성에 대해 검증을 해야 한다. 물론 해당 중국기업에 대한 사전조사는 기본적으로 선행되어야 한다. 중국은 한국의 거의 100배에 해당되는 면적에서 56개의 소수민족으로 이루어진 다민족 국가다. 드러나지 않지만 매우 심한 지역감정도 있다.

따라서 필자는 우리 중소기업에 중국을 국가 개념으로 보지 말고 가능한 권역별로 나누어서 총대리상을 선정하라고 얘기하고 있다. 일반적으로 중국 내 판매 총대리상은 화남지역, 화중지역, 화북지역, 화동지역 등 4군데로 나누어서 선정하는 것을 원칙으로 하고 있다. 그러나 가능하다면 중국을 지역 관행, 풍습, 역사, 문화, 음식 등을 종합적으로 고려하여 더욱 세분화하여 총대리상을 선정할 것을 추천한다.

한편, 경소상経销商은 자기자본으로 제조상으로부터 물품을 직접

중국 대리상의 일반적인 지역 구분 사례

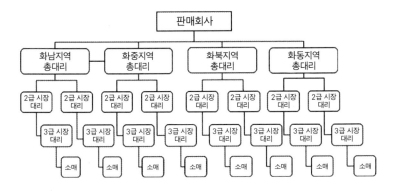

구매해 자기 유통채널을 통해 재판매함으로써 매매차익을 얻는 유통상이다. 따라서 독립된 경영조직과 경영방식을 구비하고 있고 상품의 소유권을 가지고 있다. 경소상은 한국 제조상으로부터 상품을 직접 구매해 중국 소비자에게 다시 파는 중개 판매상이기 때문에 한국 제조상(공급상)과 수평적이고 대등한 관계라고 볼 수 있다. 상황에 따라서는 중국 수입상buyer이 경소상이 될 수도 있다. 예를 들어 한국 제조상으로부터 물품을 1,000원에 직접 구매해 중국에서 5,000원에 팔든 1만 원에 팔든 경소상에 모든 권한이 있다. 경소상은 크게 두 가지 형태가 있다. 하나는 한국 제조상 제품만을 판매하는 독점경소상이고 다른 하나는 다양한 브랜드의 동종제품을 판매하는 일반경소상이다. 한국 제품의 브랜드 인지도와 기술적 우수성에 따라 독점경소상과 일반경소상을 구분해서 잘 선택해야 한다. 대기업과 기술력이 뛰어난 중견기업은 독점경소상을 선정하는 것이 일반적이다. 대부분의 중소 국내기업의 경우 독점경소상보다 일반경소상을 통해 비즈니스가 진행된다고 보면 무방하다.

가격이 무너지면 중국 사업도 무너진다

대부분의 우리 기업은 현금을 내고 물품을 직접 사가지고 가는 중국 경소상과의 거래를 희망한다. 그도 그럴 것이 외상거래가 일반적인 중국 유통시장에서 당연히 경소상을 선호할 수밖에 없다. 또한 경소상을 통해 물품을 중국 시장에서 판매할 경우 물류비용과 재고비 절감 등의 효과가 있다. 대표적인 중국 소비시장 진출 성공 사례로 꼽히는 오리온 초코파이와 농심 신라면도 중국 각 지역 경소상과 신뢰와 탄탄한 유통망을 구축하여 성장할 수 있었고 중국 내 매출의 90% 이상이 경소상을 통해 발생하고 있다.

단순히 비교하면 리스크가 많은 대리상보다 경소상이 훨씬 좋아 보일 수 있다. 그러나 경소상을 통한 중국 유통시장 진입 시 반드시 주의해야 할 점이 있다. 그것은 중국 내 시장 선점을 위해 경소상들이 일명 '가격 후려치기'를 많이 한다는 것이다. 소비재 중소기업의 중국 사업 실패 사례를 보면, 초창기 중국 경소상을 통해 시장진입은 성공했으나 가격이 무너지면서 결국 실패하는 경우가 많다. 예를 들어 국내 유자차 및 조미김 제조기업의 경우 초기 중국 수출에 성공했지만, 중국의 각기 다른 지역 경소상들이 시장선점을 위해 가격을 후려치기 시작하면서 지속적으로 수출이 되지 못한 것이 대표적이다. 중국 사업의 격언 중 "가격이 무너지면 중국 사업도 무너진다."가 있다. 단기적으로는 현금거래로 물품을 팔아서 수익이 발생하겠지만 중장기적으로는 부메랑이 되어 실패의 원인이 될 수 있다는 것이다. 일반적으로 중국 소비자의 특성상 지역마다 가격이 다를 경우 우선 제품에 대한 불신을 가진다. '왜 지역별로 가격이 다르지? 혹시 이 제품은 가품이나 짝퉁인가?'라는 의구심을 가지는 것이다. 과거 온라인 비즈니스가 발달하지 않았을 때는 큰 문제가 되지 않았다. 하지만 지금은 스마트폰으로 대부분 가격을 조회하고 확인할 수 있다. 따라서 중국 사업에 있어 판매가격이 무너지면 절대 안 된다. 반드시 경소상과 수출 혹은 거래계약서 작성 시 현지 판매가격에 대한 철저한 준수조항을 적시하고 위반할 경우 위약금 혹은 기타 제재조항을 삽입하는 것이 현명하다.

9
중국식 유통구조를 이해하라

중국 내수 유통에 관한 기본 구조와 내용을 이해했다면 마지막으로 실제 현장에서 중국 유통구조가 어떤 식으로 구축되어 있는지 유통과정 단계별로 이해해야 한다. 실제 중국 내수 유통시장 구조는 대리상과 경소상이 혼합되어 매우 복잡하게 얽혀 있다. 중국의 각 성(자치구)-지급시-현급시-현 단위까지 행정구역별로 구성되어 있어 마치 피라미드 구조와도 같다. 이처럼 중국 유통시장 구조가 복잡하다 보니 실전 비즈니스 현장에서는 대리상과 경소상의 구분 없이 모두 혼합되어 활용되는 경우가 허다하다. 예를 들어 분명 선先사입하는 경소상 형태의 유통구조이지만 그들은 그냥 편하게 대리상 혹은 유통상이란 표현을 쓴다. 따라서 한국 공급상과 중국 대리상(혹은 경소상) 간에 어떤 형태의 계약을 체결했느냐가 실전 비즈니스에서 매우 중요하다. 여기서 주의할 점은 가능한 계약 내용에 따라 계약서 표지 제목을 'ㅇㅇ품목 대리상 계약서' 혹은

'○○품목 경소상 계약서' 방식으로 세부적으로 작성하는 것이 좋다. 향후 일어날 수도 있는 분쟁의 소지를 막기 위해서다. 중국 사업을 할 때는 어떤 계약서든 가능한 구체적으로 표기하는 것을 추천한다.

유통시장의 기본 구조를 이해해야 한다

소비재든 산업재든 중국 유통시장의 기본 구조는 크게 다섯 가지 형태가 있다. 참고로 일반적으로 경소상은 최종 소비자에게 제품을 직접 판매하고 대리상은 경소상을 거쳐서 최종 소비자에게 판매한다. 결론적으로 최종 소비자에게 판매되기 위해서는 반드시 경소상을 거쳐야만 한다.

첫째는 가장 기본적인 구조로 '한국 공급상→중국 경소상→소비자' 형태다. 중국 경소상이 바로 수입상(바이어)으로서 자체적인 수출입 권한을 가지고 있으며 중국 내 자체적인 유통망을 통해 최종 소비자에게 판매하는 형태라고 볼 수 있다.

둘째는 '한국 공급상→중국 총대리상(총판)→지역 경소상→지역 소비자' 형태다. 일반적으로 대리상은 바로 이 단계부터 나타나기 시작한다. 여기서 중국 총대리상은 한국 공급상으로부터 도매 가격으로 제품을 공급받아 중국 전역에 유통하는 방식이다.

셋째는 '1급 대리상' 개념이 나타나면서 '한국 공급상→중국 총대리상(총판)→1급 대리상→각 지역 경소상→소비자' 순으로 이어지는 형태다. 총대리상이 화동, 화남, 화북, 화중 등 권역별 혹은 성(자치구)별로 1급 대리상을 선정하여 진행하고 1급 대리상이 각 지역 경소상을 통해 최종 소비자에게 판매하는 형태다.

넷째는 '한국 공급상→중국 총대리상→1급 대리상→2급 경소상(혹은 대리상)→···→n급 경소상→소비자'로 이어지는 복잡한 형태다. '2급 경소상' 개념이 등장하는 구조로 앞에서 언급한 분소分销 개념이 바로 2급 경소상에 해당한다고 볼 수 있다. 분소상은 경소상으로부터 제품을 구매하여 각 해당 지역에서 제품을 판매하는 지역 유통상이다. 일반적으로 경소상이 판매가를 통제하나 실제 유동성이 매우 크다고 볼 수 있다. 이러한 복잡한 현지 유통구조를 거치면 상품 원가의 6배수 이상이 뛰는 경우가 다반사다. 따라서 중국에서는 일반적으로 상품원가 70%(제조원가 40%+마케팅비용 20%+유통비용 10%)+판매마진 30%으로 구성되는 유통원가 구조가 상품원가20%+판매·유통 마진 80%로 구성되는 경우도 많다는 것을 이해해야 한다. 당연히 최종 판매가격을 통제하기 어려워지면서 결국 브랜드 가치 하락을 가져오기 마련이다. 중국 유통원가 구조에 대한 철저한 이해와 설계가 필요한 것이다.

다섯째는 국내 대기업 혹은 중견기업들이 많이 하는 직접판매 유통구조 형태로 한국 공급상(제조사)이 중국에 투자(혹은 제조)법인을 설립한 후 권역별 혹은 지역별로 분공사를 설립한다. 그리고 분공사가 각 지역의 여러 유통채널을 통해 판매하는 형태다. 현실적으로 중소기업이 구축하기에는 비용이 많이 드는 단점이 있다.

여기서 유통채널은 소비재 혹은 산업재에 따라 달라진다. 예를 들어 소비재의 경우 대형매장 체인점, 브랜드숍, 분공사의 자체 유

중국 내 소비재 직접판매 유통구조 사례

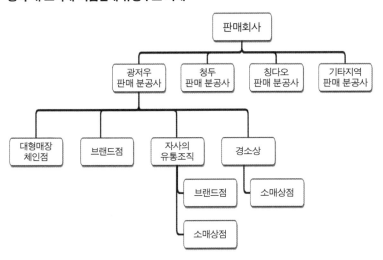

통조직, 지역 경소상을 통해 소매상점으로 유통되고 최종 소비자에게 판매되는 형태라고 이해하면 된다. 가장 대표적인 사례가 바로 이랜드의 중국 패션사업이다. 이랜드는 상하이에 이랜드차이나 법인을 설립한 뒤 권역별로 분공사를 설립하여 각 지역 특성에 맞는 유통채널을 통해 매출을 올릴 수 있었다. 이랜드차이나가 초창기 중국 사업에 성공할 수 있었던 것은 단순히 지역 유통상(대리상 혹은 경소상)에 모든 것을 맡긴 것이 아니라 마케팅과 매장관리 등 핵심 사항을 직접 챙기면서 했기 때문이다. 비록 재무구조 개선과 중국 전략 사업 집중을 위해 중국법인의 종합 브랜드인 티니위니와 스포츠 브랜드인 케이스위스를 매각하는 등 전반적인 구조조정 작업을 진행했지만 중국 유통망 개척과 관리 측면에서 벤치마킹해야 할 기업 중 하나라고 볼 수 있다.

물론 품목별 특징에 따라 더욱 다양한 형태의 중국 유통구조가 존재할 수 있지만, 거의 대부분은 상기 다섯 가지 형태로 요약될 수 있다. 따라서 필자가 얘기한 중국 유통시장의 기본 구조를 참고해서 제품과 판매지역 특성에 따라 기업 맞춤형 중국 유통시장 구조를 구축하면 된다. 중소기업의 경우는 쉽지 않을 수 있지만 차근차근 접목하는 노력을 해야 한다. 대부분의 중소기업은 그냥 중국 경소상에 팔기만 하면 된다는 생각을 한다. 이럴 경우 초기 진입은 가능할 수 있지만 지속적인 매출 성장이 어려울 수 있다. 적극적인 관심과 지원 사격이 필요하다. 산업재의 B2B 사업은 더욱 그러하다. 우리 기업의 적극적인 AS 시스템 구축, 기술 지원, 마케팅 지원 등 중국 유통상과 함께하는 노력이 수반되어야 지속적인 수출과 매출 확대가 가능할 수 있다. 중국 내수 유통시장은 매우 방대하고 다양하기 때문에 생각지도 못한 함정에 빠질 수도 있다. 이를 피하기 위해서는 중국 유통상의 고민과 애로사항을 적극적으로 청취해야 함을 명심해야 한다.

특유의 유통채널을 적극적으로 활용하라

중국 특유의 유통채널을 적극적으로 활용하는 것도 지혜로운 방법이다. 예를 들어 중국 약국체인을 들 수 있다. 중국 약국에서는 생수, 휴지, 식품, 화장품 등 마트에서 파는 생활용품 대부분을 팔기 때문에 활용해야 한다. 중국 의료보험은 지역마다 다른데 베이징의 경우 급여의 12%(기업 부담10%+개인 부담 2%) 정도 납부하며 그중 일부 금액을 개인 의료보험카드医疗保险卡에 현금으로 넣어준다.

(출처: 바이두)

이 카드는 병원과 약국에서만 사용이 가능하다. 만약 병원이나 약국을 잘 가지 않을 경우는 현금이 의료보험카드에 그대로 누적된다. 참고로 한화 1,000만 원 이상의 적립금액을 가지고 있는 중국인도 매우 많다. 따라서 많은 중국인이 적립되는 비용을 해소하기 위해서 약국체인에서 식품, 생수, 화장지 등 생활용품을 구매하는 것이다. 어차피 적립된 금액을 써야 하기 때문에 약국체인에서는 제품가격 저항선이 크지 않다. 예를 들어 소시지의 경우 슈퍼나 매장에서는 10위안에 판매되고, 약국체인에서는 12위안에 판매되더라도 크게 신경 쓰지 않고 물건을 구매한다는 것이다.

중국경영은 정답이 아닌 해답을 찾아야 한다

"소장님, 중국에서 성공하는 방법은 무엇입니까?"

과연 중국 사업에서 성공하는 방법은 무엇일까? 결론부터 얘기하면 중국 사업에 성공하기 위한 '정답'은 없다. 필자는 기존 성공 사례를 나름대로 정형화하고 공식화하여 중국 사업의 정답 모형을 만들어보고자 노력해왔다. 그러나 그 모형을 다른 기업에 적용하는 순간 전혀 맞지 않는 결과가 나왔다. 그 이유는 업종, 지역, 기업 조직문화 등의 특성에 따라 달라지기 때문이다. 그러나 중국 사업을 성공적으로 잘 운영하기 위한 '해답'은 존재한다.

인기 드라마 「미생」에서 인사이트를 얻을 수 있다. 철강팀의 수출 선박에 크랙이 생겼을 때 아무리 해결방안을 찾아도 뾰족한 결론이 나지 않은 상황에서 장그래가 스쳐 지나가는 말로 "때우면 되지 않나요?"라며 한마디를 던진다. 결국 현지 잠수부를 수배해서 선박의 크랙을 때워서 목적지까지 가게 되었다. 이때 강 대리가 오 과장에게 장그래를 칭찬하면서 "정답은 몰라도 해답은 아는 친구예요!"라는 대사를 남겼다. 그렇다면 정답正答과 해답解答의 차이는 무엇일까?

정답은 '1+1=2'와 같이 정확한 답이 존재하는 수학이나 물리학 등 자연과학 논리와 같다. 그러나 해답은 문제를 찾아 해결하는 솔루션, 즉 가장 최적화된 대응 방법으로 경영학이나 철학 등 인문학이나 사회과학 논리와 흡사하다. 모든 사람과 기업을 만족시킬 수는 없지만 최대한 정답에 다가가는 통섭의 방법론이다. 이는 융합convergence이라는 표현으로 대체할 수도 있다. 또한 정답이 이론적인 접근이라면 해답은 실무적인 접근이다. 우리는 지금까지 중국 시장을 이론적으로 접근하여 정답을 찾으려고만 했고 전략적인 경쟁과 위기의 상황 속에서 실무적으로 접근하는 해답을 찾기 위한 노력이 부족했다고 생각한다.

예를 하나 들어보자. 삼성전자와 LG전자의 스마트폰이 화웨이,

샤오미, 오포, 비보 등 중국 로컬 기업의 급부상과 시장 변화로 인해 중국 시장에서 존재감이 없어진 대표적인 실패 사례로 인식되고 있다. 그러나 중국의 저가 공세에 밀린 스마트폰과 디지털 가전 분야에 대한 중국 사업 전략에 전면적인 변화가 일어나기 시작했다. 삼성전자는 스마트폰 중국 시장점유율이 1% 미만으로 떨어지자 2019년 중국 내 대부분의 스마트폰 생산공장을 철수해서 베트남으로 이전했고, 2020년 8월에는 삼성전자의 유일한 PC생산라인인 쑤저우 공장도 생산을 중단하고 연구개발 형태로 전환하는 대대적인 중국 사업 구조조정에 들어갔다. 중국은 시안 반도체 공장을 중심으로 그 기능과 생산능력을 확대하고 스마트폰과 디지털 가전 등 다른 업종은 베트남 중심의 생산기지를 재구성하고 있다.

유연한 사고방식과 신속한 대응 전략이 필요하다

(사례 50 삼성 스마트폰의 사업 전환 사례)

삼성의 중국 내 스마트폰과 디지털 가전 사업의 부활은 가능할까? 모든 한국 제조 기업으로서는 인건비가 저렴한 지역으로의 공장 이전이 가장 기본적인 '정답'일 수도 있다. 그러나 그것은 막대한 중국 내수시장에서 더욱 멀어져 간다는 관점에서 결코 '정답'이 아닐 수도 있다. 2022년 3월 기준 4억 명이 넘는 5G 스마트폰 사용자가 있는, 급성장하는 중국 5G 서비스 시장을 멀리서 지켜볼 수만은 없기 때문이다. 위기 앞에서 포기하기에는 중국 내수시장은 너무 크다. 위기 극복을 위한 '해답'이 필요한 것이다.

삼성 스마트폰이 찾은 '해답'은 바로 제조자개발생산ODM 방식을 통해 가격경쟁력을 올려 중국 내 중저가 시장점유율을 회복하고 인도 등 신흥시장에서도 샤오미, 오포, 비보 등 중국 저가 스마트폰이 차지하고 있는 내수시장을 파고들겠다는 전략이다. 제조자개발생산이란 주문자(원청기업)가 제조업체에 제품의 생산을 위탁하면 제조업체가 설계개발, 디자인, 부품조달, 생산 등 모든 과정을 책임지고 진행하는 방식으로 주문자는 제조업체로부터 납품받은 제품을 유통하고 판매만 하는 형태다. 과거 성행했던 주문자가 설계개발을 하고 외부제조업체에 제조를 맡기는 주문자상표부착생산OEM과는 방식이 전혀 다르다. 여기서 중요한 것은 삼성전자는 중국 스마트폰 생태계를 잘 아는 중국 제조자개발생산 기업과 협력해 중국 시장을 반격하겠다는 것이다. 중국의 대표적인 제조자개발생산 기업인 윈테크Wintech, 화친Huaqin 등과 협력하여 최소한의 비용으로 중국 시장에서 살아남기 위한 최적의 '해답'을 찾은 것이다. 중국기업을 활용해 다시 14억의 중국 내수시장을 공격하는 『손자병법』 제5계의 '이이제이以夷制夷'를 통한 위기극복의 해법이다. 적을 통해 적을 제압하는 전술을 의미하는 이이제이 전략은 생존을 위한 고육책이지만 매우 현명하고 유연한 '해답'이라고 볼 수 있다.

중국 사업의 성공을 위한 정답은 존재하지 않는다. 그러나 해답은 분명히 있다. 성공에 다가가기 위한 중국 시장 연구라는 이론적인 학습뿐만 아니라 실무적인 접근인 해답을 찾는 노력이 수반된다면 분명 성공 확률을 높일 수 있다. 중국 시장 진출의 해답을 찾는 과정은 기존의 많은 중국 진출 사례 학습에서 출발한다. 국내외 기업의 중국 진출의 성공과 실패 사례에 대한 면밀한 분석과 함께 자사에 맞는 인사이트(통찰)를 추려내어 자사의 중국 사업에 접목해보는 시도가 뒤따라야 한다. 중국 시장은 너무 방대하고 다양한 시장 특성을 가지고 있기 때문에 유연한 사고방식과 신속한 대응 전략이 요구된다. 뒤돌아보건대 필자가 지난 30년 동안 만난, 중국 사업에 성공한 기업들은 위기 때마다 그에 맞는 '해답'을 잘 찾아낸 것 같다.

미주

1. 벤츠는 홍보용 포스터에 '모든 각도에서 보면 당신은 더욱 열릴 것이다(Look at situations from all angles, and you will become more open)'라는 문구를 사용했다.

2. 영문명은 마즈다Mazda이며 우리나라에서는 '마쯔다'가 공식 표기명이다.

3. 신위를 모신 집

4. 대문 밖에서 집 안이 보이지 않게 대문 안쪽에 무늬를 새겨서 세운 벽

5. 중국어에서 1(一)은 '이'와 '야오' 두 가지로 발음된다.

6. 일본 브랜드 밴VAN의 창시자 이시즈 겐스케가 발안한 개념으로 Time(시간), Place(장소), Occasion(경우)의 머리글자를 딴 일본식 영어 약자다. 때와 장소, 경우에 따른 방법과 태도, 복장 등의 구분을 의미한다. (출처 위키피디아)

7. 초재招財는 재물을 부른다는 뜻이다.

8. 세 가지 강령과 다섯 가지 윤리규범인 삼강오륜을 의미한다.

9. 최영애, [중국어란 무엇인가?]

10. 영국 런던 외곽에 있는 그리니치 천문대를 지나는 본초자오선상의 평균태양시. 1925년 이전의 그리니치시는 정오正午를 0시로 하여 시간을 재기 시작하는 방식의 천문학용 평균태양시의 명칭이었다. 이에 반해 일상생활에서는 자정을 0시로 하여 시간을 재는 방식이 사용되었다. 이것을 그리니치상용시(GCT)라고 한다.

11. 순위별로 보면, 충칭-상하이-베이징-청두-톈진-광저우-선전-우한-허베이성 스자좡-하얼빈-쑤저우-산둥 린이-허난성 정저우-허난성 난양-시안

12. 순위별로 보면, 선전-산둥성 둥잉시-네이멍구 어얼둬쓰-우시-쑤저우-광둥성 주하이-광저우-난징-장쑤성 창저우-항저우-베이징-창사-우한-상하이-닝보

13. 상하이, 광저우, 선전, 베이징, 쑤저우, 우한, 청두, 항저우, 충칭, 난경, 선양, 톈진, 지난, 칭다오, 다롄

14. 양로보험(국민연금), 의료보험, 실업보험, 공상보험(산재보험), 생육보험, 주택공적금 등 6대 사회보장보험

15. 순위별로 보면, 우시-쑤저우-난징-창저우-항저우-상하이-닝보

16. 선전, 광저우, 주하이, 둥관, 후이저우, 중산, 장먼, 포산, 자오칭

17. 창장 유역 흐름에 따라 중국 동서 전체를 아우르는 경제권의 개념이다. 11개 성의 생태 인프라 구축과 내수경제 확대를 위해 중국 정부가 2016년 9월 공식 발표했다.

18. 서비스가 제공되는 서버의 물리적인 위치(지역)를 의미한다.

19. 2위 호주 320톤(9.9%), 3위 러시아 300톤(9.3%), 4위 미국 190톤(5.9%), 5위 캐나다 170톤(5.2%)

20. MAU는 Monthly Active Users의 축약형으로 한 달 동안 해당 서비스를 이용한 순수한 이용자 수를 나타낸다.

21. 온라인상의 유명인사를 뜻하는 왕뤄훙런网络红人을 일컫는 용어다. 인플루언서를 의미한다.

22. 유명인이나 셀럽이 어떤 상품의 판매를 이끌어내는 것을 의미하는 신조어

23. 테크놀로지technology와 뷰로크라트bureaucrat의 합성어로 기술관료를 말한다. 이들은 과학과 기술 분야의 전문 지식과 능력을 통해 조직과 사회의 의사결정과 운영에서 중요한 역할을 맡고 있다.

24. 스타나 유명인이 상품 판매에 나서 대중의 소비에 영향을 미치는 현상

25. 중국의 모바일 메신저인 웨이신微信(위챗)과 웨이보微博를 이용해 상품을 홍보하고 판매하는 사업자를 의미한다

26. 중국 국가신문출판광전총국이 발급하는 중국 내 게임 서비스 허가권

50개의 사례로 보는 **딥 차이나**

초판 1쇄 인쇄 2022년 6월 8일
초판 1쇄 발행 2022년 6월 15일

지은이 박승찬
펴낸이 안현주

기획 류재운 **편집** 안선영 **마케팅** 안현영
디자인 표지 최승협 본문 장덕종

펴낸 곳 클라우드나인   **출판등록** 2013년 12월 12일(제2013-101호)
주소 우) 03993 서울시 마포구 월드컵북로 4길 82(동교동) 신흥빌딩 3층
전화 02-332-8939   **팩스** 02-6008-8938
이메일 c9book@naver.com

값 20,000원
ISBN 979-11-91334-78-4 03320